Tegenstroom

Van dezelfde auteur

Stille blik
Nachtlicht
Verdronken verleden
Kil als het graf
Nasleep
Onvoltooide zomer
Vuurspel
Drijfzand

Peter Robinson

Tegenstroom

A.W. Bruna Uitgevers B.V., Utrecht

Oorspronkelijke titel
A Necessary End

Vertaling
Valérie Janssen
Omslagbeeld
Paul Knight, Trevillion Images
Omslagontwerp
Wil Immink

ISBN 90 229 9130 X
NUR 305

Voor Martin, Chris, Steve en Paul,
oude vrienden die allemaal een bijdrage hebben geleverd

1

De demonstranten stonden in de maartse motregen op een kluitje bij elkaar voor het wijkcentrum van Eastvale. Sommigen van hen staken een zelfgemaakt bord in de lucht, maar de letters van de leuzen tegen kernenergie waren door de regen uitgelopen en deden denken aan de rode belettering aan het begin van een horrorfilm. Het was daardoor moeilijk te zien wat er precies stond. Rond halfnegen waren alle aanwezigen van top tot teen doorweekt en was iedereen het zat. Er waren geen televisiecamera's om de gebeurtenissen op film vast te leggen en er bevond zich tussen de menigte geen enkele verslaggever. Protestdemonstraties waren achterhaald en de media waren alleen geïnteresseerd in wat zich binnen afspeelde. Bovendien was het hier buiten koud, nat en donker.

Ondanks alle frustraties waren de demonstranten tot dusver heel geduldig geweest. Hoewel hun haar tegen hun schedel lag geplakt en het water in hun nek druppelde, hadden ze hun onleesbare borden ruim een uur lang van de ene voet op de andere schuifelend omhooggehouden. Nu kregen velen van hen echter langzamerhand een beetje last van claustrofobie. North Market Street was smal en werd slechts vaag verlicht door ouderwetse gaslampen. De politie had de demonstranten ingesloten en stond nu zo dicht bij hen dat ze geen ruimte meer hadden om zich verder te verspreiden. Een rij politiemensen stond boven aan de trap bij de zware, eikenhouten deuren op wacht en tegenover het gebouw blokkeerden andere agenten de zijstraatjes die naar de kronkelende steegjes en open velden achter Cardigan Drive leidden.

Na een tijdje begonnen enkele mensen aan de rand van de menigte wat te duwen en te trekken om een beetje lucht te krijgen. De politie duwde hard terug. Een golfbeweging baande zich een weg naar het dicht op elkaar gepakte hart van de mensenmassa die haar onderdrukte woede nu de vrije loop liet. Toen iemand zijn bord op het hoofd van een agent liet neerkomen, juichten de andere demonstranten. Iemand anders gooide een fles. Deze brak zonder enige schade aan te richten hoog tegen een muur aan scherven. Een paar mensen hieven een vuist in de lucht en de menigte scandeerde: 'We willen naar binnen! Laat ons erin!' Hier en daar braken er relletjes uit. Mensen deden verwoede pogingen om meer ruimte te creëren en de politie duwde hen hard achteruit om hen in bedwang te houden. Het was alsof ze op het deksel van een kokende pan zaten: een van tweeën zou moeten meegeven. Naderhand kon niemand meer zeggen wat er precies was gebeurd of wie er was begonnen, maar de meeste demonstranten die werden verhoord, beweerden dat een politieagent had geschreeuwd: 'Sla die hufters in elkaar!' en dat daarop de hele rij met geheven wapenstokken langs de trap naar beneden was gekomen. En toen brak de hel los.

Het was veel te warm in het wijkcentrum. Inspecteur Banks frunnikte aan zijn stropdas. Hij had een hekel aan dassen en wanneer hij er zoals nu niet onderuit kon, liet hij gewoonlijk het bovenste knoopje van zijn overhemd los om zo het verstikkende gevoel iets te verlichten. Deze keer speelde hij echter niet alleen uit ongemak, maar ook uit verveling met de losjes gestrikte stropdas. Hij had veel liever thuis gezeten met een arm om Sandra heen geslagen en een glas goede Schotse single malt whisky in zijn hand.
De afgelopen dagen was het thuis echter een kille, eenzame bedoening geweest, want Sandra en de kinderen waren weg. Haar vader had een lichte beroerte gehad en ze was direct naar Croyden gegaan om haar moeder te helpen. Banks wilde maar dat ze terugkwam. Ze waren jong getrouwd en hij was tot de ontdekking gekomen dat het vrijgezellenbestaan na een grotendeels gelukkig huwelijk van bijna twintig jaar weinig bekoring meer voor hem had. De voornaamste reden voor Banks' slechte humeur zanikte echter eindeloos door en vergastte het overvolle wijkcentrum van Eastvale op bijzonder nasale wijze op een variant van hoofdstedelijk monetarisme. Het was het Hoogedelgestrenge Member of Parliament Honoria Winstanley, die olie op de woelige golven van de relatie tussen noord en zuid kwam gieten. Zij had daartoe Eastvale uitverkoren, omdat het, hoewel niet echt groot, toch de omvangrijkste en belangrijkste stad in dat deel van het land tussen York en Darlington was. Ook maakte het stadje op dat moment een periode van ongekende en onverklaarbare groei door, waardoor het de aandacht op zich gevestigd zag als lichtend voorbeeld van volkskapitalisme in de praktijk. Banks' aanwezigheid tussen de twee zwijgzame agenten van Special Branch was puur een beleefdheidsgebaar. Hoofdinspecteur Gristhorpe had hem ongetwijfeld met deze taak opgezadeld omdat hij er geen enkele behoefte aan had om de Hoogedelgestrenge Honoria zelf te moeten aanhoren, dacht Banks bij zichzelf. Als het echt moest, zou Banks zichzelf als een gematigd socialist omschrijven, maar in feite deed politiek hem weinig en politici maakten hem vaak razend.

Af en toe gluurde hij even naar links of rechts naar de officiële bodyguards met hun rusteloze ogen, die blijkbaar elk moment een terroristische aanval verwachtten. Omdat hij hun namen niet kende, had hij hen Chas en Dave gedoopt. Chas was de dikke met de vochtige ogen en de opgezwollen, rode neus, en Dave was gezegend met het magere, hongerige uiterlijk van een minister uit een Tory-kabinet. Telkens als iemand in het publiek op zijn stoel verschoof, een vuist ophief om een kuchje te smoren of naar een zakdoek tastte, liet een van beiden een hand onder zijn colbertje in de richting van zijn schouderholster glijden.

Het was allemaal te dwaas voor woorden, vond Banks. De enige reden waarom iemand Honoria Winstanley zou willen vermoorden, was omdat ze zo'n saaie toespraak hield. En dat kwam beslist helemaal onder aan de lijst met motieven voor het plegen van een moord, hoewel iedere rechter met ook maar een greintje gezond verstand in dit geval ongetwijfeld zou oordelen dat het moord uit noodweer betrof.

Het publiek applaudisseerde en mevrouw Winstanley zweeg even om een slokje water te nemen. 'En ik zeg u allen,' zette ze toen haar retorische betoog voort, 'dat mettertijd, wanneer ons beleid eenmaal zijn vruchten afwerpt en elk spoortje van het socialisme is uitgeroeid, alle verdeeldheid zal verdwijnen en dat het noorden, de eerbiedwaardige bakermat van de industriële revolutie, voorwaar net zozeer zal opbloeien als de rest van ons glorierijke land. Het zal wederom een verénigd koninkrijk zijn, verenigd onder het banier van ondernemerschap, motivatie en hard werken. Hier in Eastvale bent u daarvan reeds getuige.'

Banks hield een hand voor zijn mond en gaapte. Hij keek opzij en zag dat Chas zo volledig in Honoria opging dat hij zelfs even vergat uit te kijken naar leden van de IRA, de PLO, de Baader-Meinhofgroep en de Rode Brigade.

De toespraak werd goed ontvangen, vond Banks, in aanmerking genomen dat leden van diezelfde regering het noorden nog niet zo heel lang geleden hadden voorgehouden dat het niet zo moest jammeren over de heersende werkloosheid en eraan hadden toegevoegd dat de meeste problemen in dat deel van het land werden veroorzaakt door slechte eetgewoonten. Maar goed, met een publiek dat vrijwel geheel bestond uit leden van de plaatselijke Conservative Association – voornamelijk kleine ondernemers, boeren en grondbezitters – kon je een dergelijk welgemeend enthousiasme ook wel verwachten. De aanwezigen in de zaal zaten er warmpjes bij en hadden aan goed, gezond eten ongetwijfeld geen gebrek.

Het werd steeds warmer en bedompter in de zaal, maar de Hoogedelgestrenge Honoria vertoonde nog altijd geen tekenen van verslapping. Integendeel zelfs, want ze had zich nu vol overgave gestort op een uitgebreide, lyrische verheerlijking van het bezit van aandelen waarbij ze de indruk wekte dat iedere Engelsman van de ene dag op de andere miljonair kon worden als de regering maar doorging met het verkopen van staatsbedrijven en diensten aan de privésector.

Banks snakte naar een sigaret. Hij had onlangs weer eens geprobeerd te stoppen met roken, maar zonder succes. Nu er zo weinig te doen was op het bureau en Sandra weg was met de kinderen, was hij zelfs juist meer gaan roken. De enige vooruitgang die hij had geboekt, was dat hij van Benson & Hedges Special Mild was overgestapt op Silk Cut. Hij had ergens gehoord dat het breken met een vast merk de eerste stap was op weg naar helemaal stoppen. Helaas vond hij het nieuwe merk inmiddels lekkerder dan het oude.

Toen Honoria van leer trok over de noodzaak van het behouden en zelfs uitbreiden van de aanwezigheid van het Amerikaanse leger in Groot-Brittannië, verschoof hij wat op zijn stoel en kreeg hij van Chas een bestraffende blik toegeworpen. Hij vroeg zich af of deze laatste uiteenzetting wellicht een omslachtige manier was om het onderwerp ter sprake te brengen waarvoor de vele aanwezigen eigenlijk waren gekomen.

Het gerucht ging dat er langs de kust aan de andere kant van de North York Moors op slechts 65 kilometer van Eastvale een kerncentrale zou worden gebouwd. Ze hadden in het westen Sellafield al en nog een centrale erbij was er één te veel, zelfs voor sommige rechtsere inwoners. Radioactiviteit was tenslotte een bijzonder akelig iets wanneer je voor je welstand afhankelijk was van het land. Ze konden zich allemaal Tsjernobyl nog herinneren en de verhalen over de besmette melk en vleesproducten daar.

Alsof het vreedzame gebruik van kernenergie al niet erg genoeg was, werd er ook nog gesproken over een nieuwe Amerikaanse luchtmachtbasis in de regio. De mensen waren de laag overvliegende straaljagers die dag in, dag uit de geluidsbarrière doorbraken spuugzat. Hoewel de schapen er inmiddels wellicht aan gewend waren geraakt, bleef het voor de toeristische industrie een slechte zaak. Het had er echter veel van weg dat Honoria het onderwerp als een ware politica omzeilde en iedereen verblindde met visioenen van een nieuwe Gouden Eeuw. Misschien kwam de kwestie tijdens de vragenronde nog ter sprake.

Honoria's toespraak eindigde met een daverende lofzang op de hervormingen binnen het onderwijs, een strikte handhaving van de wet ten behoeve van een vreedzame samenleving, het belang van een daadkrachtig leger en de verkoop van socialewoningbouwwoningen aan particulieren. Ze had op geen enkele manier gerefereerd aan de kerncentrale of de geplande luchtmachtbasis. Het bleef vijf seconden stil totdat het publiek in de gaten kreeg dat het voorbij was en er geapplaudisseerd werd. In die stilte meende Banks te horen dat het er buiten roerig aan toeging. Chas en Dave dachten er blijkbaar ook zo over; hun ogen schoten in de richting van de deuren en een hand gleed in de richting van hun linkeroksel.

Buiten sloegen en schopten politie en demonstranten elkaar in het wilde weg. Hier en daar waren groepjes vechtende mensen van de dicht opeengepakte menigte verwijderd geraakt, maar er bleef nog altijd een enorme deinende, worstelende kluwen over. Niemand had meer oog voor het geheel en iedereen leek zich volledig op zijn of haar persoonlijke gevecht te hebben gestort. Er bestonden geen individuen meer, er was alleen nog maar één massa vuisten, houten stokken, laarzen en uniformen. Af en toe trof een wapenstok doel en krijste iemand van de pijn; getroffenen vielen op hun knieën en hieven verbijsterd en ongelovig een hand op om de stroom bloed te stelpen. De politie kreeg net zulke harde klappen; laarzen trapten in lendenen, vuisten beukten tegen hoofden. Helmen vielen af en werden opgeraapt door demonstranten die ze aan het riempje rondzwaaiden en als wapen gebruikten. De gewonden van beide kampen werden door de rest onder de voet gelopen; er was niet genoeg ruimte om over hen heen te stappen, geen tijd voor medelijden.
Een jonge agent die werd belaagd door twee mannen en een vrouw bedekte zijn gezicht en mepte blindelings in het rond met zijn wapenstok; een meisje met een bebloede hals schopte een politieman die in foetushouding in de regen op straat lag. Vier mensen die elkaar in een houdgreep hielden, vielen om en tuimelden door de etalageruit van Winston's Tobacco Shop, waardoor de fraaie uitstalling van Cubaanse sigaren, kommen geurige pijptabak en pakjes exotische Turkse en Amerikaanse sigaretten op het natte trottoir werd uitgestort.
Het hoofdbureau van politie in Eastvale stond slechts honderd meter verderop in de straat, met de hoofduitgang aan het marktplein. Toen brigadier Rowe het rumoer hoorde, stoof hij naar buiten en nam hij de situatie snel in zich op. Vervolgens stuurde hij er twee politieauto's op uit die de smalle straat aan beide kanten moesten afzetten en het welbekende zwarte arrestantenbusje, de Black Maria, om opgepakte betogers voorlopig in vast te houden. Ook belde hij het ziekenhuis met een verzoek om ambulances.

Toen de demonstranten de sirenes hoorden, hadden de meesten van hen vrij snel door dat ze in de val zaten. De bange betogers staakten hun strijd en probeerden te ontsnappen. Een aantal van hen wist weg te glippen voordat de agenten waren uitgestapt en twee mensen duwden de bestuurder van één politieauto opzij en vluchtten via het marktplein weg. Enkele anderen stortten zich op de agenten die bezig waren de zijstraatjes af te zetten, schoven hen met geweld aan de kant en vluchtten in het veilige duister van de steegjes achter de winkelpanden. Een gespierde betoger baande zich ruw via de trap een weg omhoog naar de deuren van het wijkcentrum, terwijl twee agenten om zijn nek hingen en probeerden hem tegen te houden.

Het luide, aanhoudende applaus overstemde alle andere geluiden en de mannen van Special Branch ontspanden de hand die hun pistool omklemde. De Hoogedelgestrenge Honoria keek stralend naar haar publiek en stak haar ineengeslagen handen in een triomfantelijk gebaar boven haar hoofd in de lucht.

Banks was er niet gerust op. Hij wist zeker dat het lawaai dat hij buiten had gehoord, duidde op een ruzie of vechtpartij. Het was hem bekend dat er een kleine demonstratie was gepland en hij vroeg zich af of die wellicht uit de hand was gelopen. Niet dat hij daar nu iets aan kon doen. De voorstelling moest koste wat het kost doorgaan en hij wilde geen onnodige opwinding veroorzaken door op te staan en voortijdig te vertrekken.

Eindelijk was de toespraak afgelopen. Als de vragenronde niet al te lang duurde, kon hij binnen een halfuur buiten staan om een sigaret te roken. Dan kon hij over een uur thuis zitten met dat glas whisky in zijn hand en Sandra aan de telefoon. Hij had ook trek. In Sandra's afwezigheid had hij zich op de haute cuisine gestort en hoewel het tot nu toe nog niet echt een daverend succes was – de curry was te flauw geweest en de visschotel had te lang in de oven gestaan – ging hij langzaam vooruit. Een tortilla zou toch zeker geen al te grote problemen opleveren?

Het applaus stierf weg en de voorzitter kondigde de vragenronde aan. De eerste vragensteller stond op en wilde net over de geplande kernenergiecentrale beginnen toen de deuren openvlogen en een potige, verfomfaaide jongeman naar binnen wankelde met twee agenten in zijn kielzog. Een wapenstok zwiepte door de lucht en de drie mannen tuimelden over de achterste rij heen. De jongeman gaf een gil van pijn. Toen de gammele stoeltjes het onder het gewicht van de drie mannen begaven, zetten diverse vrouwen het op een krijsen en gristen ze hun bontjas naar zich toe.

Chas en Dave verspilden geen seconde. Ze renden naar Honoria toe, schermden haar af voor het publiek en liepen met haar tussen hen ingeklemd achter Banks aan, die via een achterdeur de zaal verliet. Achter de volgepropte opslagruimten leidde een deur naar een doolhof van smalle straatjes en Banks leidde hen weg via een nauw steegje waar de winkels aan York Road hun afval dumpten. Binnen een mum van tijd waren ze de weg overgestoken en hadden ze het oude Riverview Hotel bereikt, waar voor die nacht een kamer was geboekt voor de Hoogedelgestrenge Honoria. Voor het eerst die avond was ze stil. In het gedempte licht van de hotellobby zag Banks hoe bleek ze was.

Pas toen ze in haar kamer waren, een suite met een prachtig uitzicht over de aan de rivieroever grenzende tuinen, ontspanden Chas en Dave zich. Honoria slaakte een zucht van verlichting en liet zich op de bank zakken. Dave draaide de deur op slot en deed de ketting erop, en Chas liep naar het drankkastje.

'Voor mij graag een gin-tonic, beste man,' zei Honoria met een bevende stem.

'Wat had dat verdomme te betekenen?' vroeg Chas, die meteen ook maar twee flinke glazen whisky inschonk.

'Geen idee,' zei Banks. 'Er was buiten een kleine demonstratie aan de gang. Ik neem aan dat die een beetje uit de klauwen is...'

'Die beveiliging van jullie stelt geen moer voor,' onderbrak Dave hem. Hij pakte zijn drankje aan en overhandigde de gin-tonic aan Honoria.

Ze sloeg het in één teug achterover en legde een hand op haar voorhoofd. 'Grote hemel,' zei ze, 'ik dacht dat er hier alleen maar boeren en paardenfokkers woonden. Moet je mij nu eens zien, ik tril verdorie als een espenblad.'

'Hoor eens,' zei Banks, die bij de deur was blijven staan, 'ik kan maar beter even gaan kijken wat er aan de hand is.' Het was duidelijk dat hij geen drankje kreeg aangeboden en hij vertikte het om hier als plaatsvervangend pispaaltje te fungeren voor degenen die de beveiliging hadden georganiseerd. 'Jullie redden je verder wel?'

'We zijn hier in elk geval een verdomd stuk veiliger dan daar,' zei Dave. Hij liep met Banks mee naar de deur en zei, al heel wat minder fel nu: 'Ga maar. Dat daarbuiten is jullie probleem, kerel.' Hij glimlachte, gebaarde met zijn hoofd in Honoria's richting en ging zachtjes verder: 'Zij is het onze.'

In zijn haast had Banks zijn regenjas in het wijkcentrum laten liggen en zijn sigaretten zaten in de rechterzak ervan. Hij zag nu nog net dat Chas er eentje opstak, maar durfde niet zo goed te vragen of hij er een kon bietsen. De zaken stonden er toch al niet best voor. Hij zette de kraag van zijn colbertje op tegen de regen, liep op een holletje naar het marktplein, sloeg bij de kerk rechts af en bleef daar plotseling staan.

Gewonden lagen kreunend of bewusteloos in de motregen en de politie had nog steeds de handen vol aan de mensen die ze hadden opgepakt en nu op de achterbank van de politiewagens of in de Black Maria probeerden te krijgen. Enkele demonstranten, die aan hun haren werden vastgehouden, probeerden zich los te worstelen of schopten om zich heen en kregen als beloning voor hun inspanningen een ferme tik met een wapenstok. Anderen lieten zich gedwee meevoeren. De meesten waren bang en moe, en hun strijdlust was weggeëbd.

Banks stond als aan de grond genageld naar het geheel te kijken. Radio's kraakten; blauwe zwaailichten flitsten; gewonden kermden van de pijn of waren in shock; en ambulancepersoneel rende af en aan met stretchers. Dit ging zijn voorstellingsvermogen te boven. Dergelijke rellen, hoe kleinschalig ook, waren in Eastvale vrijwel ondenkbaar. Banks was gewend geraakt aan de stijgende misdaadcijfers, die zich zelfs in kleinere steden dan Eastvale met zijn 14.000 inwoners deden gelden, maar echt gewelddadige rellen waren toch meer iets voor Birmingham, Liverpool, Leeds, Manchester, Bristol of Londen. Hier zou dat nooit gebeuren, had hij altijd gedacht, wanneer berichten over ongeregeldheden in Brixton, Toxteth en Tottenham hem bereikten. Maar nu was het toch gebeurd en vormden de kreunende slachtoffers, politiemensen en demonstranten het bewijs van deze harde realiteit.

Het einde van de straat bij het marktplein en het einde bij het gemeentehuis op de kruising met Elmet Street waren beide afgezet. De gaslampen en de verlichte etalages van de wat dweperige souvenirwinkeltjes met wollen kledingstukken uit Yorkshire, wandelgerei en lokale producten beschenen het chaotische tafereel. Een jongen van hooguit vijftien of zestien schreeuwde het uit toen twee politieagenten hem aan zijn haren over de glinsterende straatkeien sleurden; een in stukken gescheurd bord waarop eens een opstandig WEG MET KERNWAPENS had gestaan, wapperde verloren in de maartse wind en de miezerige regen roffelde er zachtjes een taptoe op; één politieman, zonder helm en met verwarde haren, bukte zich om een andere agent overeind te helpen, wiens snor vol samengeklonterd bloed zat en wiens neus in een ongebruikelijke hoek op zijn gezicht stond.

In het schijnsel van de ronddraaiende blauwe lampen kreeg de nasleep van de strijd in Banks' ogen iets surreëels, alsof alles zich in slow motion afspeelde. Langgerekte schaduwen schoven langzaam over de muren. Op straat weerkaatsten vreemde voorwerpen heel even het licht, waarna ze weer in het

niets verdwenen: een omgekeerde helm, een leeg bierflesje, een sleutelbos, een half opgegeten appel die aan de randen al bruin werd, een lange witte sjaal, kronkelend als een slang.
Diverse agenten waren uit het bureau gekomen om te helpen en Banks herkende brigadier Rowe, die op de hoek van de straat achter een dienstwagen stond.
'Wat is er gebeurd?' vroeg hij.
Rowe schudde langzaam zijn hoofd. 'De demonstratie is uit de hand gelopen, inspecteur. We weten nog niet hoe of waarom.'
'Hoeveel mensen waren er bij betrokken?'
'Een kleine honderd.' Hij gebaarde met zijn hand naar de straat. 'Maar op zoiets waren we niet voorbereid.'
'Heb je misschien een sigaret voor me, Rowe?'
Rowe gaf hem een Senior Service. Hoewel deze na de Silk Cut erg sterk smaakte, inhaleerde Banks de rook gretig.
'Hoeveel gewonden?'
'Weten we nog niet, inspecteur.'
'Zijn er mensen van ons bij?'
'*Aye*, een paar, vermoed ik. We hadden zo'n dertig man buiten rondlopen om de menigte in bedwang te houden, maar de meesten van hen kwamen uit York en Scarborough en waren hier ter ondersteuning. Craig was erbij en die jonge vent, Tolliver. Ik heb hen nog geen van beiden gezien. Het zal vanavond wel druk zijn op het bureau. We hebben denk ik ongeveer de helft van hen opgepakt.'
Twee ziekenbroeders kwamen op een drafje voorbij met een brancard tussen hen in. Daarop lag een vrouw van middelbare leeftijd met een linkeroog dat onder het bloed zat. Toen ze hen passeerden, draaide ze met een zichtbaar pijnlijke beweging haar hoofd om en spuugde naar Rowe.
'Verrek!' zei Rowe. 'Dat was mevrouw Campbell van de zondagsschool van de congregationalistische kerk aan Cardigan Drive.'
'Oorlog verandert ieder van ons in een wild beest, Rowe,' zei Banks, die wilde dat hij wist waar hij dat eerder had gehoord. Hij draaide zich om. 'Ik zal maar naar het bureau gaan. Is de hoofdinspecteur al op de hoogte gesteld?'
'Hij heeft een vrije dag, inspecteur.' Rowe klonk nog steeds beduusd.
'Dan zal ik hem maar even bellen. En Hatchley en Richmond ook.'
'Agent Richmond staat daar, inspecteur.' Rowe wees naar een lange, slanke man die naast de Black Maria stond.
Banks liep naar Richmond en tikte op zijn arm.

De jonge agent deinsde achteruit. 'O, bent u het, inspecteur. Sorry, ik ben door dit alles nogal gespannen.'
'Hoe lang ben je hier al, Phil?'
'Toen brigadier Rowe ons vertelde wat er aan de hand was, ben ik meteen naar buiten gegaan.'
'Je hebt dus niet gezien hoe het is begonnen?'
'Nee, inspecteur. Het was binnen een kwartier gebeurd.'
'Kom. Ze zullen ons binnen wel kunnen gebruiken om alles af te handelen.'
In het politiebureau was het een grote chaos. Elke vierkante centimeter beschikbare ruimte werd in beslag genomen door opgepakte demonstranten, van wie sommige bloedden uit kleine wonden en de meeste zich luidkeels beklaagden over het agressieve gedrag van de politie. Toen Banks en Richmond zich een weg aan het banen waren naar de trap, hoorden ze dat een bekende stem hen riep.
'Craig!' zei Banks tegen de jonge agent die naar hen toe kwam. 'Wat is er met jou gebeurd?'
'Stelt niets voor,' schreeuwde Craig om boven het rumoer uit te komen. Zijn rechteroog was donker en opgezwollen, en uit zijn gespleten lip sijpelde bloed. 'Ik heb geluk gehad.'
'Je moet naar het ziekenhuis.'
'Het is niet zo erg als het eruitziet, inspecteur, echt niet. Ze hebben Susan Gay per ambulance afgevoerd.'
'Wat deed zij buiten?'
'Ze hadden versterking nodig. De mannen die bij de demonstratie surveilleerden. We zijn met zijn allen naar buiten gegaan. We hadden helemaal niet in de gaten dat het zo erg zou zijn...'
'Is ze ernstig gewond?'
'Ze vermoeden dat het alleen een hersenschudding is. Ze is neergeslagen en een of andere hufter heeft tegen haar hoofd getrapt. Het ziekenhuis heeft zojuist gebeld. Ene dokter Partridge wil u spreken.'
Achter hen brak een opstootje uit en iemand viel tegen Richmonds rug aan. Hij tuimelde voorover en drukte Banks en Craig tegen de muur.
Banks rechtte zijn schouders en hervond zijn evenwicht. 'Kan iemand die lui verdomme in bedwang houden!' schreeuwde hij tegen niemand in het bijzonder. Hij wendde zich weer tot Craig. 'Ik zal die dokter wel te woord staan. Bel jij de hoofdinspecteur, als je dat tenminste aankunt. Vertel hem wat er is gebeurd en vraag hem hierheen te komen. Datzelfde geldt voor brigadier Hatchley. Daarna ga je naar het ziekenhuis. En als je daar toch op ziekenbe-

zoek bent bij Susan, kun je net zo goed even iemand naar dat oog van je laten kijken.'
'Ja, inspecteur.' Craig baande zich met zijn ellebogen een weg door de mensenmassa, en Banks en Richmond liepen de trap op naar de verdieping van de CID.
Banks zocht eerst in de lade van zijn bureau naar het reservepakje sigaretten dat hij daar bewaarde en belde vervolgens het ziekenhuis van Eastvale.
De receptie riep de arts om en deze reageerde ongeveer een minuut later.
'Zijn er zwaargewonden bij?' vroeg Banks.
'De meesten hebben alleen lichte verwondingen en kneuzingen. Een paar hoofdwonden. Over het geheel genomen lijkt het volgens mij erger dan het is. Maar dat is niet waarom...'
'En agent Gay?'
'Wie?'
'Susan Gay. De politieagente.'
'O, ja. Zij maakt het goed. Ze heeft een hersenschudding. We houden haar een nachtje hier ter observatie en na een paar dagen rust is ze weer helemaal in orde. Inspecteur, ik begrijp uw bezorgdheid, maar dat is niet waarover ik u wilde spreken.'
'Wat dan wel?' Heel even trok er een ijskoude rilling van irrationele angst door Banks heen. Sandra? De kinderen? De röntgenfoto's die laatst van zijn borst waren gemaakt?
'Er is een dode gevallen.'
'Bij de demonstratie?'
'Ja.'
'Ga verder.'
'Ik vermoed dat het om een moord gaat.'
'Dat vermoedt u?'
'Het heeft er in elk geval veel van weg. Ik ben natuurlijk geen patholoog-anatoom. Ik ben niet bevoegd om...'
'Wie is het slachtoffer?'
'Het is iemand van de politie. Agent Edwin Gill.'
Banks fronste nadenkend zijn wenkbrauwen. 'Die naam ken ik niet. Waar komt hij vandaan?'
'Een van de anderen zei dat hij door Scarborough was gestuurd.'
'Waaraan is hij overleden?'
'Tja, dat is het hem nu juist. In deze omstandigheden zou je een schedelbasisfractuur verwachten of een vergelijkbare verwonding.'

'Maar?'
'Hij is neergestoken. Hij leefde nog toen hij hier werd gebracht. Ik ben bang dat we niet... Aanvankelijk was niet te zien wat hem mankeerde. We dachten eigenlijk dat hij net als de anderen slechts bewusteloos was geslagen. Voordat we iets konden doen, overleed hij. Inwendige bloedingen.'
Banks bedekte de hoorn met een hand en sloeg zijn ogen op naar plafond. 'Shit!'
'Hallo, inspecteur? Bent u daar nog?'
'Ja. Sorry, dokter. Dank u wel dat u me zo snel hebt gebeld. Ik stuur een paar politiemensen naar u toe. Voorlopig mag er niemand weg, hoe onbeduidend hun verwondingen ook zijn. Is er iemand van het bureau van Eastvale aanwezig? Iemand die bij bewustzijn is, bedoel ik.'
'Een ogenblikje.'
Dokter Partridge kwam terug met agent Tolliver, die met Susan Gay in de ambulance was meegereden.
'Luister goed, knul,' zei Banks. 'We zitten hier met een enorme crisis, dus jij zult alles in het ziekenhuis moeten afhandelen.'
'Ja, inspecteur.'
'Zodra ik ze heb, stuur ik meer mensen jouw kant op, maar tot die tijd sta je er alleen voor. Geen van de mensen die bij de rellen van vanavond betrokken waren, mag het ziekenhuis verlaten. Begrepen?'
'Ja zeker, inspecteur.'
'En dat geldt ook voor onze eigen mensen. Ik besef dat sommigen van hen waarschijnlijk snel naar huis zullen willen zodra hun wonden zijn verbonden, maar ik wil hun getuigenverklaring hebben nu alles hun nog helder voor de geest staat. Oké?'
'Komt voor elkaar, inspecteur. Er zijn hier nog twee of drie collega's die niet al te zwaar gewond zijn. We zullen ervoor zorgen.'
'Uitstekend. Heb je het al gehoord van agent Gill?'
'Ja. De dokter heeft het me verteld. Ik ken hem zelf niet.'
'Spoor iemand op die het lichaam officieel kan identificeren. Had hij een gezin?'
'Geen idee.'
'Zoek dat uit. Als het antwoord ja is, weet je wat je te doen staat.'
'Ja, inspecteur.'
'En bel dokter Glendenning. Hij moet het lichaam voor ons onderzoeken. We moeten snel te werk gaan, voordat het spoor koud wordt.'
'Begrepen, inspecteur.'

'Goed. Aan de slag dan maar.'
Banks hing op en keek Richmond aan, die in de deuropening zenuwachtig aan zijn snor stond te plukken. 'Zou je even naar beneden willen gaan, Phil, en aan degene die daar de leiding heeft doorgeven dat hij ervoor moet zorgen dat er rust in de tent komt en dat niemand ertussenuit knijpt. Bel daarna York om te vragen of ze nog wat mensen kunnen afstaan voor vanavond. Als dat niet lukt, bel dan Darlington. En regel ook even dat iemand de hele straat van het marktplein tot aan het gemeentehuis afzet.'
'Wat is er aan de hand?' vroeg Richmond.
Banks zuchtte diep en streek met een hand over zijn kortgeknipte haar. 'Waarschijnlijk is er een moord gepleegd en zitten we met meer dan honderd verdachten opgezadeld.'

2

Het windklokkenspel klingelde en de regen spatte suizend op het ruige gras van het heidelandschap. Mara Delacey had net de kinderen naar bed gebracht en Beatrix Potters *Het verhaal van Eekhoorn Hakketak* voorgelezen. Nu kon ze zich eindelijk een beetje ontspannen, even genieten van de rust en de eenzaamheid, van de harmonie tussen de stilte en natuurlijke geluiden. Het deed haar denken aan vroeger toen ze nog op haar mantra mediteerde.

Zoals gewoonlijk was het weer een vermoeiende dag geweest: wassen draaien, maaltijden voorbereiden, voor de kinderen zorgen. Toch was het ook een bevredigende dag geweest. Het was haar gelukt om een paar uur vrij te houden om potten te draaien in de achterkamer van Elspeths kunstnijverheidswinkeltje in Relton. Als ze in dit leven dan toch was voorbestemd om een oermoeder te zijn, bedacht ze met een glimlach, dan liever hier, ver weg van de strakke regels en de zelfingenomen spiritualiteit van de commune, waar ze na het avondeten niet eens stiekem een sigaret had kunnen roken. Ze was blij dat ze die ellende allemaal achter zich had gelaten.

Nu kon ze eindelijk wat tijd voor zichzelf vrijmaken zonder dat ze meteen het gevoel had dat ze op jacht moest naar bekeerlingen of de loftrompet steken over de goeroe, niet dat veel mensen dat nog deden nu hij een gevangenisstraf uitzat wegens fraude en belastingontduiking. De groep toegewijde volgelingen was uit elkaar gevallen: sommige waren verweesd en eenzaam op zoek gegaan naar een nieuwe leider; andere, zoals Mara, hadden naar een andere invulling van hun leven gezocht.

Ze had Seth Cotton leren kennen, die een jaar eerder de boerderij vlak bij Relton had gekocht en Maggie's Farm had gedoopt. Toen hij haar het huis liet zien, had ze meteen geweten dat dit haar nieuwe thuis zou worden. Ze was een typische achttiende-eeuwse Dales-boerderij, die op een lap grond van enkele hectares groot midden in het heidegebied hoog in de Dale stond. Ze had muren van kalksteen met hoeken van grove zandsteen en een dak van flagstones. De diep in de muren weggestopte ramen keken in noordelijke richting uit over de Dale en de zware bovendorpel, die op gestapelde hoekstenen rustte, droeg de initialen T.J.H. – afkomstig van de oorspronkelijke eigenaar – en het jaartal 1765. Afgezien van Seths werkplaats, een schuur helemaal achter in de tuin, was er alleen een kalkstenen portiek met een leistenen dak toegevoegd. Aan de andere kant van de omheining rond de achtertuin stond op ongeveer 45 meter ten oosten van het grote huis een oude stal, die Seth aan het renoveren was toen ze hem leerde kennen. Hij had het gebouw opgedeeld in een eenkamerappartement op de bovenverdieping, waar Rick Trelawney, een schilder, woonde met zijn zoon en een tweekamerflat op de begane grond, die werd bewoond door Zoe Hardacre en haar dochtertje. Paul, de bewoner die er als laatste was bij gekomen, huurde een kamer in het grote huis.

Hoewel de stal aan de binnenkant moderner was, ging Mara's voorkeur uit naar de boerderij. De voordeur gaf direct toegang tot de enorme woonkamer, een schone, nette ruimte die was ingericht met een bijeengeraapte verzameling meubels: een Perzisch kleed, dat duidelijk namaak was, een opnieuw beklede bank uit de jaren vijftig en een enorme eettafel met vier stoelen van blank grenen die Seth zelf had gemaakt. Grote zitzakken lagen her en der langs de muren verspreid.

Aan de muur tegenover de stenen open haard hing een groot wandkleed met een Chinees tafereeltje van gigantische bergen waarvan de met sneeuw bedekte toppen spits als naalden boven de dennenbossen uitstaken. Halverwege een helling klom een rij kleine menselijke figuurtjes langs een slingerend pad omhoog. Mara keek er vaak naar. Er hingen geen lampen aan het plafond. Ze dempte het licht van de schemerlampen altijd zo veel mogelijk en had ter aanvulling overal dikke rode kaarsen neergezet, omdat ze de schaduwen die de vlammen op het wandkleed en de wit geverfde muren toverden zo mooi vond. Het liefst zat ze vlak bij het raam in een oude schommelstoel, die Seth had gerestaureerd. Daar kon ze onder het genot van een glas wijn en een boek heel duidelijk het windklokkenspel horen.

Toen ze jonger was, had ze Kerouac, Burroughs, Ginsberg, Carlos Castaneda en al die anderen verslonden, maar op haar achtendertigste vond ze hun werk beschamend puberaal en was ze teruggekeerd naar de klassiekers die ze zich uit haar jeugd herinnerde. De dikke victoriaanse romans hadden iets wat perfect paste bij de geïsoleerde ligging en het trage tempo van Maggie's Farm.

Deze keer was haar keuze gevallen op *De molen aan de Floss*. Een zelf van Old Holborn-tabak gedraaide sigaret en een glas Barsac vervolmaakten het geheel. En wat muziek misschien. Ze liep naar de stereo, zette Holsts *The Planets* op, de kant met *Saturn*, *Uranus* en *Neptune*, en nestelde zich vervolgens met haar boek in het schijnsel van de kaarsen in haar stoel. De anderen waren allemaal naar de demonstratie en zouden op de terugweg ongetwijfeld even de Black Sheep in Relton aandoen voor een pint of twee. De kinderen lagen te slapen in de logeerkamer op de eerste verdieping, dus hoefde ze niet steeds in de stal te gaan kijken of alles in orde was. Het was inmiddels halftien. Ze had nog minstens een paar uur voor zichzelf.

Ze kon zich echter niet concentreren. Het suizende gekletter buiten was opgehouden. In plaats daarvan druppelde de regen nu gestaag omlaag vanaf de dakranden, de portiek en de bomen die Maggie's Farm tegen de felle westenwind beschermden. Het getingel van het klokkenspel klonk bijna als een waarschuwing. Er hing iets in de lucht. Als Zoe hier was geweest, had ze ongetwijfeld het nodige te zeggen gehad over de invloed van occulte krachten, waarschijnlijk de maan.

Mara probeerde het ongemakkelijke gevoel van zich af te schudden en las verder: 'En daar hebben we de molen van Dorlcote. Ik móét een paar minuten hier op de brug blijven staan om ernaar te kijken, ondanks de dreigende wolken en het late middaguur...' Het had geen zin; het boek kon haar aandacht niet vasthouden. George Eliots magie werkte deze keer gewoon niet. Mara legde het boek weg en liet zich meeslepen door de muziek.

Toen het hemelse koor het eind van *Neptune* naderde, ging de deur krakend open en kwam Paul naar binnen gerend. Zijn legerjas was door de regen donker gekleurd en zijn strakke spijkerbroek plakte aan zijn stakerige benen.

Mara keek hem fronsend aan. 'Wat ben je vroeg,' zei ze. 'Waar zijn de anderen?'

'Geen idee.' Paul was buiten adem en zijn stem trilde. Hij trok zijn jack uit en hing het aan een haakje aan de binnenkant van de deur. 'Ik ben in mijn eentje over de heide teruggekomen.'

'Maar dat is ruim zes kilometer. Wat is er, Paul? Waarom heb je niet op Seth en de anderen gewacht? Dan had je in het busje kunnen meerijden.'

'Het is een beetje uit de hand gelopen,' zei Paul. 'Er werd gevochten.' Hij haalde een sigaret uit zijn pakje Players en stak deze op, met zijn hand eromheen gevouwen zoals soldaten in oude oorlogsfilms dat doen. Zijn handen beefden. Mara merkte opnieuw op hoe kort en stomp zijn vingers eigenlijk waren, met de nagels afgekloven tot op het vlees. Ze draaide een nieuwe sigaret. Paul ijsbeerde nu door de kamer.

'Wat is dat?' vroeg Mara en ze wees geschrokken naar de muis van zijn linkerhand. 'Dat lijkt wel bloed. Je bent gewond.'

'Het stelt niets voor.'

Mara stak een hand uit, maar hij trok zich met een ruk los.

'Zal ik er even iets op doen?'

'Ik zeg toch dat het niets voorstelt. Ik kijk er straks wel naar. Wil je niet eerst weten wat er is gebeurd?'
Mara begreep dat ze niet moest aandringen. 'Ga wel even zitten,' zei ze. 'Ik word gek van dat gedrentel van je.'
Paul liet zich op een van de kussens bij de muur vallen en lette er daarbij goed op dat hij zijn bebloede hand aan het zicht onttrok.
'Vertel,' zei Mara.
'De politie viel ons plotseling aan. Vuile klootzakken.'
'Waarom?'
'Ze hakten zomaar op ons in. Vraag me niet waarom. Weet ik veel hoe die lui denken. Mag ik wat wijn?'
Mara schonk een glas Barsac voor hem in. Hij nam een slokje en trok een vies gezicht.
'Sorry,' zei ze. 'Ik was even vergeten dat je dat zoete spul niet lekker vindt. Er staat bier in de koelkast.'
'Oké.' Paul hees zichzelf overeind en liep naar de keuken. Toen hij met een blikje Carlsberg terugkwam, zat er een pleister op zijn hand geplakt.
'Wat is er met de anderen gebeurd?' vroeg Mara.
'Weet ik niet. Er zijn nogal wat mensen opgepakt. De politie kwam op ons afgestormd en heeft een heleboel mensen te grazen genomen. Het ziekenhuis zal ook wel vol liggen.'
'Zijn jullie dan niet bij elkaar gebleven?'
'In het begin wel, toen we helemaal vooraan stonden, maar we zijn elkaar kwijtgeraakt toen ze gingen vechten. Ik ben langs een paar smerissen geslopen en een steegje in gedoken, en toen via achterafstraatjes en over de hei teruggerend. Ik ben echt helemaal gesloopt.' Door de opwinding praatte hij met een steeds zwaarder Liverpools accent.
'Er zijn dus wel mensen ontsnapt?'
'Een paar, ja. Ik weet niet hoeveel. Ik heb niet op de anderen gewacht. Het was echt ieder voor zich, Mara. Het laatst wat ik van Rick heb gezien, is dat hij in de richting van het plein rende. Zoe heb ik helemaal niet meer gezien. Je weet zelf ook hoe klein ze is. Het was verdomme een complete slachtpartij. Ze hadden nog net geen waterkanonnen en rubberen kogels bij zich, maar het scheelde niet veel. Ik heb best wel het een en ander meegemaakt, maar zoiets als dit had ik echt niet verwacht, niet hier in Eastvale.'
'En Seth?'
'Het spijt me, Mara. Ik heb geen flauw idee wat er met hem is gebeurd. Maar maak je maar geen zorgen, ze zijn vast allemaal oké.'

'Ja.' Mara draaide zich om en staarde uit het raam. Ze zag haar eigen weerspiegeling in het donkere glas waar de regen vanaf droop. Het leek net of er op haar rechterschouder een kaarsvlammetje brandde.
'Misschien zijn ze gewoon veilig weggekomen,' ging Paul verder. 'Het kan best zijn dat ze er zo aankomen.'
Mara knikte. 'Misschien wel.'
Ze wist echter dat er ellende van zou komen. Binnen de kortste keren zou de politie voor de deur staan om hen te koeioneren en het huis te doorzoeken, net als die keer toen Liz Dale, een vriendin van Seth van vroeger, uit het gekkenhuis was weggelopen en een paar dagen bij hen was ondergedoken. Toen was het hen om heroïne te doen geweest – Liz had in het verleden drugs gebruikt – maar voorzover Mara het zich kon herinneren, hadden ze alleen maar de hele boel overhoopgehaald. Ze verafschuwde een dergelijke inmenging in haar wereldje en had er absoluut geen behoefte aan het nog een keer mee te maken.
Ze stak een hand uit naar de fles, maar voordat ze iets kon inschenken, werd de voordeur opnieuw opengegooid.

Toen Banks beneden kwam, was het daar een stuk rustiger dan eerder die avond. Richmond had de mensen van de uniformdienst geholpen om alle gevangenen naar de cellen in de kelder te brengen, waar ze moesten blijven totdat ze waren ondervraagd, er proces-verbaal was opgemaakt en ze konden worden vrijgelaten. Het bureau van Eastvale had niet zoveel cellen, maar er was daar beneden heel wat opslagruimte die niet werd gebruikt.
Brigadier Hatchley was ook gearriveerd. Hij had rossig haar, was een kop groter dan de anderen en zag eruit als een voormalige rugbyspeler die inmiddels flink was afgetakeld. Hij stond tegen de balie geleund en luisterde met een verbijsterd, verontwaardigd gezicht naar Richmond, die uitlegde wat er was voorgevallen.
Banks liep naar hen toe. 'Is de hoofdinspecteur er al?'
'Hij is onderweg, inspecteur,' antwoordde Richmond.
'Kun je iedereen alvast hierheen halen terwijl we op hem wachten?' vroeg Banks. 'Ik wil hun nu direct een paar dingen vertellen.'
Richmond liep naar de gemeenschappelijke werkruimte, het domein van de uniformdienst van Eastvale, en riep iedereen die hij kon vinden bij elkaar. De mannen en vrouwen zaten op bureautafels of stonden tegen tussenschermen geleund op instructies te wachten. Een enkeling vertoonde nog steeds sporen van de recente knokpartij: een bont en blauw jukbeen, een gescheurd uniform, een blauw oog, een opgezwollen oor.

'Weet iemand hoeveel mensen we in de cellen hebben zitten?' was Banks' eerste vraag.
'Zesendertig, inspecteur.' Het antwoord was afkomstig van een agent met een kapotte lip en een jasje waarvan de bovenste knoop was afgerukt. 'En ik heb gehoord dat er nog eens tien in het ziekenhuis liggen.'
'Zijn er zwaargewonden bij?'
'Nee, inspecteur. Agent Gill was de enige.'
'Juist. Dus als er ongeveer honderd man aan de demonstratie meededen, hebben we zo'n vijftig procent kans dat we de moordenaar al hebben opgepakt. Om te beginnen wil ik dat iedereen wordt gefouilleerd, hun vingerafdrukken worden afgenomen en ze op bloedsporen van Gill worden onderzocht. Reynolds, kun jij als contactpersoon optreden voor het ziekenhuis?'
'Ja zeker, inspecteur.'
'Daar geldt dezelfde procedure. Vraag aan de behandelend arts om de tien patiënten op bloedsporen te controleren. Verder moeten we het moordwapen zien te vinden. Het enige wat we tot nu toe weten is dat Gill is neergestoken. We weten niet wat voor mes er is gebruikt, dus alles met een lemmet is verdacht, van keukenmes tot stiletto. Er is mankracht onderweg hiernaartoe vanuit York, maar ik wil dat een aantal mensen direct begint met een grondig onderzoek van de straat, inclusief de putten. Tot zover alles duidelijk?'
Een paar mensen mompelden: 'Ja, inspecteur.' Anderen knikten.
'Goed. Dan komen we nu bij het lastigste onderdeel. We hebben een lijst met namen nodig: iedereen die hier beneden zit plus alle anderen die we uit hen kunnen loskrijgen. Bedenk wel dat er ongeveer zestig mensen zijn ontkomen en we moeten achterhalen wie dat zijn. Als een van jullie een bekende heeft gezien en die persoon niet hier of in het ziekenhuis is, maak er dan een aantekening van. Ik verwacht niet dat de mensen die we straks ondervragen hun vrienden erbij willen lappen, maar oefen een beetje druk uit, doe wat je kunt. Wees bedacht op kleine versprekingen. Maak gebruik van list en vernuft. Tevens willen we weten wie de organisatoren zijn en welke actiegroepen erbij aanwezig waren.
Ik wil van iedereen een getuigenverklaring hebben, ook al hebben ze niets te zeggen. We zullen de verhoren moeten verdelen, dus doe jullie best. Concentreer je op de moord; vraag of ze iemand met een mes hebben gezien. Zoek uit of er oproerkraaiers met een strafblad in de cellen zitten; duik hun dossier op en kijk wat je daarin kunt vinden. Als je denkt dat iemand liegt of ontwijkende antwoorden geeft, oefen dan zo veel mogelijk druk op hem uit en meld bij zijn verklaring dat je twijfels hebt. Ik besef heel goed dat we straks tot over

onze oren in het papierwerk zullen zitten, maar daar is niets aan te doen. Zijn er nog vragen?'
Het bleef stil.
'Uitstekend. Nog één ding: we willen ook een getuigenverklaring van alle omstanders, niet alleen van de demonstranten. Er hebben ongetwijfeld mensen staan toekijken vanuit de flats die op de straat uitkijken. Bel overal aan. Zoek uit of iemand iets heeft gezien. En ga ook bij jezelf na wat je hebt gezien. Jullie zullen wel begrijpen dat er een officieel onderzoek zal worden ingesteld naar hoe dit in vredesnaam heeft kunnen gebeuren, dus ieder van jullie die erbij is geweest kan beter meteen een verklaring afleggen, nu de gebeurtenissen nog vers in het geheugen staan gegrift. Ik wil dat alle verklaringen morgenochtend vroeg getypt en wel op het bureau van hoofdinspecteur Gristhorpe liggen.'
Banks keek op zijn horloge. 'Het is nu halftien. Aan de slag dan maar. Ben ik nog iets vergeten?'
Verscheidene agenten schudden ontkennend hun hoofd; de andere bleven zwijgend staan. Ten slotte stak een politieagente haar hand op. 'Inspecteur, wat doen we met de arrestanten nadat ze een verklaring hebben afgelegd?'
'Volg de gebruikelijke procedure,' zei Banks. 'Maak proces-verbaal op en laat hen dan gaan, tenzij je reden hebt om aan te nemen dat ze betrokken zijn bij Gills dood. Ze zullen zo snel mogelijk voor de politierechter moeten verschijnen. Was dat alles?' Hij zweeg even, maar niemand zei iets. 'Goed. Aan het werk. Zodra er een aanwijzing wordt gevonden, wil ik daarvan op de hoogte worden gesteld. Met een beetje geluk kunnen we dit morgenochtend hebben afgerond. En kan iemand een paar arrestanten naar boven brengen? Zodra de hoofdinspecteur is gearriveerd, zullen we met ons drieën verhoren afnemen.' Hij keek naar Richmond. 'Jij zult met de computer aan de slag moeten, Phil. Er zullen heel wat gegevens moeten worden nagetrokken.'
'De hoofdinspecteur is er, inspecteur.' Agent Telford wees naar de deur, die buiten Banks' gezichtsveld lag.
Hoofdinspecteur Gristhorpe, een gedrongen man van eind vijftig met een flinke bos zilvergrijs haar en borstelige wenkbrauwen, een rood, pokdalig gezicht en een dikke snor, kwam naar de trap gelopen waarbij de drie CID-leden stonden. Zijn ogen, die gewoonlijk zo argeloos als die van een baby de wereld in keken, stonden nu zorgelijk, hoewel hij als altijd een rustige, zelfbeheerste, intelligente indruk maakte.
'Hebt u het al gehoord?' vroeg Banks.
'Aye,' zei Gristhorpe. 'Niet alle details, maar ik weet genoeg. Laten we naar

boven gaan, dan kun je me bij een kop koffie alles vertellen.' Hij legde even een hand op Banks' arm.
Banks wendde zich tot Hatchley. 'Begin jij dan maar vast met de verhoren,' zei hij. 'Zodra ik de hoofdinspecteur heb bijgepraat, komen we je helpen.' De vier mannen van de CID liepen naar boven en Telford leidde een paar natte, bange demonstranten achter hen aan.

'Zoe! Godzijdank, je mankeert niets!'
Paul en Mara staarden naar het tengere figuurtje in het glinsterende rode windjack. Haar rode haar plakte tegen haar schedel en de donkere wortels waren duidelijk zichtbaar. Regen drupte op de rieten mat bij de voordeur. Ze trok haar jack uit, hing het naast dat van Paul, liep naar hen toe en omhelsde hen beiden.
'Heb je haar verteld wat er is gebeurd?' vroeg ze aan Paul.
'Ja.'
Zoe keek Mara aan. 'Hoe is het met Luna gegaan?'
'Geen enkel probleem. Toen Eekhoorn Hakketak Spikkel de Grote met een brandnetel kietelde sliep ze al.'
Zoe's gezicht vertrok in een vluchtige glimlach. Ze liep naar de boekenkast. 'Ik heb vanochtend de I Tjing geraadpleegd,' zei ze, 'en daar kwam "strijd" uit. Ik had moeten weten wat er zou gebeuren.' Ze sloeg het boek open en las voor: '"Strijd. Je volgt je hart en wordt tegengewerkt. Halverwege pas op de plaats maken brengt geluk. Doorgaan tot het eind brengt ongeluk. Een ontmoeting met de grote man is verstandig. Een groot water oversteken is onverstandig."'
'Je moet het niet zo letterlijk nemen,' zei Mara. 'Dat is het hele probleem. Het vertelt immers niet wat er precies gaat gebeuren, of hoe.'
Hoewel ze zelf ook in de I Tjing en tarotkaarten geïnteresseerd was, vond Mara dat Zoe daar vaak veel te ver in ging.
'Volgens mij is het anders hartstikke duidelijk. Ik had moeten doorhebben dat er iets dergelijks zou gebeuren: "Doorgaan tot het eind brengt ongeluk." Duidelijker kan het haast niet.'
'Stel dat je het inderdaad van tevoren had geweten,' zei Paul. 'Dan had je het toch niet meer kunnen afzeggen? Dan was je ook gegaan. En dan was alles net zo gegaan als nu.'
'Jawel,' mompelde Zoe, 'maar dan was ik er beter op voorbereid geweest.'
'Hoe dan?' vroeg Mara. 'Had je dan soms een wapen meegenomen of iets dergelijks?'

Zoe slaakte een diepe zucht. 'Dat weet ik niet. Ik had er gewoon op voorbereid moeten zijn.'
'Dat is achteraf gemakkelijk gezegd,' zei Paul. 'De waarheid is dat niemand ook maar het flauwste vermoeden had dat de demonstratie in geweld zou eindigen en toen dat gebeurde, kon niemand er ook maar ene moer meer aan doen. Er waren heel wat mensen bij betrokken, Zoe, en als die vanochtend allemaal de I Tjing hadden geraadpleegd, hadden ze stuk voor stuk een ander antwoord gekregen. Als je het mij vraagt is het allemaal gezwets.'
'Ga even zitten,' zei Mara. 'Neem een glas wijn. Heb je gezien hoe het de anderen is vergaan?'
'Niet echt.' Zoe ging in kleermakerszit op het kleed zitten en nam Pauls glas wijn aan. 'Ik geloof dat Rick is gearresteerd. Ik heb hem aan de rand van de menigte zien worstelen met een paar politieagenten.'
'En Seth?'
'Weet ik niet. Dat heb ik niet gezien.' Zoe glimlachte triest. 'De meeste mensen waren langer dan ik. Ik zag alleen maar schouders en achterhoofden. Daarom kon ik ook wegkomen, omdat ik zo klein ben. En door de regen. Eén agent had mijn windjack te pakken, maar zijn hand gleed weg omdat hij nat was. Ik ben nu eenmaal een Vis, glibberig.' Ze zweeg en nam een slokje Barsac. 'Wat gaat er nu met hen gebeuren, Mara, met de mensen die zijn opgepakt?'
Mara haalde haar schouders op. 'Ik vermoed dat er proces-verbaal wordt opgemaakt en dat ze dan mogen vertrekken. Dat is wat er normaal gesproken gebeurt. Vervolgens beslist de politierechter of ze een boete krijgen of een gevangenisstraf. Meestal komen ze ervan af met een boete of een waarschuwing.'
Mara wilde maar dat ze zich net zo zelfverzekerd voelde als ze overkwam. Haar onbehaaglijke gevoel had niets te maken met de boodschap die Zoe van de I Tjing had ontvangen, maar de woorden van het orakel verleenden de onrust die in haar woelde wel extra geloofwaardigheid: 'Doorgaan tot het eind brengt ongeluk. Een ontmoeting met de grote man is verstandig.' Wie was die grote man?
'Moeten we niet iets doen?' vroeg Paul.
'Wat dan?'
'We kunnen naar het politiebureau gaan om uit te zoeken wat er is gebeurd. Kijken of we hen vrij kunnen krijgen.'
Mara schudde haar hoofd. 'Als we dat doen, is de kans groot dat ze ons opsluiten wegens belemmering van de rechtsgang of zoiets.'

'Als ik niets kan doen, voel ik me zo verdomd machteloos, zo nutteloos.' Paul balde zijn handen tot vuisten en Mara kon de woorden lezen die vrij onbeholpen vlak onder zijn knokkels waren getatoeëerd. In plaats van de gangbare combinatie van LOVE op de ene hand en HATE op de andere had hij op beide handen HATE staan. Nu ze het woord daar zo agressief in hoofdletters zag staan, werd Mara er weer aan herinnerd hoe ruw en gewelddadig Pauls verleden was geweest en het drong tot haar door dat hij er enorm op vooruit was gegaan sinds ze hem aan het begin van de winter op weg naar een kunstnijverheidsbeurs in Wensleydale slapend in de buitenlucht hadden aangetroffen.
'Als we een telefoon hadden gehad, konden we nu het ziekenhuis bellen,' zei Zoe. 'Misschien kan een van ons naar Relton lopen en daarvandaan bellen.'
'Ik ga wel,' zei Mara. 'Jullie hebben vanavond al genoeg te verduren gehad. Bovendien zal een beetje beweging me goed doen.'
Voordat een van de anderen kon aanbieden om in haar plaats te gaan was ze al opgestaan. Het was maar anderhalve kilometer naar Relton, een dorpje hoog op de zuidelijke helling van Swainsdale, en de wandeling zou aangenaam moeten zijn. Mara keek door het raam naar buiten. Het motregende weer. Ze haalde haar gele regencape met bijpassende regenhoed uit de kast en deed de deur open. Toen ze weg was, liep Paul naar de koelkast voor een blikje bier en pakte Zoe haar tarotkaarten.
Mara maakte zich soms een beetje zorgen over Zoe. Niet dat ze geen goede moeder was, maar ze kwam soms zo laconiek over. Goed, ze had dan wel naar Luna gevraagd, maar was niet even bij haar gaan kijken. In plaats daarvan had ze onmiddellijk haar heil gezocht bij haar occulte raadgevers. Mara was dol op beide kinderen: Luna van vier en Julian van vijf. Zelfs Paul, die zijn tienerjaren nog maar net achter zich had gelaten, beschouwde ze af en toe bijna als haar eigen zoon. Ze wist dat ze haar zo na aan het hart lagen omdat ze zelf geen kinderen had. Veel van haar vroegere schoolvriendinnen hadden nu waarschijnlijk al kinderen van Pauls leeftijd. Wel ironisch, dacht ze bij zichzelf toen ze naar het pad liep, een onvruchtbare oermoeder!
Het regende zo zachtjes dat het amper de moeite waard was om zich ertegen te kleden, maar de koude maartse lucht kreeg er iets bijtends door en Mara was blij dat ze onder haar cape een dikke trui aanhad. Het rechte, smalle pad waarover ze liep maakte deel uit van een oude Romeinse weg die dwars over de heidevelden hoog boven de Dale helemaal naar Fortford leidde. Het was net breed genoeg voor een bestelbusje, aan beide zijden afgezet met stapelmuurtjes en bedekt met grind en stukjes steen die kraakten en knerpten toen

ze erover liep. Mara zag in de verte de lichten van Relton al aan de voet van de helling. Achter haar gloeide de kaars voor het raam en Maggie's Farm leek net een ark die stuurloos over een duistere zee zwalkte.
Ze stak haar handen door de gleuven in haar cape diep weg in de zakken van haar ribbroek en zette er stevig de pas in, zoals ze zich verbeeldde dat de oude Romeinen ook zouden hebben gedaan. Achter de wolken ontwaarde ze de parelmoerachtige schittering van de halvemaan.
In de overweldigende stilte om haar heen hoorde ze kleine geluiden – ketsende steentjes, het ritmische geknars van het grind, het geruis van haar ribbroek langs de cape – heel luid en Mara voelde de druk op haar zwakke linkerknie, zoals altijd wanneer ze heuvelafwaarts liep. Ze hief haar hoofd op, liet de zachte, kille regen op haar oogleden vallen en ademde de lucht in die naar natte hond rook. Toen ze haar ogen weer opendeed, zag ze het zwarte silhouet van de in de verte liggende heuvels tegen de achtergrond van een grauwgrijze hemel.
Aan het eind van het pad liep Mara Relton in. De overgang van het grind naar het gladde asfalt van Mortsett Lane voelde in eerste instantie vreemd aan. De dorpswinkeltjes waren allemaal gesloten. Achter de dichtgetrokken gordijnen flakkerde het blauwe licht van televisieschermen.
Voor alle zekerheid keek Mara even om de hoek van de deur van de Black Sheep, maar Seth en Rick waren er niet. In de hoek van de knusse bar brandde een houtvuur, maar de bar zelf was halfleeg. De pubbaas, Larry Grafton, begroette haar met een glimlach. Net als de meeste buurtbewoners had ook hij de nieuwkomers van Maggie's Farm inmiddels geaccepteerd. Zij waren tenminste heel anders dan die Londense yuppies die tegenwoordig alle leegstaande gebouwen in de Dales opkochten, zo had hij Mara ooit toevertrouwd.
'Wil je iets drinken?' riep Grafton.
'Nee. Nee, bedankt,' zei Mara. 'Ik zoek Seth. Je hebt hem zeker niet gezien?'
Twee oude mannen keken op van hun spelletje domino en drie jonge boerenknechten onderbraken hun gesprek over subsidies om een enigszins nieuwsgierige blik in Mara's richting te werpen.
'Nee, meid,' zei Grafton. 'Ze zijn hier sinds de lunch niet meer geweest. Ze zeiden dat ze naar die demonstratie in Eastvale gingen.'
Mara knikte. 'Dat klopt. Het is op een vechtpartij uitgedraaid en ze zijn nog niet terug. Ik vroeg me gewoon af...'
'Dus het is echt waar?' vroeg een van de boerenknechten. 'Tommy Exton was hier een halfuur geleden even en die zei dat er in Market Street werd geknokt.'

Mara vertelde hem wat ze wist en hij schudde zijn hoofd. 'Het is nooit goed om bij zoiets betrokken te raken. Je kunt er maar beter met een grote boog omheen lopen,' zei hij en hij richtte zijn aandacht weer op zijn glas bier.
Mara verliet de Black Sheep en liep naar de telefooncel in Mortsett Lane. Waarom ze geen telefoonaansluiting hadden op de boerderij wist ze niet. Seth had eens opgemerkt dat hij zo'n ding niet in huis wilde hebben, maar had nooit uitgelegd waarom niet. Wanneer hij iemand moest bellen, ging hij altijd naar het dorp en hij deed daar nooit moeilijk over. Op het platteland kon je er tenminste nog van uitgaan dat de telefoons niet waren vernield.
De receptioniste van het ziekenhuis van Eastvale nam op en vroeg wat ze voor haar kon doen. Mara legde uit dat ze graag iets wilde weten over een vriend van haar die na de demonstratie niet was thuisgekomen. De receptioniste zei: 'Een ogenlikje, graag', en een tijdlang hoorde ze alleen het gekraak en geruis van de telefoon. Toen had ze opeens een man aan de lijn.
'Kan ik iets voor u doen, mevrouw?'
'Ja. Ik zou graag willen weten of Seth Cotton en Rick Trelawney patiënten van u zijn.'
'Met wie spreek ik?'
'Ik... dat zeg ik liever niet,' antwoordde Mara, die plotseling bang was dat ze zich als ze dat zou zeggen, een heleboel ellende op de hals zou halen.
'Bent u familie?'
'Ik ben een vriendin van hen. Een heel goede vriendin.'
'Juist. Tja, als u zich niet wilt identificeren, kan ik u helaas geen informatie geven, mevrouw.'
'Hoor eens,' zei Mara kwaad, 'dit is belachelijk. Ik vraag u toch niet om een officiële geheimhoudingsplicht te schenden? Ik wil alleen maar weten of mijn vrienden daar zijn en zo ja, hoe het met hen gaat. Wie bent u trouwens?'
'Agent Parker, mevrouw. Als u een klacht hebt, moet u bij inspecteur Banks van de CID zijn, op het hoofdbureau van politie in Eastvale.'
'Inspecteur Banks? CID?' herhaalde Mara langzaam. De naam kwam haar bekend voor. Hij was degene die een tijdje terug op de boerderij was geweest toen Liz bij hen was. 'Hoezo? Ik begrijp het niet. Wat is er dan aan de hand? Ik wil alleen maar weten of mijn vrienden gewond zijn.'
'Het spijt me, mevrouw. Instructies van hogerhand. Als u zegt hoe u heet, zal ik zien wat ik kan doen.'
Mara hing op. Er zat iets goed mis. Ze had al meer dan genoeg schade aangericht door naar Seth en Rick te vragen. De politie zou ongetwijfeld hun naam noteren en hen harder aanpakken dan de rest. Er zat niets anders op

dan ongerust af te wachten. Met een diepe rimpel op haar voorhoofd duwde ze de deur open en dook ze de regen in.

'*Feel like a broke-down engine, ain't got no drivin' wheel*,' zong Blind Willie McTell. 'Ik weet precies hoe jij je voelt, kerel,' mompelde Banks in zichzelf en hij schonk een glas Laphroaig single malt in, een luxe die hij zich eigenlijk niet kon veroorloven. Het liep tegen twee uur in de ochtend en tot dusver hadden de verhoren geen resultaat opgeleverd. Banks had het werk aan anderen overgelaten en was doodop naar huis gegaan om een paar uur te slapen. Hij vond dat hij dat wel had verdiend. Zij hadden niet de hele ochtend in de rechtszaal doorgebracht, de hele middag achter een gestolen tractor aangejaagd en 's avonds de Hoogedelgestrenge Honoria hoeven aanhoren, die nu zonder enige twijfel de slaap der rechtvaardigen sliep voordat ze, tot haar immense opluchting, de volgende ochtend weer terug kon naar het zuiden.
Banks legde zijn voeten op de bank, stak een sigaret op en verwarmde met zijn hand het glas. Plotseling ging de bel. Hij sprong overeind en vloekte toen hij wat van de kostbare Schotse whisky op zijn overhemd morste. Met de muis van zijn hand over de vlek wrijvend liep hij naar de gang, waar hij de deur op een kier opende, met de ketting erop.
Het was Jenny Fuller, de psychologe met wie hij tijdens zijn eerste zaak in Eastvale had kennisgemaakt en samengewerkt. Er had trouwens iets meer tussen hen gespeeld, moest hij bekennen als hij eerlijk was; ze hadden zich enorm tot elkaar aangetrokken gevoeld. Er was natuurlijk niets gebeurd en Jenny was zelfs bevriend geraakt met Sandra. Ze waren vaak met zijn drieën op stap geweest. De aantrekkingskracht was echter niet minder geworden. Dergelijke gevoelens verdwenen vaak minder gemakkelijk dan ze ontstonden.
'Jenny?' Hij haalde de ketting van het slot en deed de deur verder open.
'Ik weet het. Het is twee uur in de ochtend en je vraagt je natuurlijk af wat ik hier kom doen.'
'Zoiets, ja. Ik neem aan dat je hier niet voor mijn onweerstaanbare charmes bent?'
Jenny glimlachte. De rimpeltjes om haar groene ogen plooiden zich. Haar glimlach was echter geforceerd en van korte duur.
'Wat is er?' vroeg Banks.
'Dennis Osmond.'
'Wie?'
'Een vriend. Hij zit in moeilijkheden.'

'Je vriendje?'
'Inderdaad, mijn vriendje.' Jenny bloosde. 'Of geef je de voorkeur aan "aanbidder"? "Minnaar"? "Mijn betere wederhelft"? Zeg, mag ik misschien even binnenkomen? Het is hierbuiten ijskoud en het regent.'
Banks deed een stap opzij. 'Ja, natuurlijk. Het spijt me. Wil je iets drinken?'
'Graag, als je het niet erg vindt.' Jenny liep de woonkamer in, wikkelde haar groene zijden sjaal los en schudde haar rode haren uit. De gedempte trompet jammerde klaaglijk en Sara Martin zong *Death Sting Me Blues.*
'Wat is er met de opera gebeurd?' vroeg Jenny.
Banks schonk een glas Laphroaig voor haar in. 'Er zijn zoveel verschillende soorten muziek op de wereld,' zei hij. 'Ik wil er zo veel mogelijk van horen voordat ik het het tijdelijke voor het eeuwige verwissel.'
'Vallen heavy metal en middle of the road daar ook onder?'
Banks trok een chagrijnig gezicht. 'Goed. Dennis Osmond dus. Wat wil je over hem weten?'
'O, zijn we nu op onze teentjes getrapt?' Jenny sloeg haar ogen op naar het plafond en zei toen zacht: 'Ik hoop trouwens dat ik Sandra en de kinderen niet wakker heb gemaakt.'
Banks vertelde haar de reden van hun afwezigheid. 'Het gebeurde allemaal vrij plotseling,' voegde hij eraan toe om de stilte op te vullen die daarop volgde en die op onverklaarbare wijze veelbetekenender leek dan normaal. Jenny betuigde haar medeleven en verschoof iets op haar stoel. Ze haalde diep adem. 'Dennis is tijdens de demonstratie van vanavond opgepakt. Hij heeft me nog net vanuit het politiebureau kunnen bellen. Hij is nog steeds niet terug. Ik ben er net geweest en de agent aan de balie vertelde me dat jij even daarvoor was vertrokken. Ze wilden me helemaal niets over de arrestanten meedelen. Wat is er allemaal gaande?'
'Waar had hij dan nu moeten zijn?'
'Mijn huis.'
'Wonen jullie samen?'
Jenny's blik verhardde en boorde zich als een groene laserstraal door hem heen. 'Dat gaat je geen zak aan.' Ze nam een teug van de whisky. 'Maar nee, dat is niet het geval. Hij zou bij me langskomen om me over de demonstratie te vertellen. Alles had al uren geleden afgelopen moeten zijn.'
'Je was er zelf dus niet bij?'
'Wat is dit, een verhoor of zo?'
'Nee. Ik vraag het alleen maar.'
'Ik sta er wel achter – ik bedoel, ik ben ook tegen kernenergie en Ameri-

kaanse luchtmachtbases in Engeland – maar ik geloof niet dat het veel zin heeft om in de regen voor het wijkcentrum in Eastvale te gaan staan.'
'Ja, ja.' Banks glimlachte. 'Het was buiten ook wel erg akelig weer vanavond, hé?'
'Je kunt die cynische opmerkingen van je gerust achterwege laten, hoor. Ik moest werken.'
'Het was binnen anders ook geen lolletje.'
Jenny trok vragend haar wenkbrauwen op. 'De Hoogedelgestrenge Honoria?'
'Inderdaad.'
'Was jij daarbij?'
'Die twijfelachtige eer is mij inderdaad ten deel gevallen, ja. De plicht riep.'
'Zielenpoot. Dan was een blauw oog misschien inderdaad nog wel te prefereren geweest.'
'Ik neem aan dat je het nieuws nog niet hebt gehoord?'
'Welk nieuws?'
'Tijdens die vreedzame, kleine demonstratie is een agent omgekomen. Niet iemand van ons team, maar wel een politieman.'
'Zit Dennis daarom nog steeds op het bureau vast?'
'We houden inderdaad mensen vast voor verhoor. Dit is een ernstige kwestie, Jenny. Ik heb Dennis Osmond niet gezien, heb zelfs nog nooit van hem gehoord. Maar ze laten hem pas gaan wanneer ze zijn verklaring hebben opgenomen en we geven voorlopig nog geen informatie vrij aan derden. Dat wil niet per se zeggen dat hij als verdachte wordt beschouwd of zo, alleen maar dat hij nog niet is gehoord.'
'En daarna?'
'Daarna laten ze hem gaan. Als alles goed gaat, kunnen jullie nog steeds een deel van de nacht samen doorbrengen.'
Jenny boog even haar hoofd en keek hem toen woedend aan. 'Je bent ontzettend onbeschoft, weet je dat?' zei ze. 'Ik hou niet van zulke geintjes.'
'Wat wil je dat ik doe?' vroeg Banks. 'Waarom ben je hier?'
'Ik... ik wilde alleen maar weten wat er is gebeurd.'
'Weet je heel zeker dat het je er niet om te doen is dat hij een bijzondere behandeling krijgt?'
Jenny zuchtte. 'Alan, we zijn toch vrienden, of zie ik dat verkeerd?'
Banks knikte.
'Goed,' ging ze verder. 'Ik weet dat je politieagent bent, maar als je niet weet waar je werk ophoudt en vriendschap begint... Moet ik nog verder gaan?'

Banks wreef over de stoppels op zijn kin. 'Nee. Sorry. Het is een zware nacht geweest. Je hebt echter nog geen antwoord gegeven op mijn vraag.'
'Ik hoopte erachter te komen wat er met hem is gebeurd. Ik kreeg de indruk dat ze mij ook zouden hebben vastgehouden voor ondervraging, als ik ook maar iets langer op het bureau was blijven rondhangen. Ik wist niet dat er iemand is omgekomen. Ik neem aan dat dit alles verandert?'
'Ja, natuurlijk. Het betekent dat daarbuiten iemand rondloopt die een agent heeft vermoord. Ik ben ervan overtuigd dat jouw Dennis er niets mee te maken heeft, maar hij zal net als iedereen onze vragen moeten beantwoorden. Ik kan je niet precies zeggen hoe lang hij er nog zal zitten. Je weet nu tenminste dat hij niet in het ziekenhuis ligt. Een heleboel anderen wel.'
'Ik kan het bijna niet geloven, Alan. Dat mensen hun zelfbeheersing verliezen, dat er wordt gevochten, dat begrijp ik nog wel, maar een moord? Hoe is het precies gebeurd?'
'Hij is neergestoken. Het was opzettelijk; daarover bestaat geen enkele twijfel.'
Jenny schudde haar hoofd.
'Het spijt me dat ik verder niets voor je kan doen,' zei Banks. 'Wat was Dennis' aandeel in de demonstratie?'
'Hij is een van de organisatoren, samen met de studentenvakbond en de bewoners van Maggie's Farm.'
'Is dat die boerderij vlak bij Relton?'
'Inderdaad. De lokale vrouwenbond was er ook bij betrokken.'
'WEEF? Dorothy Wycombe?'
Jenny knikte. Banks had al eens eerder te maken gehad met de Women of Eastvale for Emancipation and Freedom – en met Dorothy Wycombe in het bijzonder – en de moed zonk hem bijna in de schoenen toen het tot hem doordrong dat hij hen mogelijk nogmaals op zijn pad zou vinden.
'Ik kan het echt nog steeds niet geloven,' vervolgde Jenny. 'Dennis heeft me diverse keren gezegd dat een gewelddadige confrontatie wel het laatst was wat ze wilden.'
'Ik neem aan dat niemand dit heeft gewild, maar bij dit soort dingen gaat er nu eenmaal wel eens iets mis. Zeg, waarom ga je niet naar huis? Ik weet zeker dat hij snel vrijkomt. Hij zal heus niet slecht worden behandeld. We veranderen echt niet zomaar in brute sadisten zodra er zoiets als dit gebeurt.'
'Jij misschien niet,' zei Jenny. 'Maar ik heb heus wel gehoord dat jullie in zo'n geval de gelederen sluiten.'
'Maak je maar geen zorgen.'

Jenny dronk haar glas leeg. 'Goed. Ik begrijp dat je me momenteel liever kwijt dan rijk bent.'
'Integendeel. Neem nog een glas whisky als je wilt.'
Jenny aarzelde. 'Nee,' zei ze ten slotte. 'Ik plaagde je maar. Je hebt gelijk. Het is al laat. Ik moest maar eens op huis aan.' Ze pakte haar sjaal. 'Het heeft me wel goed gedaan. Die whisky. Zo'n stevige smaak dat je er bijna op kunt kauwen.'
Banks liep met haar mee naar de deur. 'Als er problemen zijn,' zei hij, 'laat het me dan weten. Ik kan jouw hulp trouwens ook goed gebruiken. Blijkbaar weet jij het een en ander af van wat zich achter de schermen heeft afgespeeld.'
Jenny knikte en knoopte haar sjaal om.
'Kom anders een keertje eten,' stelde Banks impulsief voor. 'Kun je meteen mijn kookkunst uitproberen.'
Jenny schudde glimlachend haar hoofd. 'Dat lijkt me niet zo'n goed idee.'
'Waarom niet? Zo slecht kook ik nu ook weer niet. Dat wil zeggen...'
'Het is gewoon... het hoort niet nu Sandra weg is. De buren...'
'Oké. Dan gaan we uit eten. Wat dacht je van de Royal Oak in Lyndgarth?'
'Dat lijkt mij een uitstekend plan,' zei Jenny. 'Bel me maar.'
'Doe ik.'
Ze gaf hem een kus op zijn wang en hij keek haar na toen ze over het pad naar haar auto liep. Ze zwaaiden even naar elkaar voordat ze wegreed en toen deed hij de voordeur dicht om de natte, kille nacht buiten te sluiten. Hij pakte de fles whisky, trok de kurk eruit, bedacht zich, duwde hem weer op zijn plaats en ging naar bed.

3

AGENT OMGEKOMEN TIJDENS DODELIJKE DALES-DEMONSTRATIE schreeuwden de krantenkoppen de volgende ochtend. Banks zat met een kop koffie en een sigaret in zijn kantoor en vroeg zich met een blik op de kranten af waarom de verslaggever niet alle registers had opengetrokken en 'omgebracht' had vervangen door 'afgeslacht'.

Hij schoof de krant van zich af en liep naar het raam. Het marktplein lag er somber en verlaten bij in het grauwe maartse licht, en Banks voelde dat er een geschokte sfeer in de stad hing. Winkelende mensen schuifelden met gebogen hoofd voorbij en wierpen steels een blik op de plek waar de demonstratie had plaatsgehad, alsof ze verwachtten daar gewapende bewakers aan te treffen met gasmaskers op en sporen van traangas in de lucht. North Market Street was nog steeds met tape afgezet. De vier agenten uit York waren tegen een uur of vier in de ochtend aangekomen om de plaatselijke politie te helpen bij het doorzoeken van het gebied, maar ze hadden geen moordwapen gevonden. Nu deden ze in het grijze daglicht opnieuw een poging.

Banks keek naar de kalender aan de muur. Het was 17 maart, St. Patrick's Day. Op de foto stond de ruïne van St. Mary's Abbey in York. Aan het zonlicht en de opgewekte toeristen te zien was deze waarschijnlijk al in juli genomen. Op 17 maart zelf deed zijn kacheltje sputterend en pruttelend zijn uiterste best om de kilte uit de lucht te verdrijven.

Hij richtte zijn aandacht weer op de kranten. De verslagen liepen nogal uiteen. Volgens de links georiënteerde pers had de politie zonder enige aanleiding met bruut geweld een vreedzame menigte aangevallen; rechtse kranten wisten echter te melden dat een groep onhandelbare demonstranten met flessen en stenen had gegooid, waardoor de politie zich gedwongen had gezien tot het nemen van represailles. De gematigder kranten leken geen van alle te weten wat er nu precies was voorgevallen, maar bestempelden het hele gebeuren als bijzonder onfortuinlijk en betreurenswaardig.

Om halfnegen riep hoofdinspecteur Gristhorpe, die als leidinggevende bijna de hele nacht in de weer was geweest met het verhoren van demonstranten, Banks naar zijn kantoor. Banks drukte zijn sigaret uit – de hoofdinspecteur keurde roken af – en ging de met vele boeken gevulde ruimte binnen. De schemerlamp op Gristhorpes enorme teakhouten bureau wierp een warme gloed op een flinke stapel verklaringen.

'Ik heb de assistent-hoofdcommissaris gesproken,' zei Gristhorpe. 'Hij heeft met Londen gebeld en ze sturen vanochtend iemand deze kant uit. Ikzelf ga me bezighouden met het voorbereidende, interne onderzoek naar de demonstratie.' Hij wreef in zijn ogen. 'Uiteraard zal er ongetwijfeld wel weer iemand zijn die me ervan beschuldigt dat ik bevooroordeeld ben en de hele zaak laten schrappen, maar ze willen van hogerhand laten zien dat er snel actie wordt ondernomen.'

'Die Londenaar die ze deze kant op sturen,' vroeg Banks, 'wat gaat die hier precies doen?'

'Hij krijgt de leiding over het moordonderzoek. Jij gaat met hem samenwerken, net als Hatchley en Richmond.'

'Weet u wie het is?'

Gristhorpe zocht naar een stukje papier op zijn bureau. 'Ja zeker... even kijken... Hoofdinspecteur Burgess. Hij maakt deel uit van een team dat zich bezighoudt met in politiek opzicht gevoelig liggende misdaad. Geen Special Branch, maar evenmin gewone CID. Ik weet niet eens zeker of we wel mogen weten wat zijn functie precies is. Een of andere troubleshooter, denk ik zo.'

'Toch niet hoofdinspecteur Richard Burgess?' vroeg Banks.

'Ja. Hoezo? Ken je hem?'

'Verrek.'

'Alan, wat zie je opeens witjes. Wat is er?'

'Ja, ik ken hem,' zei Banks. 'Niet goed, maar ik heb in Londen een paar keer met hem gewerkt. Hij is van mijn leeftijd, maar maakt sneller carrière dan ik.'

'Ambitieus?'

'Heel erg. Met zijn ambities heb ik echter niet zoveel moeite,' ging Banks verder. 'Hij is nog rechtser dan... Nu ja, noem maar iemand en Burgess is altijd net iets rechtser.'

'Maar is hij ook goed?'

'Hij boekt uitstekende resultaten.'

'Maar dat hebben we toch nodig?'

'Ik neem aan van wel. Het is alleen verrekte lastig om met hem samen te werken.'

'In welk opzicht?'

'Och, hij is zo gesloten als een oester. Laat de rechterhand niet weten wat de linkerhand uitspookt. Soms wat kort door de bocht. Kwetst mensen.'

'Zo lijkt het net alsof hij niet eens een linkerhand heeft,' zei Gristhorpe.
Banks glimlachte. 'We noemden hem vroeger Dirty Dick Burgess.'
'Waarom?'
'Daar komt u nog wel achter. Het heeft in elk geval niets te maken met zijn seksuele escapades, dat kan ik u wel vast vertellen. Hoewel hij wel een aardige reputatie had opgebouwd als grootste dekhengst van de stad.'
'Hoe dan ook,' zei Gristhorpe, 'hij zou hier rond het middaguur moeten zijn. Hij komt met de vroege intercity naar York. Omdat de wachttijd op de aansluiting zo lang is, wilde ik Craig erheen sturen om hem van het station te halen.'
'Craig is maar een bofkont.'
Gristhorpe fronste zijn voorhoofd. Banks zag de wallen onder zijn ogen. 'Tja, je zult er het beste van moeten maken, Alan. Als hoofdinspecteur Burgess een grens overschrijdt, ben ik er ook nog. Dit is nog altijd ons territorium. Honoria Winstanley heeft trouwens voor haar vertrek nog gebeld; nou ja, een van haar beveiligingsmensen dan. Hij meldde dat alles in orde was, bood zijn verontschuldigingen aan voor gisteravond en wilde je bedanken voor de vlotte afhandeling van alles.'
'De wonderen zijn de wereld nog niet uit.'
'Ik heb voor Burgess een kamer geboekt in het Castle Hotel aan York Road. Dat is weliswaar iets minder chic en prijzig dan het Riverview, maar Burgess is dan ook geen MP.'
Banks knikte. 'Waar moet hij werken?'
'Voorlopig in een van de verhoorkamers. Daar staan in elk geval al een bureau en stoel.'
'Dat zal hij vast niet leuk vinden. Mensen als Burgess hechten veel belang aan hun eigen kantoorruimte en aanspreektitel.'
'Hij gaat zijn gang maar,' zei Gristhorpe en hij gebaarde om zich heen naar zijn kantoor. 'Als hij maar niet denkt dat hij deze kamer krijgt.'
'Is er nog nieuws uit het ziekenhuis?'
'Niets belangrijks. De meeste gewonden zijn inmiddels naar huis gestuurd. Susan Gay is de rest van de week met ziekteverlof.'
'Toen u de verklaringen doornam,' vroeg Banks, 'bent u toen iets tegengekomen over een zekere Dennis Osmond?'
'De naam komt me bekend voor. Eens kijken.' Gristhorpe bladerde door de stapel. 'Ja, zie je wel, dat dacht ik al. Ik heb hem zelf verhoord. Een van de laatsten. Hoezo?'
Banks vertelde hem over Jenny's bezoekje.

'Ik heb zijn verklaring opgenomen en hem laten gaan.' Gristhorpe las het A4'tje door. 'Het is hem inderdaad. Agressief, jong opgewonden standje. Dreigde de politie aan te klagen en zelf een onderzoek in te stellen. Had overigens niets gezien. Wilde in elk geval niet toegeven dat hij iets had gezien. Volgens onze gegevens is hij lid van de CND en actief in de plaatselijke club tegen kernenergie. Amnesty International ook, en we weten allemaal hoe mevrouw Thatcher tegenwoordig over die lui denkt. Daarnaast heeft hij ook banden met diverse andere groeperingen, waaronder de International Socialists. Ik kan me indenken dat hoofdinspecteur Burgess wel met hem zal willen praten.'

'Hmmm.' Banks vroeg zich af hoe Jenny dat zou opvatten. Haar en Burgess kennende durfde hij nu al te voorspellen dat dit het nodige vuurwerk zou opleveren. 'Is er uit die verklaringen nog iets naar voren gekomen?'

'Niemand is getuige geweest van de steekpartij. Drie mensen meenden een mes op straat te hebben zien liggen tijdens de schermutselingen. Waarschijnlijk is het ding alle kanten op geschopt. Niets van wat ik tot dusver heb gehoord schept ook maar enige orde in de chaos. Het was ook al niet handig dat het licht daar zo slecht is. Je weet zelf ook hoe slecht het in die straat met de verlichting is gesteld. Dorothy Wycombe zeurt ons daarover al weken aan het hoofd. Ik heb haar doorverwezen naar de gemeenteraad, maar dat helpt niet. Ze beweert dat het een uitnodiging is voor verkrachters, helemaal met al die onverlichte zijstraatjes, maar de gemeente houdt vol dat die gaslampen goed zijn voor de toeristenindustrie. Hoe het ook zij, Gill lag onder aan de trap van het wijkcentrum. Als we de mensen kunnen achterhalen die helemaal vooraan stonden, komen we misschien een stapje verder.'

Banks vertelde Gristhorpe wat Jenny hem over de andere organisatoren had verteld.

'De Church for Peace-groep was er ook bij betrokken,' voegde Gristhorpe daar nog aan toe. 'Had je het nu zo-even over Maggie's Farm, die boerderij bij Relton?'

Banks knikte.

'Hadden we met hen ongeveer een jaar geleden ook al niet een appeltje te schillen?'

'Inderdaad,' zei Banks. 'Maar dat was een storm in een glas water. Ik had de indruk dat het een vrij ongevaarlijk clubje was.'

'Waar ging het toen ook alweer om? Drugs?'

'Dat klopt. Alleen hebben we toen niets gevonden. Waarschijnlijk waren ze zo slim geweest om het spul te verstoppen, als ze al iets in huis hadden ten-

minste. We handelden toen op basis van een tip van maatschappelijk werkers uit het ziekenhuis. Ik denk dat die het een tikje hadden overdreven.'
'Hoe dan ook,' zei Gristhorpe, 'dit was het wel zo'n beetje. De rest van de mensen die we hebben opgepakt, zijn doorsneeburgers die bij de betoging aanwezig waren omdat ze tegen kernenergie zijn of tegen het regeringsbeleid in het algemeen.'
'Dus wat doen we nu?'
'Je kunt deze verklaringen doornemen,' zei Gristhorpe en hij schoof de enorme stapel papier naar Banks, 'en verder is het wachten op die topper uit Londen. Brigadier Hatchley is nog steeds bezig met het ondervragen van de mensen in de appartementen die op de straat uitkijken. Niet dat er veel kans bestaat dat het iets oplevert. Veel meer dan een zee van hoofden kunnen ze niet hebben gezien. Als die godvergeten televisiecamera's er waren geweest, hadden we het hele gebeuren tenminste nog op video gehad. Die hufters van de media zijn er ook nooit wanneer je hen nodig hebt.'
'Net de politie,' zei Banks grijnzend.
De telefoon ging. Gristhorpe nam op, luisterde aandachtig en keek daarna Banks aan. 'Volgens brigadier Rowe is dokter Glendenning op weg naar boven. Hij heeft het voorlopig onderzoek afgerond. Ik denk dat je er even bij moet zijn om te horen wat hij te zeggen heeft.'
Banks glimlachte. 'Een zeldzame eer, de dokter die naar ons toe komt. Ik wist niet dat hij ook huisbezoeken aflegde.'
'Dat hoorde ik,' zei een barse stem met een typisch Edinburghs accent achter hem. 'Ik hoop maar dat het niet sarcastisch was bedoeld.'
De lange dokter met het grijze haar keek streng naar Banks, maar er lag een olijke blik in zijn blauwe ogen. Zijn snor zat vol gele nicotinevlekken en in een mondhoek bungelde een sigaret. Hij hijgde na van de lange klim naar boven.
'Er mag hier niet worden gerookt,' zei Gristhorpe. 'Je zou toch beter moeten weten; je bent nota bene arts.'
Glendenning bromde iets onverstaanbaars. 'Dan ga ik wel ergens anders naartoe.'
'Komt u maar mee naar mijn kantoor,' zei Banks. 'Ik snak zelf ook naar een sigaret.'
'Uitstekend, knul. Na jou.'
'Smerige verrader.' Gristhorpe zuchtte diep en liep achter hen aan.
Nadat ze koffie en een stoel hadden gehaald, stak de dokter van wal. 'Voor de leek komt het erop neer,' zei hij, 'dat Gill is neergestoken. Het mes is onder

de ribbenkast het lichaam binnengedrongen en heeft daar zoveel schade aangericht dat inwendige bloedingen tot zijn dood hebben geleid. Het lemmet was minstens twaalfenhalve centimeter lang en is er zo te zien helemaal tot aan het heft in gestoken. Eén snijkant en een zeer scherpe punt. Afgaande op de wond zou ik zeggen dat het een soort stiletto is geweest.'

'Een stiletto?' herhaalde Banks.

'Aye, knul. Je weet toch wel wat een stiletto is? Die heb je in alle vormen en maten. Ze zijn in dit land uiteraard verboden, maar zijn in de rest van Europa overal te krijgen. De snijkant was bijzonder scherp, net als de punt.'

'En het bloed?' vroeg Gristhorpe. 'Niemand die onder Gills bloed zat, neem ik aan, en het ons voor de verandering eens gemakkelijk maakt?'

Dokter Glendenning stak weer een Senior Service op en schudde zijn hoofd. 'Nee. Ik heb de tests gecheckt. Het zou me ook hogelijk hebben verbaasd als dat wel zo was geweest,' zei hij. 'Wat de meeste mensen niet beseffen is dat er vaak maar heel weinig bloed vrijkomt bij steekwonden, tenzij er een grote ader of een slagader wordt geraakt, de halsslagader bijvoorbeeld. Ik zou zeggen dat er in dit geval vrijwel geen bloed aan te pas is gekomen en dat het bloed dat er was voornamelijk in de kleding van de man zelf is getrokken. De snijwond sluit zich namelijk weer wanneer het lemmet wordt teruggetrokken – vooral wanneer het een dun lemmet betreft – en de meeste bloedingen vinden dan inwendig plaats.'

'Kun je ons vertellen of dit door een professional is gedaan?' vroeg Gristhorpe.

'Daarover speculeer ik liever niet. Het zou kunnen, maar het kan evengoed toevallig zijn gebeurd. De wond is met de rechterhand in een opwaartse beweging aangebracht. Ik betwijfel of een dergelijke aanval op een donkere avond door iemand is opgemerkt, tenzij hij de weerkaatsing van de straatverlichting in het lemmet heeft gezien, maar daarvoor is het in North Market Street te donker. Het zag er waarschijnlijk eerder uit als een stomp in de maag en naar ik heb gehoord zijn er daarvan heel wat uitgedeeld. Als hij nu zijn hand boven zijn hoofd had geheven en naar beneden had gestoten...'

'Helaas denken de meeste mensen bij zoiets nooit eens aan ons,' zei Banks.

'Als we het type mes dat is gebruikt in aanmerking nemen,' opperde Gristhorpe, 'kan het best een spontane daad zijn geweest. Professionals gebruiken doorgaans geen stiletto's, dat is meer een wapen voor straatvechters.'

'Aye,' zei Glendenning en hij maakte aanstalten om te vertrekken, 'maar dat mogen jullie zelf uitzoeken. Als ik bij de lijkschouwing meer te weten kom, geef ik het nog wel door.'

'Wie heeft het lichaam geïdentificeerd?' vroeg Banks hem.
'Zijn zus. Die was er trouwens helemaal kapot van. Een paar agenten hebben het papierwerk afgehandeld. Gelukkig laat Gill geen vrouw en kinderen achter.' Er viel een flink stuk as op het linoleum. Glendenning schudde langzaam zijn hoofd. 'Alles bij elkaar een akelige zaak. Tot ziens.'
Nadat de dokter was vertrokken, stond Gristhorpe op en hij wapperde theatraal met zijn hand voor zijn gezicht. 'Verdomd smerige gewoonte. Ik ga terug naar mijn eigen kantoor, waar de lucht fris is. Rookt die Burgess ook?'
Banks glimlachte. 'Sigaren, als ik me niet vergis.'
Gristhorpe vloekte hartgrondig.

Boven het dal bij Maggie's Farm klampte de mist zich vast aan de heuvelhellingen en de kalkstenen littekens, en ontdeed ze van alle kleur. Direct na het ontbijt ging Seth naar zijn werkplaats om de restauratie van Jack Lippetts buffetkast af te ronden; Rick deed een paar boodschappen in Helmthorpe en trok zich daarna terug in zijn atelier in de verbouwde stal om verder te kliederen aan zijn laatste schilderij; Zoe was in haar appartement druk in de weer met Elsie Goodbody's geboortehoroscoop; en Paul ging een lange wandeling maken over de hei.
In de woonkamer herstelde Mara de scheuren in Seths jasje, terwijl ze tegelijkertijd op Luna en Julian paste. De kinderen speelden met lego en ze gluurde vaak even in hun richting, onder de indruk van de blik van opperste concentratie die tijdens het bouwen op hun gezicht lag. Af en toe werd er geruzied, en dan klaagde Julian dat de iets jongere Luna het niet goed deed. Op haar beurt beschuldigde Luna hem ervan dat hij steeds de baas wilde spelen. Mara greep soms in, gaf hun advies en wist zo de onenigheid tijdelijk te verdrijven.
Er was eigenlijk niets om zich druk over te maken, hield Mara zichzelf tijdens het naaien voor, maar na wat Seth en Rick over de vermoorde politieagent hadden gezegd, besefte ze dat ze er rekening mee moesten houden dat de politie hun doen en laten nauwkeurig zou natrekken. Ze waren nu eenmaal anders. Hoewel hun politiek engagement zich niet uitstrekte tot het lidmaatschap van een of andere partij, droegen ze de bescherming van het milieu wel degelijk een warm hart toe. Ze hadden zelfs toegestaan dat hun huis als basis werd gebruikt voor de organisatie van de demonstratie. Het zou niet lang meer duren voordat er op de deur werd geklopt. Er zat Mara nog iets anders dwars, diep weggestopt in haar achterhoofd, maar ze kon er niet precies de vinger op leggen.

Seth en Rick waren moe en hongerig geweest toen ze even na tweeën in de ochtend thuiskwamen. Seth had een proces-verbaal aan zijn broek wegens bedreiging en Rick vanwege het belemmeren van een politieagent in functie. Afgezien van het nieuws over de moord op Gill, dat zich razendsnel door het politiebureau had verspreid, hadden ze weinig toe te voegen aan wat Mara al had gehoord.

In bed had Mara geprobeerd Seth wat op te vrolijken, maar hij was erg afwezig geweest. Hij zei dat hij moe was en was vrijwel onmiddellijk in slaap gevallen. Mara had nog een hele tijd naar de regen liggen luisteren en was tot de conclusie gekomen dat Seth eigenlijk vaak afstandelijk was. Ze woonde nu twee jaar met hem samen, maar had het gevoel dat ze hem amper kende. Ze wist zelfs niet eens of hij nu echt sliep of maar deed alsof. Hij was altijd zo zwijgzaam, alsof hij een loodzware, trieste last met zich meetorste. Mara wist dat zijn vrouw Alison vlak voordat hij de boerderij had gekocht op tragische wijze om het leven was gekomen, maar verder wist ze vrijwel niets over zijn verleden.

Hij was heel anders dan Rick, bedacht ze. Rick maakte in zijn leven ook de nodige ellende mee – hij was met zijn ex-vrouw in een felle strijd verwikkeld om de voogdij over Julian – maar hij was heel openhartig en toonde zijn gevoelens, in tegenstelling tot Seth die vrijwel nooit iets zei. Seth was sterk, dacht Mara bij zichzelf, iemand die door de anderen altijd als leider werd beschouwd. En hij hield van haar. Ze besefte dat het dwaas van haar was geweest om zo jaloers te zijn toen Liz Dale uit die psychiatrische inrichting was weggelopen en bij hen had gelogeerd. Liz was een goede vriendin van Alison geweest en kende Seth al jaren; ze behoorde tot een deel van zijn leven dat voor Mara gesloten bleef en dat deed pijn. Avond na avond had Mara met het kussen stevig tegen zich aangeklemd wakker gelegen en tot diep in de nacht naar hun stemmen geluisterd die van beneden kwamen. Het was een zware tijd geweest, met het verblijf van Liz, de problemen met de maatschappelijk werkers en de politie-inval, maar nu ze erop terugkeek kon ze lachen om haar jaloezie.

Tijdens het herstellen van Seths kleding, met de kinderen naast haar in de kamer, besefte Mara dat ze blij was dat ze leefde. Tegenwoordig was ze meestal gelukkig; ze zou voor geen goud iets willen veranderen. Ze had tot dusver een goed leven gehad, hoewel het bij tijd en wijle ook een beetje verwarrend was geweest. Na haar studietijd had ze zich gretig op het leven gestort – reizen, leven in een commune, liefdesaffaires, drugs – en zorgeloos van alles geproefd.

Daarna had ze vier jaar bij de Resplendent Light Organization gezeten, wat

was uitgemond in een verblijf van negen lange maanden in een van hun communes, waar je alles wat je verdiende aan de groep afdroeg en je vrijheid enorm werd beknot. Geen bioscoopbezoeken, geen avondjes in de pub, geen luchtige, vrolijke bijeenkomsten rond het kampvuur; er werd heel weinig gelachen. Mara had zich er al heel snel opgesloten gevoeld en die hele periode had een bittere smaak in haar mond achtergelaten. Ze vond dat ze was bedrogen en haar tijd had verspild. Er was daar geen liefde geweest, niemand met wie ze samen kon zijn. Dat lag echter allemaal achter haar. Nu had ze Seth – een sterke, betrouwbare man, hoe afstandelijk hij soms ook was – en Paul, Zoe, Rick en, het belangrijkst van alles, de kinderen. Na allerlei omzwervingen en een lange zoektocht had ze nu eindelijk de rust gevonden waarnaar ze zo had verlangd. Ze was thuis.
Toch vroeg ze zich soms af hoe het zou zijn als haar leven normaler was geweest. Ze kende ook de verhalen over zakenlui die in de jaren zestig hun keurige, veilige bestaan vaarwel hadden gezegd: ze trokken hun pak en stropdas uit, slikten LSD en reisden naar Woodstock. Mara droomde soms juist vol verlangen van zo'n keurig, veilig bestaan. Ze had een goed stel hersenen; ze had aan de universiteit van Essex prachtige cijfers gehaald voor Engelse literatuur. Af en toe zag ze zichzelf al zakelijk en efficiënt in een mantelpakje voor zich, met een baan in de reclame misschien, of Keats en Coleridge voorlezend aan een klas vol ademloos luisterende kinderen.
Dergelijke fantasieën duurden echter nooit lang. Ze was 38 jaar en zelfs voor opgeleide, ervaren mensen was het moeilijk een baan te vinden. Die kans was aan haar neus voorbijgegaan. Ze besefte ook heel goed dat ze niet in staat was om in de wereld van alledag met zijn moordende tempo, zijn hebzuchtige mentaliteit en de onbenullige eisen die aan je werden gesteld te overleven, net zomin als ze dat bijvoorbeeld in het leger zou kunnen. De jaren die ze aan de rand van maatschappij had doorgebracht, hadden een grote kloof geschapen tussen haar en een normaal leven. Ze wist niet eens waarover mensen tegenwoordig spraken op het werk. Hun nieuwe BMW? Een vakantie in het Caraïbisch gebied? Het enige wat zij wist was wat ze in de kranten had gelezen, waaruit bleek dat mensen tegenwoordig niet gewoon hun leven leidden, maar er een 'lifestyle' op na hielden.
Met de drie dagen per week die ze in Elspeths kunstnijverheidswinkeltje in Relton werkte, in ruil voor het gebruik van de pottenbakkersschijf en -oven in de ruimte achter de winkel, kwam ze nog het dichtst in de buurt van een normaal middenklassenbestaan. Elspeth was echter al evenmin een doodgewoon iemand; ze was een vriendelijke lesbienne met zilvergrijs haar die al

meer dan dertig jaar met haar levensgezel Dottie in Relton woonde. Ze had zich weliswaar het in tweed gehulde uiterlijk van een oerdegelijke plattelandsvrouw aangemeten, maar de glinstering in haar ogen vertelde een heel ander verhaal. Mara was dol op beide vrouwen, maar zag Dottie de laatste tijd nog maar zelden. Ze was ziek – kanker in een vergevorderd stadium, vermoedde Mara – en Elspeth droeg de last met het voor haar zo kenmerkende barse stoïcisme.

Om twaalf uur kwam Rick na een klopje op de achterdeur binnen en hij onderbrak Mara's ronddwalende gedachten. Hij voldeed helemaal aan het stereotiepe beeld van de kunstenaar: baard, met verfspatten bevlekte stofjas en spijkerbroek, bierbuikje. Zijn hele verschijning schreeuwde uit dat hij overtuigd was van zijn eigen kunnen en dat het hem werkelijk geen moer kon schelen wat anderen van hem vonden.

'Alles rustig aan het westelijk front?' vroeg hij.

Mara knikte. Ze had met een half oor zitten luisteren of ze boven het geluid van het windklokkenspel uit het geluid van een politieauto kon horen. 'Ze komen echt wel.'

'Het zal nog wel even duren,' zei Rick. 'Er namen nogal wat mensen deel aan de demonstratie. Misschien zijn we niet zo belangrijk als we denken.'

Hij tilde Julian op en zwaaide hem hoog door de lucht. Het kind gilde van plezier en wrong zich in allerlei bochten toen Rick met zijn baard langs het gezichtje wreef. Zoe tikte op de deur en kwam vanuit de stal naar binnen.

'Niet doen, papa!' schreeuwde Julian. 'Het kietelt. Niet doen!'

Rick zette hem neer en woelde door zijn haar. 'Wat zijn jullie aan het bouwen?' vroeg hij.

'Een ruimtestation,' antwoordde Luna ernstig.

Mara wierp een blik op de berg lego en glimlachte in zichzelf. Zij zag niets speciaals aan het bouwsel, maar het was opmerkelijk wat kinderen met hun fantasie allemaal wisten te bereiken.

Rick lachte en keek naar Zoe. 'Alles oké, meisje?' vroeg hij en hij sloeg een arm om haar magere schoudertjes. 'Wat hebben de sterren ons vandaag te melden?'

Zoe glimlachte. Het was duidelijk dat ze Rick aanbad, dacht Mara bij zichzelf; anders had ze nooit gepikt dat ze zo werd geplaagd en op 32-jarige leeftijd nog als kind werd behandeld. Zouden die twee ooit nog eens iets met elkaar krijgen, vroeg ze zich af. Voor de kinderen zou dat fantastisch zijn.

'Het is zonde dat Elsie Goodbody huisvrouw is,' zei Zoe. 'Met haar horoscoop hoort ze eigenlijk in de politiek thuis.'

'Ze zit al in de huishoudelijke politiek,' zei Rick, 'en dat is nog veel erger. Gaat er nog iemand mee naar de pub?'
Het was hun gewoonte om op zaterdag en zondag rond lunchtijd met zijn allen naar de Black Sheep te wandelen. De eigenaar vond het goed dat de kinderen meekwamen, zolang ze zich maar gedroegen en Zoe nam kleurboeken mee om hen bezig te houden. Mara haalde Seth op uit zijn werkplaats, Julian werd op zijn vaders schouders gehesen en tijdens de wandeling naar het pad hield Luna Zoe's hand vast.
'Een ogenblikje, ik kom zo,' zei Mara en ze schoot het huis weer in. Ze wilde een briefje achterlaten voor Paul om hem te vertellen waar ze waren: in wezen niet meer dan een formaliteit, een vriendelijk gebaar. Tijdens het schrijven moest ze weer aan hem denken en plotseling drong het tot haar door wat al de hele ochtend aan haar knaagde.
Gisteravond had er bloed op Pauls hand gezeten en hij had er een pleister op geplakt. Toen hij die ochtend beneden kwam, had de pleister losgelaten, waarschijnlijk door het wassen, en was de muis van zijn hand ongeschonden geweest. Er was geen wondje te bekennen.
Mara rende met bonzend hart achter de anderen aan.

'Hoofdinspecteur Burgess is er,' kondigde Craig aan en hij vertrok.
De man die in Gristhorpes kantoor voor hen stond verschilde maar weinig van de Burgess die Banks zich herinnerde. Hij had een versleten zwartleren jack aan met daaronder een wit overhemd dat bij de hals openstond en een strakke, donkerblauwe corduroy broek. Het knappe gezicht met de vastberaden, vierkante kaak was niet veel veranderd, hoewel zijn enigszins scheefstaande tanden wel iets meer nicotinevlekken vertoonden. De wallen onder zijn cynische grijze ogen stonden hem nog steeds goed. Zijn korte, donkere, achterover gekamde haar kleurde bij de slapen al wat grijs en zo te zien gebruikte hij nog steeds Brylcreem. Hij was zo'n een meter tachtig lang, goedgebouwd, hoewel hij wel iets dikker werd, en zag eruit alsof hij nog steeds twee keer per week squashte. Het opvallendst aan zijn uiterlijk was zijn gebruinde huid.
'Barbados,' zei hij toen hij hun verbazing opmerkte. 'Echt aan te bevelen, zeker in deze tijd van het jaar. Ik was net terug toen dit plaatsvond.'
Gristhorpe stelde zichzelf voor en daarna keek Burgess met samengeknepen ogen naar Banks. 'Banks, nietwaar? Ik hoorde dat ze je hebben overgeplaatst. Je ziet een beetje bleekjes, man. Krijg je hier soms niet genoeg te eten?'
Banks glimlachte geforceerd. Typisch iets voor Burgess om te doen alsof zijn

overplaatsing een straf en degradatie betrof. 'We krijgen hier niet zoveel zon,' zei hij.
Burgess tuurde naar het raam. 'Dat zie ik. Het is misschien een schrale troost, maar toen ik uit Londen vertrok hoosde het daar ook.' Hij wreef in zijn handen. 'Zit er hier ergens ook een pub? Ik verga van de honger. Dat spul van British Rail raak ik echt niet aan. Ik lust trouwens ook wel een pint.'
Gristhorpe excuseerde zichzelf en beweerde dat hij een afspraak met de assistent-hoofdcommissaris had, dus nam Banks Burgess mee naar de Queen's Arms.
'Niet gek,' zei Burgess bij het zien van de ruime bar met de tafeltjes met een gebutst koperen blad en zwarte, gietijzeren poten, en de comfortabele leunstoelen bij het brandende haardvuur. Toen viel zijn blik op de jonge vrouw achter de bar. 'Inderdaad. Helemaal niet gek. Kom, we gaan aan de bar zitten.'
Een paar buurtbewoners staakten hun gesprek en staarden hen aan. Banks kenden ze al en aan Burgess was nog steeds te horen dat hij zijn jeugd in de East End had doorgebracht. Hoewel hij zo rechts was als maar kon zijn, was hij beslist niet een met privileges opgegroeid product van de tory's, herinnerde Banks zich. Zijn vader was marskramer geweest en Burgess had zich vanuit het niets omhoog gevochten. Banks wist ook dat hij weinig solidariteit kende met degenen uit hetzelfde milieu die daar niet in waren geslaagd. De bewoners van Eastvale beschouwden hem klaarblijkelijk als de hoge ome uit Londen, wiens komst ze na de gebeurtenissen van de vorige avond al hadden verwacht.
Banks en Burgess namen plaats op een barkruk. 'Wat wil je hebben?' vroeg Burgess en hij haalde een glimmende, zwartleren portemonnee uit zijn binnenzak. 'Ik trakteer.'
'Een pint Theakston's bitter graag.'
'Iets te eten?'
'De jachtschotel is altijd erg goed.'
'Ik hou het denk ik maar bij een scholletje met friet,' zei Burgess. Hij bestelde het eten en de drankjes bij de barvrouw. 'En voor mij een pint Double Diamond, liefje.' Hij stak een dun sigaartje op en gebaarde ermee in de richting van Banks' glas. 'Ik kan niet tegen dat gewone spul,' zei hij en hij wreef met een vies gezicht over zijn maag. 'Krijg er altijd diarree van. Aha, bedankt, liefje. Hoe heet je?'
'Glenys,' zei de barvrouw. Ze overhandigde hem met een kokette glimlach zijn wisselgeld en draaide zich om naar de volgende klant.
'Leuk ding,' zei Burgess. 'Niet bepaald een rondborstig type, maar desalniet-

temin erg leuk. Lekkere kont. Wedden om vijf pond dat ik haar heb gepakt voordat deze zaak is afgerond?'
Banks hoopte van harte dat hij een poging zou wagen. De gespierde man die aan het andere einde van de bar glazen stond af te drogen was Glenys' echtgenoot Cyril. 'Afgesproken,' zei hij en ze gaven elkaar een hand. Banks had echter geen flauw idee hoe Burgess wilde bewijzen dat hij in zijn opzet was geslaagd, als het ooit zover kwam. Wellicht zou hij Glenys overhalen hem bij wijze van trofee een slipje te geven? Het allerwaarschijnlijkst was echter dat Burgess er een blauw oog aan zou overhouden en Banks vijf pond rijker zou zijn.
'Goed, jullie hebben hier gisteravond dus met een opstand te kampen gehad.'
'"Opstand" is een groot woord,' zei Banks, 'maar het ging er vrij heftig aan toe, ja.'
'Het had natuurlijk nooit zover mogen komen.'
'Uiteraard niet. Achteraf is het gemakkelijk praten, maar we hadden geen enkele reden om moeilijkheden te verwachten. Heel veel mensen hier in de omgeving steunen dit doel, maar daarom vermoorden ze nog geen agenten.'
Burgess kneep zijn ogen tot spleetjes. 'Jij ook? Steun jij het doel ook?'
Banks haalde zijn schouders op. 'Niemand is voor nog meer luchtmachtactiviteiten in de Dales en ik ben geen voorstander van kernenergie.'
'De bolsjewiek van het korps, dus? Geen wonder dat ze je hierheen hebben gestuurd. Net alsof je naar Siberië wordt verbannen, zeker?' Hij grinnikte om zijn eigen grapje en goot toen in één teug een halve pint achterover. 'Wat hebben jullie tot nu toe ontdekt?'
Banks vertelde hem over de verklaringen die ze hadden afgenomen en de belangrijkste groeperingen die bij de organisatie van de demonstratie betrokken waren, onder wie ook de bewoners van Maggie's Farm. Tijdens het luisteren zoog Burgess op zijn lip en hij tikte zijn sigaar af op de rand van de blauwe asbak. Telkens als Glenys voorbijkwam, volgden zijn rusteloze blauwe ogen haar.
'Eenenzeventig namen,' merkte hij op toen Banks klaar was. 'En jullie denken dat er meer dan honderd mensen aanwezig waren. Dat is niet echt veel, hè?'
'Wel bij een moordonderzoek.'
'Hmmm. Al iemand op het oog?'
'Pardon?'
'Een oproerkraaier uit de omgeving, iemand die als lastpost bij jullie bekend-

staat. Laten we eerlijk wezen, Banks. Het ziet er niet naar uit dat er tastbare bewijzen zijn, afgezien van dat mes en dat is weg. Er bestaat een grote kans dat degene die dit heeft gedaan een van de mensen is die zijn ontkomen. Misschien komt zijn naam niet eens op jullie lijsten voor. Ik vroeg me gewoon af wie jullie als waarschijnlijkste verdachte zien.'

'We hebben nog geen verdachten.'

'Ach, kom op, zeg! Niemand met een strafblad wegens politiek getint geweld?'

'Alleen de plaatselijke conservatieve MP.'

'Leuk,' zei Burgess grijnzend. 'Heel leuk. Volgens mij zijn er twee mogelijkheden,' ging hij verder. 'Een: het is in de hitte van de strijd gebeurd; iemand werd kwaad en haalde uit met een mes. Of twee: iemand heeft van tevoren het plan beraamd om een agent te vermoorden, een terroristische daad die bedoeld was om chaos te creëren, de maatschappij te ontwrichten.'

'En het mes?' zei Banks. 'De moordenaar wist niet zeker dat hij ook zou kunnen ontsnappen en we hebben geen sporen van het wapen aangetroffen in de directe omgeving. Ik zou zeggen dat dit erop duidt dat je eerste theorie het aannemelijkst is. Iemand is kwaad geworden, dacht niet na over de gevolgen en heeft gewoon geluk gehad.'

Burgess dronk zijn glas leeg. 'Hoeft niet per se,' zei hij. 'Het zijn net zelfmoordcommando's, die terroristen. Het kan hun geen zak schelen of ze worden opgepakt of niet. Zoals je net al zei: de dader heeft deze keer gewoon geluk gehad.'

'Het zou kunnen, ja.'

'Maar het is niet waarschijnlijk?'

'Niet in Eastvale. Ik zei het je net al: de meeste mensen die hierbij betrokken waren zijn vrij ongevaarlijk; zelfs de groeperingen waar ze bij horen hebben nog nooit eerder geweld gebruikt.'

'Maar je weet nog niet wie er allemaal waren?'

'Nee.'

'Dan kunnen we daarmee in elk geval aan de slag. Pak de anderen stevig aan en zorg dat je een complete lijst krijgt.'

'Richmond is ermee bezig,' zei Banks, hoewel hij niet geloofde dat Philip Richmond mensen werkelijk stevig zou aanpakken.

'Goed.' Burgess wenkte de barvrouw. 'Nog twee pinten, Gladys, liefje,' riep hij.

'Het is Glenys,' zei ze, waarop ze bloosde en met gebogen hoofd een pint tapte.

'Sorry, liefje, ik heb nog steeds een jetlag van de treinreis. Neem er zelf ook maar een, Glenys.'

'Bedankt.' Glenys glimlachte verlegen naar hem en pakte geld aan voor een gin-tonic. 'Als u het niet erg vindt, bewaar ik het even voor straks, wanneer het iets minder druk is.'
'Doe maar.' Burgess wierp haar een brede glimlach toe en knipoogde naar haar. 'Waar waren we?' vroeg hij toen en hij keek Banks aan.
'De lijst.'
'Ja. Je hebt vast wel een lijst met plaatselijke rooie rakkers en dergelijke? Je weet wel wat ik bedoel: anarchisten, skinheads, flikkers, feministen, arrogante zwartjes.'
'Natuurlijk. Die past net op de achterkant van een postzegel.'
'Je had het zo-even over drie organisaties. Wat is WEEF?'
'Vrouwen van Eastvale voor emancipatie en vrijheid.'
'O, indrukwekkend, hoor. Een beetje vergelijkbaar met die dames van Greenham Common, zeker?'
'Niet echt. Ze spitsen zich voornamelijk toe op lokale thema's, zoals slechte straatverlichting en seksuele discriminatie op de werkvloer.'
'Nou ja,' zei Burgess, 'het is tenminste iets. Laat die agent van jullie – Richmond, zei je? – hierover contact opnemen met Special Branch. Die hebben uitgebreide dossiers over bolsjewieken overal ter wereld. Dat kan trouwens gewoon via de computer, als jullie er een hebben.'
'Ja zeker.'
'Mooi. Zeg hem maar dat hij bij mij moet zijn voor de toegangscodes.' Hun eten werd gebracht en Burgess goot zout en azijn over zijn fish-and-chips. 'Om te beginnen gaan we hen tegen elkaar uitspelen,' zei hij. 'Een eenvoudige verdeel-en-heerstactiek. We zeggen tegen die lui van WEEF dat de studentenvakbond hen van de moord heeft beschuldigd en vice versa. Als ze iets weten, zullen ze ons dat waarschijnlijk puur uit kwaadheid vertellen omdat iemand hen erin geluisd heeft. We moeten resultaten boeken en snel ook. Door deze zaak maken we als politie kans om voor de verandering eens positief in het nieuws te komen. We zijn tegenwoordig veel te vaak de slechteriken, helemaal sinds die verdomde mijnwerkersstaking. We kunnen wel weer eens wat goede persberichten gebruiken en dit is onze kans. Er is een agent vermoord, dat levert ons de komende tijd geheid heel wat medeleven op van de bevolking. Als we met een of andere rooie terrorist op de proppen kunnen komen, is ons bedje gespreid.'
'Ik denk niet dat we er veel mee zullen opschieten door de groepen tegen elkaar uit te spelen,' merkte Banks op. 'Zo agressief zijn ze namelijk niet.'
'Doe toch eens niet zo verrekte negatief, man. Iemand moet toch weten wie

erachter zit, al was het alleen maar de moordenaar zelf. Ik ga vanmiddag een beetje acclimatiseren en morgen' – Burgess sloeg zijn handen in elkaar en het regende as op zijn bord – 'ondernemen we actie.' Het was een vervelende gewoonte van hem om na heel lang stil te hebben gezeten of gestaan plotseling een felle beweging te maken. Banks herinnerde zich nog goed van hun vorige ontmoetingen wat voor schrikeffect dat had.

'Actie?'

'Invallen, huisbezoekjes, geef het beestje maar een naam. We zijn op zoek naar documenten, brieven, alles wat ons maar een beetje een idee kan geven van wat er is gebeurd. Kost het hier veel moeite om een huiszoekingsbevel los te krijgen?'

Banks schudde zijn hoofd.

Burgess prikte in een frietje. 'De zondagochtend is een ideaal moment om ergens binnen te vallen, zeg ik altijd maar. Mensen hebben rare ideeën over de zondag, weet je. Vooral die kerkelijke types. Na een goed gesprek met de Almachtige zijn ze ontspannen en zelfvoldaan, en wanneer iemand dan hun vaste zondagsritueel komt verstoren, gaan ze echt helemaal over de rooie. Een topdag voor invallen en verhoren, neem dat maar van mij aan. Gewoon even wachten tot ze met de zondagskrant in hun luie stoel zitten. Had je het zo-even niet over een stel sukkels op een of andere boerderij?'

'Het zijn geen sukkels,' zei Banks. 'Ze willen alleen maar onafhankelijk zijn en zijn een beetje eenzelvig. Hun boerderij heet Maggie's Farm,' ging hij verder. 'Dat is de titel van een oud nummer van Bob Dylan. Ik neem aan dat het ook een ironische verwijzing naar Thatcher is.'

Burgess grijnsde. 'Dan hebben ze tenminste gevoel voor humor. Dat zullen ze wel nodig hebben ook, wanneer wij met hen klaar zijn. We gaan bij die lui langs en jagen ze op de kast. Er zijn daar geheid ook drugs te vinden. Zullen we de invallen verdelen? Wat stel jij voor?'

Banks voelde geen enkele behoefte om nogmaals de strijd aan te binden met Dorothy Wycombe, maar Hatchley naar het kantoor van WEEF sturen was hetzelfde als een olifant loslaten in een porseleinkast en datzelfde gold voor Burgess en Maggie's Farm. Aan de andere kant, bedacht hij, was een ontmoeting met mevrouw Wycombe misschien juist wel precies wat Dirty Dick nodig had.

'Ik neem de boerderij wel,' zei hij. 'Als Hatchley dan de kerkgroep doet en Richmond de studenten, kun jij WEEF voor je rekening nemen. We nemen allemaal een paar mensen van de uniformdienst mee om de huiszoeking uit te voeren, terwijl wij hen ondervragen.'

Burgess' ogen vernauwden zich achterdochtig tot spleetjes, maar toen glimlachte hij en hij zei: 'Prima, dat is dan afgesproken.'
Hij heeft door dat ik hem in de val laat lopen, dacht Banks bij zichzelf, maar hij speelt het spelletje gewoon mee. Verwaande klootzak.
Burgess spoelde de laatste hap fish-and-chips weg. 'Ik zou er best nóg een lusten,' zei hij, 'en mijn ogen langer willen laven aan de mooie Glenys, maar de plicht roept. Nu maar hopen dat we morgen rond lunchtijd een reden hebben om een feestje te bouwen. Waarom werk jij vandaag niet een deel van je papierwinkel weg? We kunnen nu toch nog niet veel doen. Dan kun je me vanavond misschien een rondleiding geven langs een paar van die pittoreske dorpspubs waarover ik in die toeristische brochures heb gelezen?'
Banks stond niet direct te juichen bij het vooruitzicht van een pubtocht met Dirty Dick Burgess zo kort op het avondje met de Hoogedelgestrenge Honoria Winstanley, maar hij stemde beleefd met het voorstel in. Het hoorde tenslotte bij zijn werk en Burgess was hoger in rang dan hij. Ze zouden waarschijnlijk een paar dagen met elkaar moeten werken en het kon geen kwaad als dat in een vriendschappelijke sfeer gebeurde. Je zult er het beste van moeten maken, had Gristhorpe gezegd. En Banks herinnerde zich vaag dat Burgess na een paar glazen beslist geen onaangenaam gezelschap was.
Burgess liet zich van zijn kruk glijden en beende naar de deur. 'Dag, Glenys, liefje,' riep hij achterom voordat hij naar buiten liep. Banks zag dat Cyril bijzonder chagrijnig keek en zijn greep op de tapkraan verstrakte.
Banks schoof zijn lege bord opzij en stak een Silk Cut op. Hij voelde zich compleet uitgeput. Zijn gesprek met Burgess had hem weer doen denken aan al die zaken waaraan hij tijdens zijn tijd bij de Londense politie een bloedhekel had gehad. Burgess had natuurlijk wel gelijk: het was mogelijk een moord met een politieke achtergrond en de eerste logische stap was de plaatselijke groeperingen van actievoerders onder de loep te nemen.
Wat Banks zo irriteerde en herinneringen aan zijn tijd in Londen opriep, was het zichtbare genoegen waarmee de hoofdinspecteur uitkeek naar deze taak. Ook herinnerde hij zich Burgess' ondervragingsmethoden weer, die hij hoogstwaarschijnlijk van de Spaanse inquisitie had afgekeken. Er lagen zware dagen in het verschiet voor een paar onschuldige mensen die nu eenmaal tegen kernenergie waren en het beste voorhadden met de mensheid. Burgess was net een pitbull; hij zou niet loslaten totdat hij iets had.
Geef mij maar zo'n traditionele, eenvoudige dorpsmoord uit een oude detective, dacht Banks bij zichzelf: een kleine groep van vijf of zes verdachten, een twijfelachtig testament en geen enkele druk om de puzzel snel op te lossen.

Dat zat er helaas niet in. Hij dronk zijn glas leeg, drukte zijn sigaret uit en stak de straat over om nog wat verklaringen door te nemen.

Mara nam een slok van haar halfje mild zonder echt iets te proeven. Ze kon zich anders dan gewoonlijk niet echt ontspannen en van het samenzijn genieten. Seth zat aan de bar met Larry Grafton te kletsen over wat oude meubels die de pubbaas had geërfd van zijn overgrootmoeder, en Rick en Zoe voerden een verhitte discussie over astrologie. Bij het raam zaten de kinderen rustig in hun kleurboeken te kleuren.
Wat zou erachter zitten, vroeg Mara zich af. Toen ze Paul de vorige avond had aangesproken op het bloed op zijn hand was hij zonder haar de verwonding te laten zien naar de keuken gegaan om er een pleister op te plakken. En nu bleek dat hij helemaal niet gewond was. Wiens bloed was het dan geweest?
Er kon natuurlijk van alles zijn gebeurd, hield ze zichzelf voor. Hij kon per ongeluk iemand hebben aangeraakt die tijdens de demonstratie gewond was geraakt of misschien had hij iemand willen helpen. Maar hij had wel de hele weg naar huis gerend; toen hij thuiskwam was hij overstuur en buiten adem. En als er een onschuldige verklaring voor was, waarom had hij dan gelogen? Want daar kwam het uiteindelijk op neer. In plaats van simpelweg de waarheid te vertellen had hij haar laten geloven dat hij gewond was, hoewel niet echt ernstig, en ze kon geen overtuigende reden bedenken waarom hij dat had gedaan.
'Wat ben jij stil vandaag,' zei Seth toen hij met de drankjes terugkwam.
Voor jou is het zo gemakkelijk, had ze graag geantwoord. Jij kunt je gevoelens verbergen en praten over hamers, en schaven, en beitels, en schuine kanten en groeven alsof er niets is gebeurd, maar ik ben niet goed in zulk oppervlakkig geklets. In plaats daarvan zei ze: 'Och, ik ben denk ik gewoon een beetje moe van gisteravond.'
Seth pakte haar hand vast. 'Heb je niet goed geslapen?'
Nee, wilde Mara bijna zeggen. Nee, ik heb helemaal niet goed geslapen. Ik heb liggen wachten tot jij met me over je gevoelens zou praten, maar dat heb je niet gedaan. Dat doe je nooit. Je kunt met Jan en alleman over je werk praten, maar nooit over iets anders, nooit over dingen die echt belangrijk zijn. Ze zei het echter niet. Ze kneep in zijn hand, gaf hem een kus en zei dat er niets met haar aan de hand was. Ze wist dat ze geïrriteerd was, zich zorgen maakte over Paul en dat de bui snel zou overwaaien. Het had geen enkele zin om nu te gaan ruziën.

Ricks discussie met Zoe was afgelopen en hij keek nu naar de anderen. Mara zag oranje en witte verfvegen in zijn baard. 'Iedereen heeft het over de demonstratie in Eastvale,' zei hij. 'In de supermarkt keek iedereen me heel afkeurend aan.'
'Hebben ze ook gezegd waarom ze er zo over dachten?' vroeg Mara.
Rick snoof verachtelijk. 'Die lui denken niet. Wat dat betreft zijn ze net als de schapen die ze houden. Te bang om ook maar ergens een mening over te ventileren uit angst dat het de verkeerde is. O, ze maken zich heus wel zorgen over radioactieve neerslag, hoor. Wie niet? Maar verder dan zich zorgen maken en jammeren gaat het bij hen niet. Wanneer puntje bij paaltje komt zullen ze het net als altijd zonder enige vorm van verzet accepteren en hun hoofd in het zand stoppen. De vrouwen zijn nog erger. Die kunnen alleen maar met hun hoofd schudden en "is het niet eeuwig zonde" roepen wanneer hun leuke, keurige leventje wordt verstoord.'
De deur ging krakend open en Paul kwam binnen.
Mara staarde naar de uitgemergelde gedaante die met zijn tot vuisten gebalde handen in zijn zakken naar hen kwam toegelopen. Met zijn ingevallen, benige gezicht, zijn getatoeëerde vingers, en de littekens, sporen van injectienaalden en brandwondjes die hij zichzelf met brandende sigaretten had toegebracht en die, zo wist Mara, over zijn hele armen zaten, was Paul een erg angstaanjagend figuur. Alleen zijn blonde haar had iets vertederends. Het was van achteren en opzij kort, maar bovenop lang, en zijn pony viel voortdurend voor zijn ogen. Hij veegde het altijd ongeduldig en geërgerd weg, maar zei nooit dat het nu maar eens moest worden geknipt.
Mara moest steeds weer aan zijn verleden denken. Paul had een ruw en zwaar leven gehad. Hij had het vrijwel nooit over zijn biologische ouders, maar had Mara wel verteld over het in emotioneel opzicht kille pleeggezin waar van hem werd verwacht dat hij voor elk dingetje dat ze voor hem deden eeuwige dankbaarheid toonde. Hij was daar uiteindelijk weggelopen en had een tijd op straat geleefd, waar hij alles had gedaan wat nodig was om te overleven. Het was een leven vol drugs en geweld geweest, en had uiteindelijk tot de gevangenis geleid. Toen zij hem ontmoetten, was hij eenzaam en op zoek naar een soort anker in zijn leven. Ze vroeg zich af in hoeverre hij sindsdien werkelijk was veranderd.
Wanneer ze aan het bloed op zijn hand dacht, zijn leugens en de politieagent die was vermoord, werd ze bang. Wat zou hij doen als ze hem ernaar vroeg? Woonde ze nu in één huis met een moordenaar? En als dat zo was, wat kon ze daar dan aan doen?

Het gesprek kabbelde om haar heen voort en Mara merkte dat ze zich liet meevoeren door de chaotische stroom van haar eigen gedachten. Ze ving het geroezemoes van de anderen wel op, maar begreep de woorden, de betekenis ervan, niet. Ze dacht erover om Seth in vertrouwen te nemen, maar wat als hij dan op een of andere manier actie ondernam? Misschien zou hij hard optreden tegen Paul en hem zelfs wegjagen. Hij kon af en toe zo streng en onbuigzaam zijn. Ze wilde niet dat haar nieuwe familie uit elkaar viel, hoe onvolmaakt ze ook was. Het was alles wat ze had in de wereld.
Nee, besloot ze, ze zou het aan niemand vertellen. Nog niet. Ze wilde Paul niet het gevoel geven dat ze allemaal tegen hem samenspanden. Waarschijnlijk zou uiteindelijk blijken dat het om iets heel onbenulligs ging. Ze haalde zich allerlei dingen in haar hoofd en joeg zichzelf daardoor onnodig de stuipen op het lijf. Paul zou haar nooit iets aandoen, hield ze zichzelf voor, in nog geen miljoen jaar.

4

Het was een heldere, koude zondagochtend. Er stond een stevige bries, die de lager gelegen delen van de hellingen hun zonlicht en tere vroege-lentekleuren weer teruggaf. Tijdens hun moeizame tocht naar de kerk door Mortsett Lane in Relton moesten de vrouwen hun hoed goed vasthouden en klemden de mannen de revers van hun beste pak stevig dicht. De politieauto, een witte Fiesta Popular met een roodblauwe streep langs de zijkant, ging de bocht om en reed over de hobbelige Romeinse weg naar Maggie's Farm. Agent McDonald zat achter het stuur, met de zwijgende Craig naast zich en Banks ineengedoken op de achterbank.

Het uitzicht over de Dale was schitterend. Banks kon Fortford beneden in het dal zien liggen en Devraulx Abbey onder Lyndgarth op de tegenoverliggende helling. Achter dat alles rees de noordelijke valleihelling op met verspreid over haar besneeuwde hoogten diverse littekens van kale kalksteen, die eruitzagen als rijen tanden die glansden in het licht.

Banks had de vorige avond in alle rust *Madame Bovary* zitten lezen, had die nacht uitstekend geslapen en voelde zich nu als herboren. Gelukkig had Dirty Dick gebeld om onder het mom van vermoeidheid hun pubtocht af te blazen. Banks vermoedde dat hij bij nader inzien bij de Queen's Arms langs wilde gaan – die direct om de hoek van zijn hotel lag – om Glenys verder in te palmen, maar Burgess zag er de volgende ochtend relatief ongeschonden uit. Hij maakte echter wel een vermoeide indruk en zijn grijze ogen stonden dof, net champagne waar de prik uit is. Banks vroeg zich af of hij iets was opgeschoten met Dorothy Wycombe.

Toen de auto op het grind voor de boerderij stilhield, dook achter een van de ramen iemand op. Banks ving het getingel op van het windklokkenspel, net een experimenteel muziekstuk dat vreemd genoeg volmaakt in harmonie was met de wind die langs zijn oren suisde. Hij was vergeten hoe hoog op de heuvel Maggie's Farm eigenlijk lag.

Hij klopte op de deur, die werd opengedaan door een lange, slanke vrouw van eind dertig in een spijkerbroek en een roestbruine trui. Banks meende haar te herkennen van zijn vorige bezoek. Haar golvende, kastanjebruine haar viel over haar schouders en omlijstte een bleek, hartvormig gezicht zon-

der een spoortje make-up. Haar kin was misschien iets te spits en haar neus iets te lang, maar het geheel bood een plezierige aanblik. Haar heldere, bruine ogen keken onschuldig en tegelijkertijd wijs de wereld in.
Banks toonde haar het huiszoekingsbevel en de vrouw deed vermoeid een stap opzij. Ze wisten dat we zouden komen, schoot hem door het hoofd; ze hadden hierop zitten wachten en wilden het maar het liefst zo snel mogelijk achter de rug hebben.
'Als ze maar niets kapotmaken,' zei ze met een knikje in de richting van McDonald en Craig.
'Maak je geen zorgen, dat zal niet gebeuren. Je zult niet eens merken dat ze hier zijn geweest.'
Mara snoof ongelovig. 'Ik zal de anderen even halen.'
Terwijl de twee mannen in uniform het huis doorzochten, nam Banks plaats in de schommelstoel bij het raam. Hij draaide zijn hoofd een beetje schuin opzij om de titels van de boeken in het grenen kastje naast hem te kunnen lezen. Het waren voornamelijk romans – Hardy, de Bröntes, John Cowper Powys, Fay Weldon, Graham Greene – met daartussen enkele esoterische werken, waaronder een introductie in Jungs psychologie en een standaardwerk over de occulte wetenschappen. Op de onderste planken stonden een paar oude, beduimelde paperbacks: *De lessen van Don Juan*, *Naakte Lunch*, *In de ban van de ring*. Daarnaast bevond zich ook wat verplichte politieke kost: Marcuse, Fanon, Marx en Engels.
Op de vloer naast Banks lag een exemplaar van George Eliots *De molen aan de Floss*. Hij pakte het boek op. De boekenlegger zat bij de tweede pagina; verder dan dat was hij zelf met George Eliot ook nooit gekomen.
Mara kwam met de anderen terug uit de stal en Banks zag drie mensen die hem vaag bekend voorkwamen van anderhalf jaar geleden: Zoe Hardacre, een tengere vrouw met een gezicht vol sproeten en pluizig rood haar met donkere wortels; Rick Trelawney, een beer van een vent in een slobberend, met verf besmeurd T-shirt en een kapotte spijkerbroek; en Seth Cotton, die in een beige stofjas uit zijn werkplaats was gekomen: een lange, dunne man met trieste bruine ogen, kortgeknipt donker haar, een keurig verzorgde baard en gebruind gezicht. De rij werd gesloten door een magere knul met een vijandige blik die Banks nog niet eerder had gezien.
'Wie ben jij?' vroeg hij.
'Paul woont hier nog niet zo lang,' zei Mara snel.
'Hoe heet je?'
Paul zei niets.

'Dat hoeft hij niet te zeggen,' zei Mara. 'Hij heeft niets gedaan.'
Seth schudde zijn hoofd. 'Je kunt het hem maar beter vertellen,' zei hij tegen Paul. 'Hij komt er toch wel achter.'
'Daar heeft hij inderdaad gelijk in,' zei Banks.
'Boyd, Paul Boyd.'
'Ooit iets uitgehaald, Paul?'
Paul glimlachte. Of misschien keek hij juist chagrijnig; Banks kon het niet goed zien. 'En wat dan nog? Ik ben niet voorwaardelijk vrij of in mijn proeftijd. Ik hoef me toch zeker niet overal waar ik kom bij de plaatselijke bajes aan te melden, of wel soms?' Hij viste een sigaret uit een groezelig pakje Players. Banks zag dat zijn stompe vingers beefden.
'Ik probeer bij te houden wie hier allemaal in de omgeving wonen,' zei Banks op vriendelijke toon. Hij hoefde er nu niet direct dieper op in te gaan. Als Boyd een strafblad had, zou de landelijke database van de politie hem alle informatie kunnen verschaffen die hij nodig had.
'Waar is dit allemaal om begonnen?' vroeg Rick, die tegen de schoorsteen aan stond. 'Alsof ik dat nog moet vragen.'
'Jullie weten natuurlijk wat er vrijdagavond is voorgevallen. Jij bent nota bene zelf opgepakt voor het belemmeren van een agent in functie.' Rick lachte. Banks negeerde hem en ging verder: 'Jullie weten ook dat er tijdens de demonstratie een politieagent is vermoord.'
'Wilt u soms beweren dat iemand van ons het heeft gedaan?'
Banks schudde zijn hoofd. 'Toe zeg,' zei hij, 'jullie kennen de regels net zo goed als ik. Wanneer een dergelijke situatie zich voordoet, trekken we alle politieke groeperingen na.'
'We zijn helemaal geen politieke groepering,' zei Mara.
Banks liet zijn blik door de kamer glijden. 'Doe niet zo naïef. Jullie hele leefwijze, alles wat jullie zeggen en doen is een politiek statement. Het maakt daarbij niet uit of jullie lid zijn van een officiële partij of niet. Dat weten jullie net zo goed als ik. Bovendien moeten we alle tips die we krijgen natrekken.'
'Wat voor tip dan?' vroeg Rick. 'Wie heeft er met een beschuldigend vingertje in onze richting gewezen?'
'Dat doet nu niet ter zake. Het is ons ter ore gekomen dat jullie erbij betrokken waren.' Het leek hem de moeite waard om Burgess' trucje uit te proberen.
'Goed, we waren er dus bij,' zei Rick. 'Seth en ik. Dat weten jullie al. We hebben een verklaring afgelegd. We hebben jullie alles verteld wat we weten. Waarom vallen jullie ons dan toch weer lastig? Wat willen jullie nu weer van ons?'

'Meer informatie.'
'Hoor eens,' ging Rick verder, 'ik begrijp echt nog steeds niet waarom jullie het op ons hebben gemunt. Ik weet niet wie zijn mond voorbij heeft gepraat of wat ze hebben gezegd, maar de informatie klopt niet. Jullie hebben niet het recht om hier met die Gestapomethodes van jullie ons op te jagen, alleen maar omdat we gebruik hebben gemaakt van ons recht om te demonstreren voor een doel waarin we toevallig geloven.'
'De Gestapo had daarvoor geen huiszoekingsbevel nodig.'
Rick wierp hem een verachtelijke blik toe en krabde in zijn woeste baard. 'Met die politierechter van jullie is dat niet echt een steekhoudend argument.'
'Trouwens,' vervolgde Banks, 'we hebben het niet op jullie gemunt en we willen jullie evenmin opjagen. Echt, als dat onze bedoeling was, hadden jullie het heus wel gemerkt. Herinnert een van jullie zich misschien nog iets nieuws over vrijdagavond?'
Seth en Rick schudden hun hoofd. Banks keek naar de anderen. 'Vooruit, ik neem aan dat jullie er allemaal bij waren. Maak jullie maar geen zorgen, ik kan het niet bewijzen. Ik zal jullie niet oppakken wanneer jullie dat toegeven. Het gaat er alleen maar om dat iemand van jullie misschien iets belangrijks heeft gezien. Het draait hier tenslotte wel om een moordonderzoek.'
Weer stilte. Banks zuchtte diep. 'Goed. Als jullie voortaan hardhandig worden aangepakt, is het niet mijn schuld. Ze hebben er iemand uit Londen bij gehaald. Een specialist. Zijn vrienden noemen hem Dirty Dick. Hij is lang niet zo aardig als ik.'
'Is dat een dreigement?' vroeg Mara.
Banks schudde zijn hoofd. 'Ik laat jullie alleen maar weten welke opties jullie hebben.'
'Hoe kunnen we u nu vertellen dat we iets hebben gezien als we niets hebben gezien?' zei Paul woest. 'U zegt dat u weet dat we erbij waren. Oké. Misschien is dat ook wel zo. Ik zeg niet dát het zo is, maar het zou kunnen. Dat wil nog niet zeggen dat we iets hebben gezien of iets verkeerds hebben gedaan. Rick zei het net al, we hadden het volste recht om daar te zijn. We leven verdomme niet in een politiestaat.' Hij wendde nors zijn blik af en nam een trek van zijn sigaret.
'Niemand beweert dat jullie niet het recht hadden om erbij te zijn,' zei Banks. 'Ik wil alleen maar weten of jullie iets hebben gezien waardoor we deze moord kunnen oplossen.'
Stilte.
'Heeft iemand van jullie een stiletto?'

Rick reageerde met een fel 'nee' en de anderen schudden hun hoofd.
'Ooit eentje ergens zien liggen? Kennen jullie iemand die er een heeft?'
Weer niets. Banks meende een verraste uitdrukking over Mara's gezicht te zien glijden, maar dat kon ook een speling van het licht zijn.
In de stilte die daarop volgde kwamen Craig en McDonald naar beneden; ze schudden hun hoofd en liepen naar de bijgebouwen om hun zoektocht daar voort te zetten. Twee kleine kinderen kwamen vanuit de keuken naar binnen gerend, liepen snel naar Mara en grepen allebei haar hand vast. Banks keek hen glimlachend aan, maar ze staarden hem zwijgend met een duim in hun mond aan.
Hij probeerde zich voor te stellen hoe Brian en Tracy, zijn eigen kinderen, onder dergelijke omstandigheden, ver uit de buurt van andere kinderen, zouden zijn opgegroeid. Om te beginnen hadden ze zo te zien geen televisie. Banks was niet echt een voorstander van televisie en probeerde er altijd op te letten dat Brian en Tracy er niet te veel naar keken, maar als kinderen helemaal nooit televisiekeken, konden ze niet met hun vriendjes en vriendinnetjes meepraten. Er moest een compromis te bedenken zijn; je kon die verrekte babbelbox tegenwoordig niet volkomen negeren, hoe graag je dat ook wilde.
Aan de andere kant wees niets erop dat deze kinderen werden verwaarloosd en er was geen enkele reden om aan te nemen dat Rick en de anderen geen goede ouders waren. Banks wist dat Seth Cotton een uitstekende reputatie had als meubelmaker en Mara's aardewerk werd in de omgeving goed verkocht. Sandra had iets van haar staan, een fraai gevormde vaas in verschillende kleuren: groen, lazuurblauw en dergelijke. Over Rick Trelawneys schilderijen wist hij vrijwel niets, maar als het landschapsschilderij dat tegen de haard aan stond van hem was, dan was ook hij erg goed. Nee, er was geen enkele aanleiding om hun zijn eigen beperkte perspectief op te leggen. Als deze kinderen opgroeiden tot creatieve, vrijdenkende volwassenen, onaangetast door televisie en massacultuur, wat was daar dan mis mee?
Afgezien van het geluid van het windklokkenspel zaten ze in stilte bij elkaar totdat Rick weer het woord nam. 'Weet u,' zei hij tegen Banks, 'hoeveel kinderen in de omgeving van Sellafield en andere kerncentrales leukemie of een zeldzame vorm van kanker krijgen? Hebt u enig idee?'
'Moet je horen,' zei Banks. 'Ik ben hier niet om over jullie ideeën te praten. Jullie hebben recht op een eigen mening. Misschien ben ik het zelfs wel met jullie eens. Waar het hier echter om gaat is dat de gebeurtenissen van vrijdagavond dat alles overstijgen. Ik wil niet over politiek of filosofie discussiëren; ik onderzoek een moord. Waarom wil dat maar niet tot jullie doordringen?'

'Misschien kunnen die zaken wel niet zo keurig netjes van elkaar worden gescheiden als u denkt,' wierp Rick tegen. 'Politiek, filosofie, moord, ze houden allemaal verband met elkaar. Kijk maar eens naar Latijns-Amerika, Israel, Nicaragua, Zuid-Afrika. Bovendien is de politie zelf begonnen. Ze hebben ons als wilde beesten ingesloten en kwamen vervolgens als een of andere knokploeg met getrokken wapenstok op ons afgestormd. Als sommigen van hen gewond zijn geraakt, hebben ze dat helemaal aan zichzelf te danken.'

'Een van hen is vermoord. Vind je dat ook oké?'

Rick wendde walgend zijn hoofd af. 'Ik heb nooit beweerd dat ik een pacifist ben,' mompelde hij met een blik in Seths richting. 'Er komt natuurlijk een onderzoek door de plaatselijke politie,' ging hij verder, 'en daar wordt geheid mee gesjoemeld. U verwacht toch niet dat wij geloven dat jullie objectief blijven? Wanneer het erop aankomt houden die hufters van de politie elkaar altijd de hand boven het hoofd.'

'Geloof wat je geloven wilt,' zei Banks.

Craig en McDonald kwamen uit de keuken. Ze hadden niets gevonden. Het was elf uur. Om twaalf uur zou Banks met Burgess, Hatchley en Richmond samenkomen in de Queen's Arms om hun aantekeningen door te nemen. Het had geen enkele zin om nog langer te blijven en met Rick over kernenergie te discussiëren, dus hij stond op en liep naar de deur.

Toen hij met zijn jas dichtgeklemd tegen de wind in naar zijn auto liep, voelde hij dat iemand hem door het raam nakeek. Hij wist dat hij angst had geroken in het huis. Niet de gewone angst voor een politie-inval die ze hadden zien aankomen, maar iets heel anders. Het was allemaal minder harmonieus dan het hoorde te zijn. Hij stopte het ongemakkelijke gevoel weg bij die duizend andere dingen – concreet of vaag – die zich tijdens een zaak ergens in zijn hoofd nestelden om later over na te denken.

'Niets,' gromde Burgess en hij drukte ruw zijn sigaartje uit in de asbak midden op het koperen tafelblad. 'Helemaal niets. Dat wijf is gek. Ik dacht echt dat ze me zou bijten.'

Voor het eerst in zijn leven voelde Banks plotseling iets van genegenheid voor Dorothy Wycombe.

Alles bij elkaar genomen was de ochtend echter voor iedereen teleurstellend verlopen. De huiszoekingen hadden geen moordwapen opgeleverd of documenten die Burgess' vermoedens over een terroristisch complot staafden; geen van de getuigen had zijn verklaring gewijzigd; en de reactie op Burgess' verdeel-en-heerstactiek was minimaal geweest.

Hatchley rapporteerde dat de Church for Peace-groep totaal van de kaart was door de moord en Gill tijdens de dienst van die ochtend zelfs in hun gebeden had herdacht. De studentenvakbond vond het typisch iets voor de anderen om hun de schuld te geven van het gebeurde, meldde Richmond, die de voorzitters van de bond – Tim Fenton en Abha Sutton – in hun appartement had bezocht, maar beweerden met klem dat sluipmoord geen onderdeel vormde van hun campagne voor een vreedzame revolutie. Hoewel Burgess meende dat Dorothy Wycombe heel goed tot een moord in staat was – vooral wanneer het iemand van het mannelijke geslacht betrof – had ze voet bij stuk gehouden en elke suggestie van die aard naar het rijk der fabelen verwezen.
'We zijn dus weer terug bij af,' zei Hatchley. 'Honderd verdachten en geen greintje bewijs.'
'Een van de jongens die dienst hadden heeft me verteld dat Dorothy Wycombe, Dennis Osmond en een paar mensen van Maggie's Farm op een gegeven moment helemaal vooraan stonden,' zei Richmond. 'Maar hij zei dat het een enorme chaos werd toen de gevechten losbarstten. Het was hem ook opgevallen dat er een wat sjofele jonge knul bij hen was.'
'Dat moet Paul Boyd zijn geweest,' zei Banks. 'Hij woont blijkbaar ook op de boerderij. Haal zijn naam eens door de computer, Phil, om te zien wat dat oplevert. Het zou me niets verbazen als hij heeft gezeten. En als je toch bezig bent, zoek dan meteen uit wat je over de andere bewoners kunt vinden. Ik heb zo het vermoeden dat er iets niet in de haak is met die lui.'
Hij wierp een blik op Burgess, die afwezig naar Glenys staarde. Haar man was nergens te bekennen.
'Misschien moeten we Gills achtergrond ook natrekken,' opperde Banks.
Burgess draaide zich om. 'Hoezo?'
'Misschien had iemand wel een reden om hem dood te willen. Als het mes niet opduikt, komen we wat betreft middelen en mogelijkheid niet veel verder, maar als we een motief kunnen vaststellen...'
Burgess schudde zijn hoofd. 'Niet bij zoiets als dit. Of het nu gepland is of in een opwelling is gebeurd, het slachtoffer is willekeurig gekozen. Dit had iedere agent die op die avond dienst had kunnen overkomen. Die arme drommel van een Gill heeft gewoon pech gehad.'
'Maar dan nog,' drong Banks aan, 'het is tenminste iets om te doen. Misschien is de demonstratie wel als dekmantel gebruikt.'
'Nee. Om te beginnen stelt het ons in een kwaad daglicht. Stel dat de kranten erachter komen dat we een van onze eigen mensen natrekken? We hebben al meer dan genoeg op ons bord met dat interne onderzoek naar deze verrekte

rotzooi. De pers heeft al genoeg in handen om ons flink onder vuur te nemen zonder dat wij hen ook nog eens vrijwillig van extra munitie voorzien. Jezus, we hebben onze handen al vol aan het natrekken van al die gekken en communisten zonder dat we er ook nog eens een collega bij betrekken. Wat denk je bijvoorbeeld van die Osmond? Heeft iemand hem al aan de tand gevoeld?'
'Nee,' zei Banks. 'Sinds vrijdagavond niet meer.'
'Goed, dan gaan we het volgende doen. Haal jij even een rondje, agent.' Burgess overhandigde Richmond een vijfpondbiljet.
Richmond knikte en liep naar de bar. Burgess was van de Double Diamond overgestapt op dubbele whisky's omdat zijn maag die beter verdroeg, zo beweerde hij, maar Banks verdacht hem ervan dat hij indruk wilde maken op Glenys met zijn vrijgevigheid. En nu maakte hij haar duidelijk dat hij te belangrijk was om zomaar even weg te lopen uit het overleg en de macht had om anderen voor hem te laten lopen. Een goede tactiek, maar of het bij haar zou werken...?
'Banks,' zei hij, 'jij en ik gaan die Osmond vanmiddag met een bezoekje vereren. Richmond kan die losers van de boerderij natrekken die jij hebt gesproken en een paar namen in het landelijke databestand invoeren. Hatchley kan een begin maken met het opzetten van een dossier voor de leiders van alle groeperingen die erbij zijn betrokken. Elke verklaring moet met alle andere worden vergeleken om onvolkomenheden op te sporen en alle aanvullingen moeten naast het origineel worden gelegd. Op een gegeven ogenblik gaat iemand de fout in en dan zullen wij hem op heterdaad betrappen. Gezondheid.' Hij nam een slok whisky en wierp Glenys achterom een knipoog toe.
'Trouwens,' zei hij tegen Banks, 'dat verrekte kantoortje dat je me hebt gegeven is te klein om je kont in te keren. Heb je niets anders voor me?'
Banks schudde zijn hoofd. 'Sorry, we kampen met een chronisch ruimtegebrek. Je kunt kiezen tussen dat kantoortje of de cellen.'
'En jouw kantoor dan?'
'Dat is te klein voor twee personen.'
'Ik bedoelde eigenlijk voor één persoon. Mij.'
'Geen sprake van. Al mijn dossiers en papieren liggen daar. Het is er trouwens zo koud als wat en de luxaflex is kapot.'
'Hmmm. Toch...'
'Je zou veel van het papierwerk in je hotelkamer kunnen doen,' stelde Banks voor. 'Die is hier heel dichtbij, hij is groot genoeg en er staat een telefoon.' Bovendien loop je mij dan niet voor de voeten, voegde hij er in gedachten aan toe.

Burgess knikte kort. 'Goed. Voorlopig kan dat wel. Vooruit!' Hij sprong overeind en sloeg Banks op zijn rug. 'Eens zien of er op het bureau nog iets is binnengekomen en dan gaan we een babbeltje maken met meneer Dennis Osmond van de CND.'

Er was niets binnengekomen en nadat Richmond Paul Boyds strafblad had opgespoord en Banks er even een blik op had geworpen, vertrokken de twee mannen in Banks' witte Cortina naar Osmonds appartement.

'Vertel me eens wat meer over die jonge knul, die Boyd,' vroeg Burgess tijdens de rit.

'Beslist geen engeltje.' Banks duwde een cassettebandje van Billie Holiday in de cassetterecorder en draaide het volume omlaag. 'Hij is al jong in de criminaliteit beland – bendeoorlogen, mishandeling, dat soort zaken – spijbelen van school en op straat rondhangen met al die andere hopeloze gevallen. Hij is vier keer opgepakt en heeft de laatste keer achttien maanden gekregen. De eerste keer ging het om dronkenschap en verstoring van de openbare orde, dat was nog als minderjarige, gevolgd door gebruik van geweld tegen een politieagent die een groep straatschoffies wilde wegsturen uit het centrum van Liverpool, die daar winkelende mensen de stuipen op het lijf joegen. Daarop volgde een aanhouding in verband met drugs, het in bezit hebben van een kleine hoeveelheid amfetaminen. Toen werd hij betrapt tijdens een inbraak bij een apotheek om pillen te jatten. Hij is nu net iets meer dan een jaar vrij.'

Burgess wreef over zijn kin. 'Alleen voetbalvandalisme ontbreekt er dus nog maar aan. Misschien is hij niet zo'n sportief type. Geweld jegens een politieagent, zei je?'

'Inderdaad. Samen met nog een paar anderen. Ze hadden geen echte schade aangericht, dus ze zijn er met een lichte straf vanaf gekomen.'

'Dat is verdomme nou het hele eieren eten,' zei Burgess. 'Dat gebeurt veel te vaak. Politieke achtergrond?'

'Niet dat wij weten. Richmond heeft nog geen contact gehad met de Branch, dus we hebben zijn vrienden en bekenden nog niet kunnen natrekken.'

'Was dat alles?'

'Eigenlijk wel. De meesten van de hem toegewezen reclasseringsambtenaren en maatschappelijk werkers hebben hem zo te zien opgegeven.'

'Mijn hart loopt over van medelijden voor die arme knul. Zo te zien hebben we onze eerste mogelijke kandidaat. Die Osmond is toch maatschappelijk werker?'

'Ja.'

'Misschien weet hij wel iets over die knul. Niet vergeten dat we het hem moeten vragen. Waar komt Boyd vandaan?'
'Liverpool.'
'Banden met de IRA?'
'Daarover is bij ons niets bekend.'
'Dat zegt natuurlijk niets.'
Dennis Osmond woonde in een tweekamerappartement in het noordoosten van Eastvale. Het gebouw was oorspronkelijk eigendom geweest van de gemeente, maar toen deze aankondigde de woningen te verkopen, hadden de bewoners die kans aangegrepen om hun flat te kopen.
Osmond deed met ontbloot bovenlijf de deur open en liet Banks en Burgess binnen. Hij was lang en slank, met een behaarde borst en een kleine tatoeage van een vlinder op zijn rechterbovenarm. Om zijn nek droeg hij een ketting met een gouden kruis. Met zijn wilde, donkere haardos en knappe, mediterrane uiterlijk was hij echt zo'n type dat door vrouwen aantrekkelijk wordt gevonden. Hij bewoog zich loom en rustig, en leek niet in het minst verrast door hun komst.
De flat had een ruime woonkamer met een enorm raam dat uitkeek op het vruchtbare gebied ten oosten van Swainsdale: een gevlekt patroon van door hagen omzoomde, omgeploegde velden die op de lente wachtten. Het meubilair was modern – buizen en kussens – en aan de muur boven de nephaard hing een groot ingelijst schilderij. Banks moest goed kijken om zich ervan te vergewissen dat het doek niet leeg was; het stond vol uiterst dunne rode en zwarte strepen.
'Wie is het?' Achter hen klonk een vrouwenstem. Banks draaide zich om en zag dat Jenny Fuller haar hoofd om een hoek van de deur stak. Uit wat hij van haar kon zien, maakte hij op dat ze een ruimvallende ochtendjas aanhad en dat haar haren in de war zaten. Toen hun ogen elkaar ontmoetten, voelde hij dat zijn maag zich samentrok en zijn borst verstrakte. Hij had er geen rekening mee gehouden dat hij haar in een dergelijke situatie zou aantreffen. Het verbaasde hem hoe hard het aankwam.
'Politie,' zei Osmond. Jenny had zich echter al omgedraaid en de deur achter zich dichtgetrokken.
Burgess, die het tafereeltje aandachtig had gadegeslagen, onthield zich van commentaar. 'Mogen we even gaan zitten?' vroeg hij.
'Ga uw gang.' Osmond gebaarde naar de leunstoelen en terwijl zij probeerden het zich zo gemakkelijk mogelijk te maken trok hij een zwart T-shirt over zijn hoofd. Op de voorkant stond het logo van de CND – een cirkel met daar-

in een wijd uitstaande, omgekeerde Y waarvan beide poten de buitenste rand aanraakten – met daaronder in een halvemaanvormige rij de woorden STOP KERNENERGIE.
Banks tastte naar een sigaret en keek om zich heen naar een asbak.
'Ik heb liever dat u hier niet rookt,' zei Osmond. 'Meeroken kan ook dodelijk zijn, hoor.' Hij zweeg even en bekeek Banks van top tot teen. 'Dus u bent inspecteur Banks? Ik heb veel over u gehoord.'
'Hopelijk alleen maar goede dingen,' zei Banks rustiger dan hij zich voelde. Wat had Jenny hem allemaal verteld? 'Dan hoeven we geen tijd te verspillen aan een nadere kennismaking.'
'En u bent de whizzkid die ze vanuit Londen hebben gestuurd,' zei Osmond tegen Burgess.
'Nou, nou. Dat nieuwtje heeft zich ook snel verspreid.' Dirty Dick glimlachte. Hij had een glimlach waarvan de meeste mensen zenuwachtig werden, maar Osmond was er zo te zien niet gevoelig voor. Banks verschoof iets op zijn stoel en zag in gedachten voor zich hoe Jenny zich in de andere kamer aankleedde. Waarschijnlijk was dat de slaapkamer, bedacht hij somber, en het tweepersoonsbed was ongetwijfeld wanordelijk en bevlekt, met de cultuurbijlage van *The Sunday Times* over de verkreukelde lakens uitgespreid. Hij haalde zijn opschrijfboekje tevoorschijn en probeerde het zich zo gemakkelijk mogelijk te maken voor het verhoor.
'Waarom zijn jullie hier?' vroeg Osmond, die voorovergeleund op de rand van de bank zat.
'Ik heb gehoord dat jij een van de organisatoren bent van de demonstratie van afgelopen vrijdag,' stak Burgess van wal.
'En wat dan nog?'
'Verder ben je als ik me niet vergis lid van de Campaign for Nuclear Disarmament en de International Socialists.'
'En van Amnesty International voor het geval u dat nog niet in uw dossier hebt staan. Voorzover ik weet is dat nog altijd geen misdaad.'
'Niet zo lichtgeraakt, alsjeblieft.'
'Hoor eens, kunt u misschien ter zake komen? Ik heb niet de hele dag de tijd.'
'O, maar dat heb je wel,' zei Burgess. 'En ook de hele avond, als ik dat wil.'
'U hebt het recht niet...'
'Ja zeker wel. Iemand uit uw groep – wellicht uzelf wel – heeft vrijdagavond een goede, fatsoenlijke diender vermoord en dat vinden we niet leuk; dat vinden we helemaal niet leuk. Het spijt me dat we je samenzijn met je liefje verstoren, maar het is nu eenmaal niet anders. Wie heeft het bedacht?'

Osmond fronste zijn wenkbrauwen. 'Hoe bedoelt u? En ik wil niet dat u zo over Jenny praat.'
'O, nee?' Burgess keek hem met samengeknepen ogen aan. 'Als je niet snel meewerkt, manneke, worden er zo nog veel ergere dingen gezegd. Wie heeft die demonstratie bedacht?'
'Dat weet ik niet. Het is toevallig zo gelopen.'
Burgess zuchtte diep. 'Het is toevallig zo gelopen,' herhaalde hij op spottende toon en hij wierp een blik in Banks' richting. 'En wat moet ik me daar dan precies bij voorstellen? Ik geloof best dat bepaalde dingen toevallig zo lopen, maar dat geldt beslist niet voor politieke demonstraties, die worden georganiseerd. Wat probeer je nu eigenlijk te zeggen?'
'Precies wat ik zeg. Er wonen hier in de omgeving nu eenmaal veel mensen die tegen kernenergie zijn.'
'Wil je soms beweren dat jullie elkaar die avond toevallig tegen het lijf zijn gelopen bij het wijkcentrum? Bedoel je dat? "Hallo, Fred, dat ik jou hier nu tegenkom, zeg. Kom op, dan gaan we demonstreren." Is dat wat je wilt zeggen?'
Osmond haalde zijn schouders op.
'Nou, daar geloof ik geen zak van, Osmond. Geen ene zak. Dit was een goed georganiseerde demonstratie en dat houdt in dat iemand hem heeft georganiseerd. En misschien heeft diezelfde persoon er ook wel voor gezorgd dat er een agent werd vermoord om de boel wat op te leuken. Tot dusver ben jij de enige persoon die met zekerheid bij ons bekend is. Het kan best zijn dat je het helemaal in je eentje hebt gedaan, maar ik durf te wedden dat je hulp hebt gehad. Naar wiens pijpen dans je, Osmond? Die van Peking? Belfast misschien?'
Osmond lachte. 'U haalt een aantal politieke zaken een beetje door elkaar, geloof ik. Een socialist is niet per se hetzelfde als een maoïst, hoor. Bovendien is de Grote Leider tegenwoordig een beetje uit de gratie. En wat betreft de IRA, u gelooft toch zeker niet echt...'
'Je zou ervan staan te kijken wat ik allemaal echt geloof,' onderbrak Burgess hem. 'En bespaar me die verrekte preek maar. Wie heeft je hiertoe opdracht gegeven?'
'U zit er helemaal naast,' zei Osmond. 'Zo is het niet gegaan. En zelfs als er iemand anders bij betrokken was, denkt u dan echt dat ik u zou vertellen wie het was?'
'Ja, dat denk ik inderdaad,' zei Burgess. 'Daar ben ik zelfs heel zeker van. Het is slechts de vraag wanneer je het me gaat vertellen en waar.'

'Hoor eens,' zei Banks, 'we komen er toch wel achter. Het is nergens voor nodig dat jij die last in je eentje op je neemt en daardoor bij een moordonderzoek wordt opgepakt voor het achterhouden van informatie. Als je het niet hebt gedaan en ervan overtuigd bent dat jouw vrienden het evenmin hebben gedaan, heb je toch niets te vrezen?' Het kostte Banks geen enkele moeite om de aardige vent te spelen naast Burgess de keiharde rotzak, ook al koesterde hij instinctief een sterke antipathie jegens Osmond. Wanneer hij met Hatchley verdachten verhoorde, wisselden ze soms van rol. Burgess kende echter maar één manier van aanpak: recht voor zijn raap.

'Luister naar hem,' zei Burgess. 'Hij heeft gelijk.'

'Gaat u dat dan maar lekker aan iemand anders vragen,' zei Osmond tegen Banks. 'Ik verdom het om u ook maar iets te vertellen.'

'Heb jij een stiletto?' vroeg Burgess.

'Nee.'

'Ooit een gehad?'

'Nee.'

'Ken je iemand die er wel een heeft?'

Osmond schudde zijn hoofd.

'Kende je agent Gill?' vroeg Banks. 'Heb je vóór afgelopen vrijdag ooit contact met hem gehad?'

Bij die vraag verscheen er een peinzende blik op Osmonds gezicht en toen hij uiteindelijk ontkende, klonk zijn antwoord niet geloofwaardig. Maar misschien was hij alleen uit zijn evenwicht gebracht. Burgess leek niets te hebben gemerkt, maar Banks maakte in gedachten een aantekening voor zichzelf om na te gaan of Osmond en Gill elkaar op een of andere manier ooit hadden ontmoet.

De slaapkamerdeur ging open en Jenny kwam binnen. Ze had haar haren geborsteld en een spijkerbroek en een wijd, geruit overhemd aangetrokken. Banks vermoedde dat het hemd er een van Osmond was en probeerde niet te denken aan wat zich eerder in de slaapkamer had afgespeeld.

'Hallo, liefje,' zei Burgess en hij tikte op de lege stoel naast hem. 'Kom je er gezellig bij zitten? Hoe heet je?'

'Om te beginnen,' zei Jenny stijfjes, 'ben ik uw liefje niet en ten tweede zie ik niet in dat het u ook maar iets aangaat hoe ik heet. Ik was er op vrijdag niet eens bij.'

'Wat je wilt,' zei Burgess. 'Ik wil alleen maar vriendelijk zijn.'

Jenny gluurde naar Banks met een blik alsof ze wilde vragen: 'Wie is die hufter?' en Burgess zag dat.

'Kennen jullie elkaar?' vroeg hij.
Banks vloekte inwendig en voelde dat hij rood aanliep. Er was geen ontsnappen aan. 'Dit is dokter Fuller,' zei hij. 'Ze heeft ons ongeveer een jaar geleden geassisteerd bij een zaak.'
Burgess keek Jenny stralend aan. 'Op die manier. Nou, misschien kun je ons nu weer assisteren, dokter Fuller. Je vriendje hier wil niet met ons praten, maar als jij de politie al eens eerder hebt geholpen...'
'Laat haar met rust,' zei Osmond. 'Ze heeft er helemaal niets mee te maken.'
Banks dacht er hetzelfde over – hij wilde niet dat Burgess zijn klauwen in Jenny zou slaan – en was kwaad op Osmond, omdat hij het voor haar kon opnemen.
'We zijn vandaag wel heel lichtgeraakt, hè?' zei Burgess. 'Goed, manneke, als je het echt zo wilt, dan gaan we toch weer met jou verder.' Hij bleef echter naar Jenny staren en Banks begreep dat hij haar in zijn geheugen opsloeg voor later. Banks durfde haar nu amper nog aan te kijken. Hij was inspecteur en Burgess hoofdinspecteur. Wanneer alles verliep zoals hij wilde, zou Burgess zijn hogere rang niet doen gelden, maar zodra Banks zijn gevoelens voor Jenny toonde of op een of andere manier probeerde haar in bescherming te nemen, zou Burgess hem ongetwijfeld willen vernederen. Bovendien had Osmond zich al als haar ridder op het witte paard opgeworpen. Dan mocht hij ook alle vervelende opmerkingen slikken.
'Waarvoor ben je vrijdag precies opgepakt?' vroeg Burgess.
'U weet donders goed waarvoor ik ben opgepakt. Dat hele proces-verbaal van jullie hangt van verzinsels aan elkaar.'
'Maar waarvoor dan precies? Vertel het me. Zeg het maar. Doe het voor mij.'
Burgess stak een hand in zijn zak en haalde een blik sigaartjes tevoorschijn. Terwijl hij Osmond bleef aankijken, haalde hij er traag een sigaartje uit en hij stak het op.
'Ik zei net dat ik niet wil dat u hier rookt,' protesteerde Osmond direct. 'Dit is mijn huis en...'
'Kop dicht,' zei Burgess, net hard genoeg om hem het zwijgen op te leggen. 'Waarvoor ben je opgepakt?'
'Verstoring van de openbare orde,' mompelde Osmond. 'Maar ik heb u al verteld dat het allemaal verzonnen was. Als iemand de orde verstoorde, was het de politie wel.'
'Ooit van een zekere Paul Boyd gehoord?' vroeg Banks.
'Nee.' Een domme leugen. Osmond had antwoord gegeven voordat hij tijd had gehad om de vraag goed tot zich te laten doordringen. Ook als Banks

niet via Jenny al had gehoord dat Osmond de bewoners van Maggie's Farm kende, had hij toch geweten dat hij loog.
'Hoor eens,' ging Osmond verder, 'ik ben van plan om zelf een onderzoek in te stellen naar de gebeurtenissen van vrijdag. Ik zal verklaringen opnemen en neemt u maar van mij aan dat ik er wel voor zal zorgen dat uw gedrag van vandaag zeker in het verslag komt te staan.'
'Moet je vooral doen,' zei Burgess. Toen schudde hij zijn hoofd. 'Je begrijpt het nog steeds niet, hè, meneertje? Die pose van verontwaardigde burger van jou werkt misschien wel bij de mensen hier in de stad, maar ik word er niet warm of koud van. Wil je weten waarom niet?'
Osmond keek hem nijdig aan en deed er het zwijgen toe.
'Ik vroeg: wil je weten waarom niet?'
'Nee, het interesseert me geen reet waarom niet!'
'Omdat ik schijt heb aan jou en mensen als jij,' zei Burgess en hij priemde met zijn sigaartje in de lucht. 'Wat mij betreft zijn jullie waardeloze types en zouden we zonder jullie heel wat beter af zijn. En de mensen met wie ik werk denken er precies hetzelfde over. Het maakt niet uit dat inspecteur Banks die dokter Fuller van je een lekker ding vindt en haar niet al te hard wil aanpakken. Het maakt niet uit dat hij een sociaal geweten heeft en de rechten van ieder mens respecteert. Ik heb dat namelijk niet en mijn bazen ook niet. We laten ons niet aan het lijntje houden, we zorgen dat het werk wordt gedaan, en dat kunnen jullie beiden maar beter heel goed in de oren knopen.'
Jenny was vuurrood en sprakeloos van kwaadheid; Banks zelf voelde zich ontdaan en machteloos. Hij had kunnen weten dat Burgess niets was ontgaan.
'Ik kan u niets vertellen,' herhaalde Osmond vermoeid. 'Waarom gelooft u me niet? Ik weet niet wie die agent heeft vermoord. Ik heb het niet gezien, ik heb het niet gedaan en ik weet niet wie het wel heeft gedaan.'
Er viel een lange stilte. Banks was zich slechts bewust van het bonzen van zijn hart. Ten slotte stond Burgess op en liep hij naar het raam, waar hij zijn sigaartje uitdrukte op het witte kozijn. Daarna draaide hij zich glimlachend om. Osmond greep de buisvormige armleuningen van zijn stoel stevig vast.
'Goed,' zei Burgess tegen Banks. 'Dan gaan we er nu voorlopig maar vandoor. Sorry dat we jullie middagje in bed hebben verpest. Als jullie willen, kunnen jullie er best nog even in duiken.' Hij wierp een blik op Jenny en likte met zijn tong over zijn lippen. 'Dat shirt staat je goed, liefje,' zei hij tegen haar. 'Alleen had je hem voor mij niet half open hoeven laten hangen. Ik heb een heel levendige fantasie.'

Eenmaal terug in de auto luchtte Banks zijn woede. 'Je bent echt je boekje te buiten gegaan daarbinnen,' zei hij. 'Het was nergens voor nodig om Jenny te beledigen en het was al helemaal nergens voor nodig om mij er op zo'n manier bij te betrekken. Wat dacht je daar verdomme mee te bereiken?'
'Ik wilde ze alleen maar een beetje op de kast jagen.'
'Maar moest je mij nu echt voor geile bok uitmaken?'
'Je denkt niet na, Banks. Als we Osmond jaloers kunnen maken, is hij wellicht minder op zijn hoede.' Burgess grijnsde. 'Je hebt trouwens toch niets met haar?'
'Natuurlijk niet.'
'Je reageert anders nogal heftig.'
'Rot toch op.'
'Och, kom op, zeg,' zei Burgess rustig. 'Je moet het niet zo serieus nemen. Ik doe wat nodig is om resultaten te verkrijgen. Jezus, ik kan het je ook niet kwalijk nemen. Ik zou er niets op tegen hebben om zelf eens met haar te rollebollen. Een lekker stel tieten onder dat hemd. Heb je ze gezien?'
Banks haalde een paar keer diep adem en pakte een sigaret. Het had geen enkele zin, wist hij, om hierop door te gaan. Burgess was niet tot staan te brengen. Hoe kwaad en verward Banks zich op dat moment ook voelde, het zou onverstandig zijn om dit te tonen. In plaats daarvan hield hij zijn emoties in toom, iets wat hij, zo besefte hij, vanaf het begin had moeten doen. Nu bleven de gevoelens die zich vanbinnen hadden opgehoopt echter woekeren. Hij was kwaad op Burgess, hij was kwaad op Osmond, hij was kwaad op Jenny en het allerkwaadst was hij nog wel op zichzelf.
Hij startte ruw de wagen, duwde de cassette weer in de recorder en zette het geluid hard. Billie Holiday zong *God Bless the Child* en Burgess floot zorgeloos mee, terwijl ze door het heldere, winderige landschap terugreden naar het marktplein.

Ze waren allemaal een beetje dronken en dat kwam op Maggie's Farm niet vaak voor. Mara was in elk geval al heel lang niet zo aangeschoten geweest. Ze zaten in de woonkamer en Rick schetste hen allemaal. Paul dronk bier uit een blikje en zelfs Zoe was door de witte wijn giechelig geworden. Seth was er echter het ergst aan toe. Hij praatte onduidelijk, zijn ogen waren waterig en zijn coördinatie werkte niet goed meer. Ook was hij overdreven sentimenteel over de jaren zestig, iets wat hij nooit deed wanneer hij nuchter was. Mara had hem pas één keer eerder dronken gezien, die keer dat hij over de dood van zijn vrouw had gesproken. Meestal was hij enorm op zijn hoede

en sloeg hij zich zonder te klagen door het leven.
Het was allemaal zo leuk begonnen. Na het politiebezoek waren ze allemaal naar de Black Sheep gewandeld om iets te drinken. Blijkbaar hadden hun opluchting en de wat feestelijke stemming hen ertoe aangezet om meer te drinken dan gewoonlijk en ze hadden zelfs een paar blikjes Carlsberg Special Brew, wat witte wijn en een fles whisky gekocht om mee naar huis te nemen. Seth en Mara hadden bijna de hele middag doorgebracht met het lezen van de krant of zitten dutten voor de open haard, Paul had in het schuurtje gerommeld, Rick had in zijn atelier geschilderd en Zoe had met de kinderen gespeeld. Aan het begin van de avond waren ze bij elkaar gekomen en gingen de whisky en wijn van hand tot hand.
Seth strompelde naar de stereo en koos een bekraste, oude Grateful Dead-elpee uit zijn verzameling uit. 'Dat waren nog eens tijden,' zei hij. 'Voorgoed voorbij. Mensen denken tegenwoordig alleen nog maar aan geld. Achterlijke yuppen.'
Rick keek op van zijn schetsblok en lachte. 'Is het dan ooit anders geweest?'
'Isle of Wight, Knebworth...' Seth somde de rockfestivals op die hij had bezocht. 'Toen deelde iedereen nog alles met elkaar...'
Mara luisterde terwijl hij doorratelde. Ze hadden sinds de demonstratie allemaal onder een enorme druk gestaan, dacht ze bij zichzelf, en dit was duidelijk Seths manier om het van zich af te zetten. Het was gemakkelijk om je te laten meeslepen door de betovering van nostalgie. Zij herinnerde zich de jaren zestig ook nog goed, of eigenlijk het eind van de jaren zestig, toen het hippietijdperk in Engeland pas goed op gang kwam. Alles had indertijd echt beter geleken. Eenvoudiger. Minder dubbelzinnig. Je had 'wij' en 'de anderen', en die anderen herkende je aan hun korte haren.
'... Santana, Janis, Hendrix, The Doors. Jezus, zelfs met de hare krisjna's kon je toen lol hebben. Nu dragen ze allemaal een net pak en een pruik. Ik weet nog die ene keer...'
'Gelul!' riep Paul en hij mepte zijn lege blikje op de vloer. 'Zo was het helemaal niet. Je kletst uit je nek, Seth.'
'Hoe weet jij dat nou?' Seth ging rechtop zitten en leunde wankel op een elleboog. 'Jij was er toch helemaal niet bij, man. Jij was niet meer dan een lichtje in de ogen van je ouwe pa.'
'Mijn vader en moeder waren hippies,' zei Paul verachtelijk. 'Klotebloemenkinderen. Zij heeft een overdosis genomen en hij was goddomme te stoned om voor me te zorgen, dus heeft hij me maar weggegeven.'
Mara was verbluft. Paul had nog nooit over zijn biologische ouders gepraat

en alleen verteld hoe slecht hij in zijn pleeggezin was behandeld. Als dit waar was, dacht ze bij zichzelf, dacht hij dan ook zo over Seth en haar? Ze waren ongeveer van dezelfde generatie. Haatte hij hen dan ook?
Dat kon ze echter niet geloven. Er was nog een andere kant aan het verhaal. Misschien was Paul juist op zoek naar wat hij was kwijtgeraakt en had hij iets daarvan op Maggie's Farm gevonden. Ze gebruikten geen drugs en hoewel Seth en zij wel in de jaren zestig waren opgegroeid en nog altijd probeerden te leven naar sommige idealen uit die tijd, kleedden en gedroegen ze zich inmiddels niet langer als hippies.
'Zo zijn wij niet,' sputterde ze tegen en ze zocht met haar blik steun bij Zoe. 'Dat weet je best, Paul. We geven om je. We zouden je nooit in de steek laten. Voor een heleboel mensen was dat de tijd van hun leven. Seth haalt gewoon herinneringen op aan zijn jeugd.'
'Weet ik,' gaf Paul schoorvoetend toe. 'Ik kan alleen niet zeggen dat ik zelf waardevolle herinneringen aan mijn jeugd heb. Ik moest het gewoon even kwijt, Mara. Het was niet allemaal vrede en liefde, zoals Seth het vertelt. Hij lult uit zijn nek.'
'Dat is maar al te waar,' zei Rick instemmend en hij legde zijn schetsblok weg en schonk nog een glas whisky in. 'Ik moest zelf niets van die hippies hebben. Eén grote troep zeurende, jammerende kleine kinderen, als je het mij vraagt. Seth is gewoon bezopen. Moet je hem nu eens zien, hij is verdomme landeigenaar en zelfs huurbaas. Binnenkort loopt hij elke middag in een wijde tweedbroek op fazanten te schieten. Sir Seth Cotton, heer en meester van Maggie's Farm.'
Seth zat echter onderuitgezakt tegen een zitzak aan en leek alle belangstelling voor het gesprek te hebben verloren. Zijn ogen waren dicht en Mara vermoedde dat hij sliep of anders helemaal opging in de jankende gitaarsolo van Jerry Garcia.
'Waar is je vader nu?' vroeg Mara aan Paul.
'Geen flauw idee. En het kan me niet schelen ook.' Paul rukte een nieuw blikje bier open.
'Heeft hij nooit contact met je gezocht?'
'Waarom zou hij? Ik zei het net toch al: hij was zo stoned dat hij me niet eens zag staan, zelfs toen ik nog bij hem woonde.'
'Dat is nog geen reden om te beweren dat iedereen zo was,' zei Mara. 'Seth bedoelde alleen maar dat er toen heel veel liefde was. Al dat gepraat over het aquariustijdperk ging echt ergens over.'
'Ja, ja, en waar heeft dat allemaal toe geleid? Tweeduizend jaar gezeik waar ik

heel goed zonder kan. Laten we het verleden in godsnaam vergeten en verder gaan met ons leven.' Met die woorden stond Paul op en hij liep de kamer uit.
Jerry Garcia speelde verder. Seth bewoog zich even, deed één bloeddoorlopen oog open en deed het even snel weer dicht.
Mara schonk nog wat witte wijn in voor Zoe en zichzelf, waarna haar gedachten weer naar Paul afdwaalden. Ze had vóór dit gesprek al enorm lopen piekeren, maar zijn vijandige houding van deze avond en wat hij over zijn ouders had gezegd, waren zeer verwarrend. Ze durfde hem niet te vragen naar het bloed op zijn hand en vond het een steeds angstaanjagender gedachte om in één huis te moeten leven met iemand die mogelijk een moord had begaan. Ze vond het echter al even vreselijk van zichzelf dat ze zo over hem dacht, dat ze hem niet volledig durfde te vertrouwen en onvoorwaardelijk in hem geloofde.
Ze moest er met iemand over praten, iemand van buiten de boerderij die ze vertrouwde. Ze voelde zich net een vrouw met een knobbeltje in haar borst die te bang was om met een dokter te gaan praten en er zo achter te komen of het echt kanker was.
Wat het allemaal nog erger maakte was dat ze had gezien dat het mes weg was: de stiletto die Seth volgens eigen zeggen jaren geleden in Frankrijk had gekocht. De anderen hadden het ongetwijfeld ook opgemerkt, maar niemand had er iets over gezegd. Dat mes lag al sinds haar komst naar Maggie's Farm voor algemeen gebruik op de schoorsteenmantel en nu was het weg.

Banks at de fish-and-chips op die hij op weg naar huis had gekocht en liep daarna naar de woonkamer. Haute cuisine kon de pot op, dacht hij bij zichzelf. Als Selena Harcourt, die irritante buurvrouw van hen, hem nu maar niet kwam storen met een of ander suikerzoet dessert om hem een beetje vet te mesten 'nu vrouwlief weg is', kon hij lekker de hele avond onderuitgezakt op de bank hangen, in plaats van sauzen te mengen die toch nooit lukten.
Al vrij snel nadat hij Burgess op het bureau had gedropt, was hij weer tot bedaren gekomen. Die zak had nog gelijk ook. Wat er bij Osmond thuis was voorgevallen, besefte hij nu, had vrijwel niets te betekenen, maar omdat hij zo geschokt was geweest door Jenny's aanwezigheid, had hij het in gedachten erger gemaakt dan het werkelijk was. Hij had extreem gereageerd en was heel even zijn objectiviteit kwijtgeraakt. Dat was alles. Het was al eens gebeurd en het zou heus nog wel eens gebeuren. De wereld zou er echt niet door vergaan.

Hij schonk een drankje voor zichzelf in, legde zijn voeten op de bank en zette de televisie aan. Op Yorkshire TV was een documentaire bezig over het Peak District. Terwijl hij met een half oor luisterde, bladerde hij door Tracy's recentste exemplaar van *History Today*, waarin hij een interessant artikel las over sir Titus Salt, een wolmagnaat die vlak bij Bradford de utopische gemeenschap Saltaire had gebouwd voor zijn arbeiders. Het zou leuk zijn om daar eens met Sandra en de kinderen heen te gaan, bedacht hij. Sandra kon er foto's maken; Tracy zou het fascinerend vinden; en zelfs Brian zou er waarschijnlijk wel iets van zijn gading vinden. De moeilijkheid was dat sir Titus een overtuigd geheelonthouder was geweest. Er waren geen pubs in Saltaire. Wat de een als utopie beschouwde, was voor een ander blijkbaar eerder een hel.

Het artikel deed hem aan Maggie's Farm denken. Hij voelde sympathie voor de groep mensen daar en had respect voor Seth en Mara. Ze hadden hem vijandig bejegend, maar dat was te verwachten geweest. Hij was in zijn werk wel erger gewend. Hij nam het allemaal niet persoonlijk op. Het vak van politieagent had in sommige opzichten wel iets weg van dat van een geestelijke: mensen voelden zich nooit helemaal op hun gemak bij je, zelfs niet wanneer je in de buurtpub een borrel kwam drinken.

Het televisieprogramma was afgelopen en hij wist dat het weinig zin had om het onvermijdelijke nog langer uit te stellen. Hij pakte de hoorn van de telefoon en draaide Jenny's nummer. Hij had geluk; nadat hij drie keer was overgegaan nam ze op.

'Jenny? Met Alan.'

Aan de andere kant van de lijn viel een diepe stilte. 'Ik weet niet of ik wel met je wil praten,' zei ze ten slotte.

'Mag ik proberen je over te halen?'

'Doe je best.'

'Ik wilde alleen maar mijn verontschuldigingen aanbieden voor vanmiddag. Ik had niet verwacht jou daar te zien.'

Alleen het zachte gekraak van de lijn doorbrak de stilte. 'Ik was ook heel verbaasd,' zei Jenny. 'Wat een akelig gezelschap hou jij er soms op na.'

Dat kan ik van jou ook zeggen, dacht Banks bij zichzelf. 'Ja,' zei hij, 'dat weet ik.'

'Ik vind echt dat je hem in het vervolg moet aanlijnen. En misschien zou je ook eens een muilkorf moeten gebruiken.' Ze was duidelijk al iets milder jegens hem gestemd, merkte hij.

'Ik zou niets liever doen. Maar hij is nu eenmaal mijn baas. Hoe heeft

Osmond het opgevat?' Hij kreeg de naam amper zijn strot uit.
'Hij was natuurlijk laaiend. Maar het is snel overgewaaid. Dennis is heel veerkrachtig. Hij is eraan gewend dat de politie achter hem aan zit.'
Opnieuw een stilte, deze keer iets ongemakkelijker.
'Hoe dan ook,' zei Banks. 'Ik wilde alleen maar zeggen dat het me spijt.'
'Ja. Dat heb je al gezegd. Het was jouw schuld niet. Het was een vreemde gewaarwording om jou in een ondergeschikte rol te zien. Je bent daarin niet op je best.'
'Wat had je dan verwacht dat ik zou doen? Opspringen en hem tegen de vlakte slaan?'
'Nee, zo bedoelde ik het helemaal niet. Hoewel je het volgens mij wel even overwoog toen hij dat over ons zei.'
'Was het zo duidelijk te zien?'
'Voor mij wel.'
'Ik heb hem in de auto uitgefoeterd.'
'Dat dacht ik wel. Hoe reageerde hij?'
'Hij moest erom lachen.'
'Leuke vent, maar niet heus. Ik kon hem wel vermoorden toen hij die opmerking maakte over mijn openstaande shirt.'
'Het was wel zo.'
'Ik had me razendsnel aangekleed. Ik wilde weten wat er aan de hand was.'
'Dat begrijp ik. Ik bedoelde ook niet dat je het met opzet had gedaan of zo. Alleen moet je met zo'n type als hij in de buurt heel erg voorzichtig zijn.'
'Dat besef ik nu ook. Hoewel ik uiteraard hoop dat het bij een eenmalige ontmoeting blijft.'
'Hij geeft niet snel op,' zei Banks somber.
'Ik ook niet. Waar ben je nu? Wat doe je?'
'Thuis. Ik probeer me een beetje te ontspannen.'
'Ik ook. Is Sandra al terug?'
'Nee.' Weer die krakende stilte. Banks schraapte zijn keel. 'Moet je eens horen,' zei hij, 'toen ik het laatst over een etentje had, meende ik het echt. Kun je morgen?'
'Morgen niet. Ik moet 's avonds college geven.'
'Dinsdag?'
Jenny zweeg even. 'Ik zou mijn afspraakje natuurlijk kunnen afzeggen,' zei ze. 'Maar dan moet het wel de moeite waard zijn.'
'De Royal Oak is altijd de moeite waard. Ik trakteer. Ik wil graag iets met je bespreken.'

'Werk?'
'Ik hoopte eigenlijk dat je me kon helpen om een paar bewoners van Maggie's Farm te doorgronden. Seth en Mara zijn ongeveer van mijn leeftijd. Vreemd dat we allemaal in de jaren zestig zijn opgegroeid en toch zo van elkaar verschillen.'
'Zo vreemd is dat anders niet. Iedereen is immers anders.'
'Ik vond de muziek helemaal het einde, maar had alleen nooit het gevoel dat ik bij de langharige massa hoorde. Hoewel ik trouwens wel een of twee keer hasj heb gerookt.'
'Alan! Dat meen je niet!'
'Ja, echt.'
'En ik maar denken dat jij zo puriteins bent. Wat vond je ervan?'
'De eerste keer niets aan.'
'En de tweede keer?'
'Toen ben ik in slaap gevallen.'
Jenny brulde van het lachen.
'Trouwens,' merkte Banks peinzend op, 'Burgess is ook van mijn leeftijd.'
'Die zat in die tijd vast met legerkistjes en een leren jas aan vliegen hun vleugeltjes uit te trekken.'
'Vast. Oké, dat etentje. Is acht uur goed?'
'Uitstekend.'
'Ik kom je ophalen.'
Jenny nam afscheid en hing op. Ze waren nog steeds vrienden. Banks slaakte een zucht van verlichting.
Hij wilde al teruglopen naar zijn luie stoel en zijn drankje, maar voelde plotseling de sterke behoefte om Sandra te bellen.
'Hoe gaat het met je vader?' vroeg hij.
Sandra lachte. 'Weerspannig als altijd. Maar mama houdt zich beter dan ik had verwacht.' De verbinding was slecht en haar stem klonk heel ver weg.
'Hoe lang blijf je daar nog?'
'Hooguit een paar dagen nog. Hoezo? Mis je ons?'
'Meer dan je denkt.'
'Wacht even. We zijn gisteren een dagje naar Londen geweest en Tracy wil je er alles over vertellen.'
Banks praatte een tijdje met zijn dochter over St. Paul's Cathedral en de Tower van Londen, totdat Brian hun gesprek onderbrak en hem vertelde hoe fantastisch de muziekwinkels waren geweest. Hij had een gitaar gezien die precies was wat hij zocht... Ten slotte kwam Sandra weer aan de lijn.

'Is er bij jullie nog iets gebeurd?'
'Dat zou je wel kunnen zeggen.' Banks vertelde haar over de demonstratie en de moord.
Sandra zuchtte. 'Ik ben blij dat ik nu niet thuis ben. Het zal wel vrij hectisch zijn.'
'Bedankt voor je steun.'
'Je snapt best wat ik bedoel.'
'Herinner jij je Dick Burgess nog? Indertijd inspecteur bij de Yard?'
'Was hij niet degene die op Lotties feestje de gastvrouw heeft betast en in de geraniums heeft overgegeven?'
'Die bedoel ik, ja. Hij is nu hier en heeft de leiding over het onderzoek.'
'Arme jij. Nu ben ik helemaal blij dat ik hier zit. Hij heeft zijn handen nog net van me kunnen afhouden, maar zijn ogen bepaald niet.'
'Ik zou graag zeggen dat hij dan een goede smaak heeft, maar ik moet je helaas teleurstellen, lieverd. Dat doet hij bij iedereen in een rok.'
Sandra lachte. 'Ik moet ophangen. Brian en Tracy zijn weer eens bezig.'
'Doe hun maar de groeten van me. Pas goed op jezelf. Tot gauw.'
Nadat hij had opgehangen, voelde Banks zich zo gedeprimeerd dat hij er bijna spijt van kreeg dat hij had gebeld. Waarom, vroeg hij zich af, versterkte een telefoongesprek met een afwezige geliefde alleen maar de leegheid en eenzaamheid die je al voelde voordat je hen had gebeld?
Ten einde raad zette hij de televisie halverwege een special over popmuziek die Brian geweldig zou hebben gevonden uit en pakte hij een bandje met bluesmuziek dat een voormalige collega hem uit Londen had gestuurd. Dominee Robert Wilkins die *Prodigal Son* zong met zijn mysterieuze stem, ongewoon dun en hoog voor een bluezanger. Banks hing lusteloos in de leunstoel naast de gashaard en nam af en toe een slokje whisky. Vaak kwam hij onder het genot van een glaasje en wat muziek op de beste ideeën, en het werd tijd om zijn gedachten over de zaak-Gill eens te ordenen.
Een aantal dingen zat hem dwars. Er werden voortdurend overal demonstraties gehouden, veel groter dan die in Eastvale, en hoewel tegenstanders elkaar daarbij soms in de haren vlogen, werden er gewoonlijk geen politieagenten neergestoken. Of je het nu statistieken, kansberekening of pure intuïtie noemde, hij was er niet van overtuigd dat Burgess' mening over de zaak de juiste was.
En dat leverde een probleem op, want dan bleef er niet veel over om uit te kiezen. Hij had nog steeds onbestemde voorgevoelens over enkele bewoners van Maggie's Farm. Paul Boyd was gevaarlijk, zoveel wist hij wel zeker, en

Mara was er wel erg op gebrand om hem in bescherming te nemen. Seth en Zoe waren erg stil geweest, maar Rick Trelawney had gewelddadiger ideeën gespuid dan Banks had verwacht. Hij was er nog niet achter waar het allemaal toe zou leiden, maar had het gevoel dat iemand iets wist of dacht dat hij iets wist, maar dit niet aan de politie wilde vertellen. Het was ronduit dwaas, maar zo zaten mensen nu eenmaal in elkaar. Banks hoopte maar dat het voor niemand van hen nadelige gevolgen zou hebben.

Wat Dennis Osmond betreft: afgezien van zijn persoonlijke antipathie had Banks hem ook op twee leugens betrapt. Osmond had beweerd dat hij Paul Boyd niet kende, terwijl dat overduidelijk wel het geval was en Banks vermoedde dat hij ook had gelogen toen hij ontkende Gill ooit te hebben ontmoet. Het was niet moeilijk daar een reden voor te bedenken: niemand geeft immers graag toe een band te hebben met een slachtoffer van een moord of een veroordeelde misdadiger. Banks moest echter zien vast te stellen of er meer aan de hand was. Waar kon Osmond Gill eventueel van hebben gekend? Misschien hadden ze op dezelfde school gezeten. Of wellicht had Gill Osmond ooit bij een andere demonstratie tegen kernenergie gearresteerd. Als dat zo was, moest er ergens een dossier van zijn. De volgende ochtend zou Richmond de algemene info van Special Branch krijgen.

Tot nu toe was er echter nog geen steekhoudend motief opgedoken. Als hij voorzichtig te werk ging, kon hij dinsdag wellicht iets uit Jenny loskrijgen. Normaal gesproken vond ze het niet erg als hij haar zat uit te horen, maar het zat er dik in dat ze waar het Osmond betrof zeer alert zou zijn.

Misschien had hij inderdaad onprofessioneel gereageerd op Jenny's aanwezigheid in Osmonds flat en op de wijze waarop Burgess het verhoor aanpakte. Maar, zo hield hij zichzelf voor, Burgess had hem als een regelrechte sul afgeschilderd en bovendien ook Jenny beledigd. Soms had Banks de indruk dat het Burgess' tactiek was om alle betrokkenen bij een zaak net zolang te treiteren tot iemand over de rooie ging en hem naar de keel vloog. Dan kon hij tenminste iemand oppakken op verdenking van een poging tot moord.

Halverwege zijn derde glas Laphroaig en de B-kant van de cassette besloot Banks dat hij die klootzak maar op één manier kon terugpakken en dat was door de zaak zelf op zijn eigen manier op te lossen. Als Burgess informatie kon achterhouden, kon hij het ook. Laat hij zich maar concentreren op communistische boemannen onder het bed. Banks zou zelf discreet navraag doen om te zien of hij iemand kon vinden die een reden had om een politieagent te willen doden en dan met name agent Gill.

Als het echter om de persoon Gill bleek te gaan en niet de agent Gill, zou dat een aantal problemen met zich meebrengen. Hoe had de moordenaar om te beginnen geweten dat Gill bij de demonstratie zou zijn? Dat er zoveel geweld bij zou komen kijken dat het een moord kon verdoezelen? En het raadselachtigst van alles was nog wel: hoe kon hij er zo zeker van zijn dat hij zou kunnen ontsnappen? Deze vragen waren tenminste concreet, een beginpunt. Hoe meer Banks erover nadacht, des te duidelijker het hem werd dat een dicht opeengepakte menigte bij een politieke demonstratie een ideale dekmantel vormde voor een moord.

5

De begrafenisstoet baande zich vanaf Gordon Street, waar Edwin Gill had gewoond, via Manor Road een weg naar de begraafplaats. Op een of andere manier, vond Banks, was de begrafenis van een collega altijd plechtiger en somberder dan andere. Iedere aanwezige politieagent besefte dat hij evengoed zelf in die doodskist had kunnen liggen; alle echtgenotes van agenten leefden met de angst dat ook hun man zou kunnen worden neergestoken, in elkaar geslagen of, zoals tegenwoordig steeds vaker het geval was, doodgeschoten; zelfs burgers voelden de verschuiving in en tijdelijke verzwakking van de orde der dingen aan.

Voor de tweede keer in nog geen week tijd had Banks een ongemakkelijk zittend pak met stropdas aan. Starend naar de stoppelige nekken voor hem luisterde Banks naar de grafrede van de predikant en de standaardverzen uit het *Book of Common Prayer*. Helemaal vooraan zat Gills naaste familie – moeder, twee zussen, ooms en tantes, neven en nichten – met zakdoekjes in de hand te snotteren.

Toen het voorbij was, liep iedereen naar buiten om daar te wachten op de auto's die hen naar de koffietafel zouden brengen. De eiken en beuken langs de oprijlaan van de begraafplaats zwiepten heen en weer in de harde wind. Het ene moment dook de zon stralend op vanachter de wolken en het volgende werd iedereen overvallen door een korte, felle regenbui. Zo'n dag was het dus: als een kameleon, onvoorspelbaar.

Banks stond met Richmond bij een onopvallende zwarte Rover – met zijn eigen witte Cortina kon hij zich moeilijk bij een begrafenis vertonen – en wachtte tot iemand het startsein gaf. Hij droeg een lichtgrijze regenjas over zijn donkerblauwe pak, maar zijn hoofd was onbedekt. Met zijn kortgeknipte, zwarte haar, het litteken naast zijn rechteroog en zijn magere, hoekige gezicht zag hij er beslist een beetje als een onguur type uit, dacht hij bij zichzelf, terwijl hij de kraag van zijn regenjas strak om zijn keel klemde tegen de kille wind. Richmond, die lang en atletisch was, stond naast hem in een kameelharen jas en een slappe vilthoed.

Het was dinsdag aan het begin van de middag. Banks had die ochtend de gegevens doorgenomen die Richmond over Osmond en de bewoners van

Maggie's Farm bij elkaar had vergaard. Veel was het niet. Seth Cotton was in de jaren zestig ooit eens opgepakt tijdens een aanvaring tussen *mods* en rockers in Brighton, omdat hij een voorwerp bij zich droeg (een fietsketting) dat gezien de omstandigheden als wapen kon worden aangemerkt. Daarna was hij welgeteld één keer opgepakt voor het bezit van marihuana – ter waarde van een pond, dus niets ernstigs – waarvoor hij een boete had gekregen.
Rick Trelawney was slechts één keer in zijn leven in de problemen gekomen, in St. Ives in Cornwall. Een toerist had aanstoot genomen aan de opmerkingen die hij in een dronken bui had gemaakt over het verraad dat het verzamelen van kunst in feite was en een luidkeelse ruzie was in een knokpartij geëindigd. Er waren drie mannen voor nodig geweest om Rick los te trekken van de toerist, die een gebroken kaak had opgelopen en daarnaast aan één oor blijvend doof was.
Het andere geheim in Ricks leven was de vrouw van wie hij recentelijk was gescheiden. Ze was alcoholiste, waardoor Rick vrijwel moeiteloos de voogdij over Julian toegewezen had gekregen. Inmiddels stond ze echter onder behandeling, woonde ze bij een zus van haar in Londen en was er een juridische strijd op komst.
Op een bepaald moment was de situatie zo erg geweest dat Rick bij de rechtbank om een straatverbod had verzocht, zodat ze niet in de buurt van hun zoon kon komen.
Over Zoe was niets bekend, maar Richmond had het geboorteregister ingekeken en was er zo achter gekomen dat de vader van haar dochter Luna een zekere Lyle Greenberg was, een Amerikaanse student die inmiddels was teruggekeerd naar zijn woonplaats Eau Claire in Wisconsin.
Over Mara was zelfs nog minder te vinden. De immigratie- en naturalisatiedienst kende haar als Moira Delacey, afkomstig uit Dublin. Op haar zesde was ze met haar ouders naar Engeland gegaan, waar ze zich in Manchester hadden gevestigd. Voorzover bekend hadden ze geen banden met republikeinen.
Het interessantst en tevens verontrustendst van alles was Dennis Osmonds strafblad. Naast arrestaties voor zijn aandeel in demonstraties tegen de overheid – strafbare feiten variërend van ordeverstoring tot diefstal van een politiehelm – was hij vier jaar eerder ook door zijn toenmalige vriendin Ellen Ventner, beschuldigd van mishandeling. Op aandringen van de vrouw werd de aanklacht later weer ingetrokken, maar Ventners verwondingen – twee gebroken ribben, een gebroken neus, drie tanden uit haar mond en een hersenschudding – stonden in het ziekenhuisdossier duidelijk omschreven en

Osmond was bepaald niet met schone handen uit deze affaire gekomen. Banks wist niet goed of hij het onderwerp die avond tijdens zijn etentje met Jenny ter sprake moest brengen. Hij vroeg zich af of ze er misschien al van op de hoogte was. Als dat niet het geval was, zou ze zijn inmenging wellicht niet al te positief opvatten. Ergens betwijfelde hij ten zeerste of Osmond het haar had verteld.
Ze wachtten nog altijd op de informatie van Special Branch, die een dossier had over Osmond, Tim Fenton, de voorzitter van de studentenvakbond, en vijf anderen van wie bekend was dat ze bij de demonstratie aanwezig waren geweest. Blijkbaar had de Branch Burgess' persoonlijke toegangscode, wachtwoord, stemafdruk en genenprint nodig, of een vergelijkbare, al even belachelijke reeks identificatiemiddelen. Banks had toch al geen al te hoge verwachtingen van hen. De ervaring had hem geleerd dat Special Branch al een dossier van iemand bijhield wanneer deze één keertje een exemplaar van de *Socialist Weekly* had aangeschaft.
Terwijl Banks en Richmond Gills begrafenis bezochten, legde Burgess samen met Hatchley nogmaals een rondje bezoeken af. Ze waren van plan om weer bij Osmond, Dorothy Wycombe, Tim Fenton en Maggie's Farm langs te gaan. Banks wilde de studenten zelf ook spreken, dus hij besloot hen te bellen zodra hij die avond terug was, als Burgess hen tegen die tijd tenminste niet volledig op de kast had gejaagd en ze hem nog te woord wilden staan.
Burgess had bijna gekwijld bij het vooruitzicht nog meer mensen te kunnen verhoren en zelfs Hatchley had zo te zien meer zin gehad om aan het werk te gaan dan anders. Misschien vond hij het wel spannend om met een superster mee te mogen te lopen, bedacht Banks. Misschien wilde hij wel bij Dirty Dick in het gevlij komen in de hoop dat hij dan zou worden uitverkoren voor een of ander speciaal Scotland Yard-team. De ellende was dat die kans er nog in zat ook.
De gedachte riep gemengde gevoelens op bij Banks. Hij was sneller aan Hatchley gewend geraakt dan hij had verwacht en hun samenwerking verliep goed. Banks koesterde echter geen vriendschappelijke gevoelens voor hem. Hij kon zich er zelfs niet toe zetten om Hatchley bij zijn voornaam Jim aan te spreken.
Banks zag Hatchley als een brigadier die altijd brigadier zou blijven. Hij bezat niet de eigenschap die nodig was om inspecteur te worden. Phil Richmond bezat die eigenschap wel, maar binnen dit team zat er voor hem helaas geen hogere positie in, tenzij Hatchley eerst promotie maakte. Hoofdinspecteur Gristhorpe zag dat niet zitten en Banks kon het hem niet kwalijk nemen. Als Burgess zo ingenomen was met Hatchley dat hij hem een baan in Londen in

het vooruitzicht stelde, zou dat de oplossing zijn voor al hun problemen. Richmond had het brigadiersexamen al gehaald – de eerste stap op de lange weg naar promotie – en misschien kon agent Susan Gay, die een opmerkelijke gave voor speurwerk aan den dag had gelegd, dan van de uniformdienst worden overgeplaatst naar zijn team. Craig zou het daar uiteraard niet mee eens zijn. Craig was behoorlijk ouderwets wat vrouwelijke agenten aanging. Dat was echter Craigs probleem; Hatchley was het kruis dat iedereen moest dragen.

Eindelijk vertrokken de glanzende, zwarte auto's dan toch. Banks en Richmond renden achter ze aan door de saaie, verlaten straten van Scarborough naar de koffietafel. Geen enkele plek was zo naargeestig als een badplaats buiten het seizoen. Het was dat de zilte geur van zee en vis in de lucht hing, want anders zou niemand hebben kunnen bevroeden dat ze zich aan de kust bevonden.

'Zin om na de koffie een stukje langs de boulevard te lopen?' vroeg Banks.

Richmond trok zijn neus op. 'Daar is het niet echt weer voor, hè?'

'Lekker verkwikkend juist.'

'Als u het niet erg vindt, inspecteur, wacht ik liever in een heerlijk warme pub op u.'

Banks glimlachte. 'Om je aantekeningen in orde te maken, zeker?' Hij wist hoe precies Richmond was met zijn aantekeningen en verslagen.

'Dat zal wel moeten. Zo lang blijft het niet in mijn geheugen hangen.'

Op weg naar Scarborough had Banks hem verteld dat de moord op Gill volgens hem niet helemaal was wat het op het eerste gezicht leek. Hoewel Richmond zijn twijfels over die theorie had uitgesproken, was hij het wel met hem eens geweest dat het de moeite waard was om het nader te onderzoeken. Ze wilden tijdens de koffietafel met Gills collega's babbelen om te zien wat ze over hem te weten konden komen. Burgess hoefde hier natuurlijk niets vanaf te weten.

Het was uiteraard heel goed mogelijk dat Gills maats tijdens de begrafenis niets zouden loslaten, ook als er inderdaad iets met Gill aan de hand was geweest, had Richmond geopperd. Banks was het daar niet mee eens. Volgens hem hadden begrafenissen een bijzondere uitwerking op het geweten. De ongemeende clichés stuitten mensen vaak tegen de borst en dan wilden ze niets liever dan iemand de waarheid vertellen. Het was hun er tenslotte niet om te doen om aan te tonen dat Gill corrupt was geweest of iets dergelijks; ze wilden alleen maar weten wat voor iemand hij was geweest en of hij wellicht vijanden had gemaakt.

De stoet had de parkeerplaats van de Crown and Anchor bereikt waar in de eetruimte een buffet was neergezet en de gasten haastten zich door de stromende regen naar de ingang.

'Godallemachtig! Onder wat voor steen ben jij vandaan gekropen?' zei Burgess toen Paul Boyd de woonkamer in kwam lopen om te zien wat er aan de hand was.
Paul keek hem woest aan. 'Rot op, man.'
Burgess beende op hem af en gaf hem een draai om zijn oren. 'Niet zo brutaal, knulletje,' zei Burgess. 'Een beetje respect graag voor mensen die ouder en wijzer zijn dan jij.'
'Waarom zou ik? Jij behandelt mij toch ook niet met respect?'
'Met respect behandelen? Jou?' Burgess keek hem met samengeknepen ogen aan. 'Hoe kom je er in vredesnaam bij dat ik jou met respect moet behandelen? Jij bent maar een lelijk straatschoffie met een strafblad zo lang als mijn arm waarop onder andere mishandeling van een politieagent voorkomt. En nu we toch bezig zijn: let op je woorden. Er zijn dames aanwezig. Laten we het daar tenminste maar op houden.'
Burgess liet zijn blik langs Mara's lichaam glijden en ze werd er koud van. Burgess richtte zich weer tot Paul, die met een hand tegen zijn oor gedrukt in de deuropening stond. 'Vooruit, wie heeft gezegd dat je dat moest doen?'
'Dat ik wat moest doen?'
'Een politieagent vermoorden.'
'Dat heb ik niet gedaan. Ik was er niet eens bij.'
'Dat klopt, hij was er inderdaad niet bij,' riep Mara. 'Hij is de hele avond hier bij mij geweest. Iemand moest thuisblijven om op de kinderen te passen.'
Ze had tot dan toe haar mond gehouden en geprobeerd Burgess te doorgronden. Hij leek heel wat minder zachtaardig dan Banks en ze zag ertegen op om zijn aandacht op haar te vestigen. Tijdens het praten verkrampten haar maagspieren.
Burgess keek weer haar kant op en schudde zijn hoofd. Zijn ogen waren zo kil als een stuk leisteen. 'Heel aandoenlijk, liefje. Echt heel aandoenlijk. Hebben je papa en je mama je nooit geleerd dat je niet mag liegen? Iemand heeft hem daar gezien. We weten dus dat hij erbij was.'
'Dan vergist u zich.'
Burgess wierp een blik op Paul en keek toen weer naar Mara. 'Vergissen! Hoe kan iemand zich in godsnaam zo vergissen dat hij dit stuk uitschot voor iemand anders aanziet? Je zou eigenlijk je mond met water en zeep moeten spoelen, liefje.'

'Ik ben je liefje niet.'
Burgess hief met gespeelde wanhoop zijn armen in de lucht. 'Wat mankeert jullie toch? Ik dacht dat het hier in het noorden gebruikelijk was om elkaar zo aan te spreken. Ik begrijp trouwens echt niet waarom je hem in bescherming neemt. Zijn woordenschat is heel beperkt en met dat lijf van hem kan hij in bed nooit veel voorstellen.'
'Vuile schoft,' zei Mara met op elkaar geklemde kaken. Het was wel duidelijk dat het geen zin had om met hem in discussie te gaan. Ze konden het maar beter over zich heen laten komen.
'Dat is goed, liefje,' zei Burgess. 'Lucht je hart maar even. Dan voel je je vast een stuk beter.' Hij staarde even naar de plek waar hij haar hart vermoedde alsof hij zijn woorden kracht wilde bijzetten en richtte zich toen weer tot Paul. 'Wat heb je met het mes gedaan?'
'Welk mes?'
'Het mes waarmee je agent Gill hebt neergestoken. Een stiletto. Typisch een wapen voor jou, zou ik zeggen.'
'Ik heb helemaal niemand neergestoken.'
'Och, kom nou toch! Wat heb je ermee gedaan?'
'Ik had verdomme geen mes bij me.'
Burgess zwaaide waarschuwend met een vinger. 'Ik heb je net al gezegd dat je op je woorden moet letten. Heb je alles genoteerd, Hatchley? Deze jongeman ontkent alles.'
'Jawel, hoofdinspecteur.' Hatchley zat op een van de zitzakken en zag er, zo vond Mara, uit als een op het strand aangespoelde walvis.
'We hoeven alleen het mes maar te hebben,' zei Burgess. 'Zodra we eenmaal kunnen bewijzen dat het van jou is, zit je voordat je een vin kunt verroeren in de bak. Met jouw strafblad maak je geen schijn van kans. We kunnen namelijk al aantonen dat jij ter plekke was.'
'Er waren wel honderd mensen daar,' zei Paul.
'O, heb je hen soms geteld? Ik dacht dat je net zei dat je er niet bij was.'
'Dat was ik ook niet.'
'Hoe weet je dat dan?'
'Heb ik in de krant gelezen.'
'Gelezen? Jij? Volgens mij kom jij niet veel verder dan de strippagina.'
'Heel lollig,' zei Paul. 'Maar u kunt het nooit niet bewijzen.'
'Daar heb je misschien wel gelijk in,' zei Burgess. 'Maar bedenk wel dat als ik iets nooit niet kan bewijzen, ik het ooit wél kan bewijzen. En wanneer het eenmaal zover is... wanneer het eenmaal zover is...' De dreiging van zijn

woorden bleef in de lucht hangen en hij sprak nu ook de andere toehoorders toe. Iedereen had zich in de woonkamer verzameld, met uitzondering van Rick, die met de kinderen naar de stad was om nieuwe kleren te kopen. 'De rest van jullie is net zo schuldig,' ging hij verder. 'Wanneer we de bewijslast tegen deze stomme hufter opbouwen, krijgen jullie stuk voor stuk een proces aan je broek wegens het achterhouden van informatie en medeplichtigheid. Dus als iemand van jullie ook maar iets weet, kun je het ons beter nu vertellen. Denk daar maar eens goed over na.'

'We weten helemaal niets,' zei Seth rustig.

'Tja, als jullie het zo willen spelen...' Burgess slaakte een diepe zucht en streek met zijn hand door zijn haren. 'Dan zijn we in een patstelling terechtgekomen.'

'En denkt u maar niet dat we geen klacht indienen over uw behandeling van ons en de klap die u Paul hebt gegeven,' zei Mara.

'Moet je vooral doen, liefje. Alsof mij dat iets kan schelen. Zal ik je eens zeggen wat er dan gebeurt? Als je geluk hebt wordt het doorgespeeld aan mijn chef bij de Yard. Weet je wat dat voor iemand is? Dat is een nog grotere klootzak dan ik. Nee, het is echt beter dat jullie alles bekennen, de waarheid vertellen.'

'Ik heb het u toch al gezegd,' zei Paul. 'Ik weet er helemaal niets vanaf.'

'Goed dan.' Burgess liet zijn sigarenpeuk in het theekopje vallen dat op de leuning van een stoel stond. De hete as belandde sissend in de overgebleven thee. 'Maar dan moeten jullie straks niet beweren dat ik jullie niet heb gewaarschuwd. Kom mee, brigadier. We zullen deze luitjes maar even wat tijd gunnen om erover na te denken. Misschien dat een van hen verstandig wordt en contact met ons opneemt.'

Hatchley krabbelde moeizaam overeind en liep achter Burgess aan naar de deur. 'Maak jullie maar geen zorgen, we komen nog terug,' zei Burgess. Toen ze naar buiten liepen, mepte hij venijnig met een hand tegen het windklokkenspel en grauwde hij: 'Kloteherrie.'

Banks stond met een glas sherry in de hand te wachten tot de dichte drom mensen voor het buffet was uitgedund, voordat hij zelf een papieren bordje vollaadde met koud vlees en salades.

'Zeg, dat is lekker spul wat hier allemaal staat,' zei een grijsharig vrouwtje in een kobaltblauwe jurk tegen een vriendin.

'Aye,' zei deze. 'Stukken beter dan toen bij Ida Latham. Daar hadden ze alleen maar van die stukjes brood zonder korst. Die dingen waren haast nog kleiner dan een postzegel. En nog met komkommer ook. Krijg ik altijd last van winderigheid van, van komkommer.'

'Inspecteur Banks?'
De man die plotseling naast Banks opdook was ongeveer een meter vijfentachtig lang, met een glimmende, kale schedel, pluizig zilvergrijs haar boven zijn oren en een stereotiepe, grijze luchtmachtsnor. Hij droeg een zwarte band om de mouw van zijn donkergrijze pak en een zwarte stropdas. Zelfs het montuur van zijn bril was zwart. Banks knikte.
'Ik dacht al dat u het was,' ging de man verder. 'U ziet er niet uit alsof u familie bent en ik heb u hier ook nog nooit gezien. Hoofdinspecteur Gristhorpe heeft ons laten weten dat u zou komen.' Hij stak zijn hand uit. 'Inspecteur Blake, Scarborough CID.' Banks zette zijn sherryglas op zijn bord en gaf hem een hand.
'Aangenaam,' zei hij. 'Jammer dat we elkaar bij een gelegenheid als deze moeten ontmoeten.'
Ze liepen samen naar een rustiger gedeelte van de gang. Banks zette zijn bord op een tafeltje – hij kon tijdens het praten toch niet eten – en haalde een sigaret tevoorschijn.
'Hoe verloopt het onderzoek?' vroeg Blake.
'Heeft nog niets opgeleverd. Te veel verdachten. In zo'n situatie kan er van alles zijn gebeurd.' Hij keek om zich heen. 'Veel mensen hier. Gill was blijkbaar een populaire vent.'
'Hmmm. Ik heb hem zelf niet zo goed gekend. Het is een vrij groot korps.'
'In elk geval ijverig,' zei Banks. 'Vrijwillig overwerken op vrijdagavond. De meesten van onze mensen zitten op dat tijdstip liever in de pub.'
'Hij had het geld waarschijnlijk nodig. De helft van het land moet het immers van overwerk hebben. Kan ook niet anders, met het salaris dat we verdienen.'
'Dat is waar. Draaide alles bij hem om geld?'
Inspecteur Blake fronste zijn wenkbrauwen. 'Bent u aan het vissen?'
'We weten helemaal niets over Gill,' gaf Banks openhartig toe. 'Hij was niet een van onze mensen. Elk beetje informatie helpt. Dat zult u vast wel begrijpen.'
'Ja zeker. Maar dit is niet bepaald een doorsneezaak, nietwaar?'
'Desondanks...'
'Zoals ik al zei: ik kende hem niet zo goed. Ik heb gehoord dat een of andere whizzkid van de Yard de leiding over het onderzoek heeft.'
Banks drukte zijn sigaret uit en pakte zijn bord op. Hij besefte dat hij niets uit Blake zou loskrijgen, dus at hij tijdens de rest van het oppervlakkige gesprek zijn lunch op. Uit een ooghoek zag hij dat Richmond stond te praten met een van de in uniform gestoken dragers van de kist, waarschijnlijk een van de mannen van het lokale bureau die samen met Gill naar de demonstratie

waren geweest. Ze hadden uiteraard allemaal een verklaring afgelegd, maar niemand had gezien dat Gill werd neergestoken. Hij hoopte dat Richmond meer geluk had dan hijzelf.
Na een minuut of vijf slenterde inspecteur Blake weg en Banks maakte van de gelegenheid gebruik om zijn sherryglas te laten bijvullen. Bij de bar kwam hij naast een andere drager te staan.
Banks stelde zichzelf voor. 'Trieste zaak,' zei hij.
'Aye,' antwoordde agent Childers. Hij was nog jong, begin twintig wellicht. Banks vond het bijzonder irritant dat hij hem tijdens het praten niet aankeek.
'Populaire vent, die Gill,' merkte Banks op.
'O, aye. Eddie hield wel van een lolletje.'
'Echt waar? En gek op zijn werk zeker?'
'Dat zou u wel kunnen zeggen. Bepaalde onderdelen ervan tenminste.'
'Overwerk kwam hem zeker wel goed van pas.'
'Het is altijd fijn om wat extra's te hebben,' zei Childers langzaam. Banks had in de gaten dat hij iets achterhield; hij wist alleen niet zeker of dat werd ingegeven door vriendschap, omstandigheden of plichtsgevoel. Er was echter wel degelijk iets aan de hand. Childers werd zenuwachtig en staarde naar de muur aan de andere kant van de kamer. Ten slotte verontschuldigde hij zich en voegde hij zich bij zijn brigadier.
Banks kreeg zo langzamerhand het idee dat zijn missie tot mislukken was gedoemd. Ook drong het tot hem door dat zijn aanwezigheid straks niet langer op prijs zou worden gesteld als Childers en Blake rondbazuinden dat hij vragen had gesteld. Jezus, dacht hij bij zichzelf, wat een overgevoelig zootje hier. Hij begon zich af te vragen of ze misschien allemaal iets te verbergen hadden.
Banks liep terug naar het buffet voor een portie trifle en manoeuvreerde zich behendig naast de derde drager, een jonge knul met een vollemaansgezicht, felblauwe ogen en dun, strokleurig haar. Hij haalde diep adem, glimlachte en stelde zichzelf voor.
'Ik weet wie u bent, inspecteur,' zei de agent. 'Ernie Childers heeft het me verteld. Ik ben agent Grant, Tony Grant. Ernie heeft me voor u gewaarschuwd. Zei dat u vragen over Eddie Gill stelde.'
'Een routinekwestie, meer niet,' zei Banks. 'Zoals we dat altijd bij elk moordonderzoek doen.'
Grant wierp een blik achterom. 'Moet u eens horen, inspecteur,' zei hij, 'hier kan ik niet met u praten.'
'Waar dan wel?' Banks voelde dat zijn hart sneller begon te kloppen.
'Weet u waar de Angel's Trumpet is?'

Banks schudde zijn hoofd. 'Ik ben hier niet zo goed bekend. Ben hier pas één keer eerder geweest.'
'Het duurt te lang om het uit te leggen,' zei Grant. Ze hadden inmiddels een nagerecht opgeschept en draaiden zich om, om tot de ontdekking te komen dat een van Grants collega's op hen kwam afgelopen.
'Marine Drive, om de hoek van het pretpark,' zei Banks snel uit een mondhoek. Het was de enige plek die hij zo snel kon bedenken. 'Over een uur.'
'Prima,' zei Grant, voordat de brigadier in uniform zich bij hen voegde.
'Fijn dat u kon komen, inspecteur,' zei deze en hij stak zijn hand uit. 'We waarderen het enorm.'
Grant loste op in de mensenmenigte en Banks wisselde enkele oppervlakkige opmerkingen uit met de brigadier, maar in gedachten was hij al bij de ontmoeting die straks zou plaatshebben en de nerveuze, geheimzinnige manier waarop de afspraak tot stand was gekomen.

'Ik voelde me zo smerig,' zei Mara tegen Seth. 'Zoals hij naar me keek.'
'Laat je er niet door kisten. Het is gewoon een truc van hem. Hij probeert je zover te krijgen dat je iets zegt waar je later spijt van krijgt.'
'En Paul dan? Je hebt zelf gezien hoe hij het op hem had gemunt. Wat moeten we daaraan doen?'
Zodra Burgess en Hatchley hun hielen hadden gelicht, was Paul ervandoor gegaan. Hij zei dat hij zich opgesloten voelde en een wandeling over de heide hem goed zou doen. Hij had geen bezwaar gehad tegen Zoe's gezelschap, dus waren Seth en Mara alleen achtergebleven.
'Wat kunnen we er dan aan doen?' zei Seth.
'Je hebt toch ook gezien dat die schoft het op hem had voorzien. Ik zie hem er echt toe in staat om Paul hier straks voor op te laten draaien. Hij heeft tenslotte een strafblad.'
'Daarvoor zal hij dan toch eerst met bewijs moeten komen.'
'Dat kan hij toch zelf fabriceren.'
'Hij kan echt niet zomaar met een of ander oud mes op de proppen komen. Het moet er wel een zijn dat bij de verwonding past. De politie heeft allerlei wetenschappers in dienst. Je kunt die lui echt niet zo gemakkelijk bij de neus nemen, hoor.'
'Misschien niet.' Mara beet op haar onderlip en besloot de gok te wagen. 'Seth? Heb je gezien dat het mes weg is? De oude stiletto die op de schoorsteen lag?'
Seth staarde haar even zwijgend aan. Er lag een trieste blik in zijn bruine

ogen en de wallen eronder duidden op slaapgebrek. 'Ja,' zei hij, 'dat heb ik inderdaad gezien. Maar ik heb er niets van gezegd. Ik wilde geen paniek veroorzaken. Hij komt vast en zeker wel weer boven water.'
'Maar stel nu eens dat... dat het hét mes was?'
'Och, kom nu toch, Mara, dat geloof je toch zeker zelf niet? Er zijn duizenden stiletto's in dit land. Waarom zou het dan nu net deze zijn? Waarschijnlijk heeft iemand hem even meegenomen. Hij komt echt wel weer terug.'
'Ja. Maar stel nu eens dat. Ik bedoel, Paul kan het toch hebben meegenomen?'
Seth trommelde met zijn vingers op de leuning van de stoel. 'Je weet zelf ook hoeveel mensen hier vrijdagmiddag waren,' zei hij. 'Ieder van hen kan het mes hebben meegenomen. Wanneer heb je hem bijvoorbeeld voor het laatst daar zien liggen?'
'Dat weet ik niet meer.'
'Zie je nu wel? En het is nog altijd niet gezegd dat dit het mes is dat bij de moord is gebruikt. Misschien heeft iemand het gepakt en is hij vergeten dat te zeggen.'
'Zou kunnen.' Maar Mara was niet overtuigd. Het was wel heel toevallig dat die politieagent met een stiletto was gedood net nu hun stiletto van de schoorsteen was verdwenen. Ze vond eigenlijk dat Seth zich met zijn verklaring aan een strohalm vastklampte, hoe graag ze ook wilde geloven dat hij gelijk had.
'Mooi,' zei hij. 'Waarom zou je ervan uitgaan dat het Paul was, alleen omdat hij een gewelddadig verleden heeft? Hij is veranderd. Je redeneert nu net als de politie.'
Mara had Seth graag over het bloed verteld, maar ze kon het niet. Op een of andere manier was die informatie in combinatie met al het andere zo onherroepelijk, zo belastend.
Ze zou contact opnemen met de vriendin van Dennis Osmond, Jenny. Mara mocht haar graag, ook al was ze van Osmond zelf heel wat minder zeker. Bovendien was Jenny psychologe. Mara kon haar een hypothetisch geval voorleggen dat gebaseerd was op Pauls achtergrond en haar vragen of er een reële kans bestond dat een dergelijk iemand gevaarlijk was. Ze kon altijd zeggen dat ze achtergrondonderzoek deed voor een verhaal of iets dergelijks. Jenny zou haar vast wel geloven.
'Misschien kan hij maar beter weggaan,' zei Seth na een tijdje.
'Paul? Waarom?'
'Dat is misschien wel het beste voor hem. Voor ons allemaal. Totdat alles is overgewaaid. Je hebt zelf gezien hoezeer dit alles hem aangrijpt.'

'Het grijpt ons allemaal enorm aan,' zei Mara. 'Jou ook.'
'Jawel, maar...'
'Waar moet hij dan naartoe? Je weet toch dat hij verder niemand heeft?'
Ondanks haar bange voorgevoelens nam Mara het nu voor Paul op. Ze begreep haar eigen gevoelens niet, maar wilde hem ook niet zomaar opgeven en wegsturen, ook al verdacht ze hem van iets ergs.
Seth tuurde naar de vloer.
'Het zou geen goede indruk maken,' betoogde Mara. 'De politie denkt dan beslist dat hij is weggelopen omdat hij schuldig is.'
'Laat hem dan maar blijven. Je moet zelf beslissen wat je liever hebt.'
'Geef je dan helemaal niets om hem?'
'Ja, natuurlijk geef ik wel om hem. Daarom stelde ik ook voor dat hij een tijdje zou weggaan. Kom, Mara, je zult moeten kiezen, je kunt het niet allebei hebben. Als ik voorstel dat hij weggaat, ben ik wreed en als hij blijft, moet hij ongetwijfeld nog heel wat meer slikken van die fascistische klootzak die hier vanmiddag was. Wat wil je? Denk je dat hij het aankan? Onthou goed hoe hij reageerde op het gesprekje van vandaag. Dat was niets in vergelijking met wat hem te wachten staat als ze hem op het bureau willen verhoren. En wij kunnen hem niet beschermen. Nou? Denk je echt dat hij dat aankan?'
'Dat weet ik niet.' Het was plotseling allemaal nog ingewikkelder geworden, besefte Mara. 'Ik wil wat het beste is voor Paul.'
'Dan vragen we het aan hemzelf. We kunnen dit niet voor hem beslissen.'
'Nee! We moeten achter hem staan. Als we dit met hem bespreken, denkt hij misschien wel dat wij geloven dat hij het heeft gedaan en hem hier weg willen hebben.'
'Maar als we hem willen vragen of hij zelf een tijdje weg zou willen, totdat alles weer een beetje is bedaard, zullen we het er toch met hem over moeten hebben.'
'Dan doen we maar niets. Als hij wil blijven, blijft hij; wij zullen hoe dan ook achter hem staan. En als hij weggaat, is dat zijn eigen beslissing. We gaan hem niet dwingen om te vertrekken. Hij is niet gek, Seth, hij heeft heus wel door dat hem nog heel wat ellende van de politie te wachten staat. Hij mag niet het idee krijgen dat wij ook tegen hem zijn.'
'Oké.' Seth knikte en stond op. 'Dan laten we het zo. Ik moet nu nodig aan de slag met die oude buffetkast. Ik ben toch al laat. Gaat het een beetje met jou?'
Mara keek naar hem op en glimlachte. 'Ik red me wel.'
'Mooi.' Hij bukte zich om haar een zoen te geven en liep toen door de achterdeur naar zijn werkplaats.

Mara voelde zich echter verre van oké. Eenmaal alleen haalde ze zich allerlei vreselijke dingen in haar hoofd. Aanvankelijk had ze gedacht dat het leven op Maggie's Farm haar de stabiliteit, liefde en vrijheid bood waarnaar ze altijd op zoek was geweest, maar nu leek die wereld stuurloos en op hol geslagen. Ze voelde zich net als tijdens de lichte aardbeving die ze met Matthew in Californië had meegemaakt toen ze, vele lichtjaren geleden, met hem door de Verenigde Staten reisde. Plotseling hadden de vloer van hun kamer, de fundering van het huis en de solide aarde waarop dit was gebouwd, net zo onstabiel geleken als water. Er was een vluchtige trilling in de grond geweest en datgene wat zij altijd als duurzaam had beschouwd, bleek fragiel, onbetrouwbaar en vergankelijk te zijn. De aardbeving had slechts tien seconden geduurd en had hooguit vijf op de schaal van Richter gemeten, maar de indruk die hij op haar had gemaakt, was haar altijd bijgebleven. En nu was hij terug, sterker dan ooit.
Tussen de rommelige verzameling schelpen, kiezelstenen, fossielen en veren op de schoorsteenmantel kon ze nog net de vage omtrek ontwaren van de plek waar het mes had gelegen. Ze stofte de schoorsteen af en was dankbaar dat de politie op zoek was geweest naar tastbare zaken en niet naar voorwerpen die er niet meer waren.

Banks reed via Foreshore Road en Sandside langs de oude haven. De gokhallen en souvenirwinkels waren allemaal gesloten. In het zomerseizoen verdrongen hele drommen vakantiegangers zich altijd bij de rekken met humoristische ansichtkaarten, stonden tieners in de rij bij het spookhuis en trokken kinderen hun ouders aan de hand mee naar de kraampjes met suikerspinnen en zuurstokken. Nu was de boulevard echter verlaten. Zelfs aan de zeezijde stond geen enkel kraampje waar kokkels, alikruiken en gerookte garnalen werden verkocht. Er hing een dik pak wolken boven het stadje en de zee klotste als gesmolten metaal tegen de met zeepokken bedekte kademuren. Vissersboten rukten aan hun touwen en talloze stapels kreeftenfuiken stonden wankel langs de kade opgesteld. De kasteelruïne, die op haar rots hoog boven het tafereeltje uittorende, was net het decor uit een zwart-withorrorfilm.
Banks zette Richmond af bij een pub vlak bij de West Pier, vervolgde zijn weg langs Marine Drive en zette zijn auto achter de afgesloten kermisattracties. Hij knoopte zijn regenjas goed dicht en wandelde langs het pad dat om de landtong tussen de hoge klippen en de zee door voerde. Borden op de helling waarschuwden voor vallend gesteente. Golven beukten tegen de zeewering en spatten het wegdek nat.

Tony Grant was er al en staarde tegen de reling geleund naar het punt in de verte waar zee en lucht in één grijze massa samenvloeiden. Hij had een dikke, donkerblauwe winterjas aan waarvan de capuchon over zijn schouders bungelde en zijn dunne haar wapperde in de wind. Een eenzame tanker bewoog zich traag langs de horizon.

'Dit vind ik het prettigst,' zei hij toen Banks naast hem kwam staan. 'Als u het tenminste niet erg vindt om een beetje nat te worden.'

Ze keken beiden uit over het onstuimige water. Er hing een zilte nevel in de lucht en toen Banks diep inademde voelde hij hoe de ozon zijn longen schoonfilterde. Hij rilde en vroeg: 'Wat wilde je me vertellen?'

Grant aarzelde. 'Moet u horen, inspecteur,' zei hij, nadat hij een halve minuut zwijgend naar de tanker had getuurd, 'ik wil niet dat u het verkeerd opvat. Ik ben geen verklikker of zo. Ik zit nog niet zo heel lang bij het korps en over het geheel genomen heb ik het er erg naar mijn zin. Ik had dit niet verwacht, in het begin niet tenminste, maar het is toch zo. Ik wil bij de politie blijven werken.' Hij keek Banks gespannen aan. 'Ik zou graag bij de CID willen. Ik ben niet dom; ik heb een goed stel hersens. Ik heb aan de universiteit gestudeerd en had zo in het onderwijs terechtgekund – dat was ik aanvankelijk ook van plan – maar ja, u weet hoe het ervoor staat op de arbeidsmarkt. Het enige waar tegenwoordig nog plek is, is bij de politie. Dus heb ik me aangemeld. En zoals ik al zei: het bevalt me wel. Het is een uitdaging.'

Banks pakte een sigaret en schermde de blauwe Bic-aansteker met zijn hand af. Het duurde even voordat de vlam lang genoeg bleef branden. Hij wilde maar dat Grant ter zake kwam, maar wist dat hij geduldig moest blijven luisteren. Die jongen stond op het punt tegen zijn collega's in te gaan en een van hen te verraden. Dat Banks eerst diens rechtvaardiging voor zijn daad moest aanhoren, zoals hij al vele malen eerder had gedaan, was de prijs die hij daarvoor nu eenmaal moest betalen.

'Het zit namelijk zo,' ging Grant verder, 'dat ik... nou ja... dat het er niet zo fatsoenlijk aan toegaat als ik had verwacht.'

Naïeve opdonder, dacht Banks. 'Het is net als met de rest van deze wereld,' zei hij bemoedigend tegen de jongeman. 'Waar je ook bent en wat je ook doet, er zitten altijd ontzettend veel hufters bij. Misschien trekt ons vak net iets meer pestkoppen, luie opsodemieters, sadisten en dergelijken aan dan andere beroepen. Dat wil echter niet zeggen dat we allemaal zo zijn.' Banks nam een trekje van zijn sigaret. Hij smaakte anders, vermengd met de zeelucht. Onder hen brak een golf op de muur en de fijne spray kwam op hun voeten terecht.

'Ik begrijp wat u bedoelt,' zei Grant, 'en ik denk ook dat u gelijk hebt. Ik wilde u alleen duidelijk maken aan welke kant ik sta. Ik geloof niet dat het doel de middelen heiligt. Voor mij zijn mensen onschuldig totdat hun schuld is bewezen, zoals het gezegde luidt. Ik behandel mensen met respect, ongeacht hun huidskleur, kleding of haardracht. Ik zal niet zeggen dat ik hun levenswijze ook altijd goedkeur, maar ik ben niet gewelddadig.'

'En Gill wel?'

'Ja.' Een enorme golf naderde met witschuimende toppen de muur en ze deden allebei snel een paar stappen achteruit om de waterspetters te ontlopen. Desondanks konden ze niet voorkomen dat ze nat werden en Banks' sigaret was doorweekt. Hij gooide hem weg.

'Was dit algemeen bekend?'

'O, aye. Hij kwam er rond voor uit. Ziet u, bij Gill draaide het bij overwerk niet alleen om geld. Het was natuurlijk een leuke bijkomstigheid, maar hij vond het werk zelf nog leuker, als u me kunt volgen.'

'Ik geloof het wel. Ga verder.'

'Gill was erg goed met zijn wapenstok. En hij genoot ervan. Wanneer er mensen nodig waren voor surveillancewerk tijdens demonstraties, stakingen en dergelijke stond hij altijd vooraan in de rij. Het is begonnen met die mijnstaking, toen ze vanuit het hele land politiemensen opriepen. Hij was zo'n gozer die treiterend met een stapel vijfpondbiljetten naar de stakende mijnwerkers zwaaide voordat hij hen in elkaar sloeg. Hij had ook getraind met de Tactical Aid Group.'

De TAG was een soort team binnen een team, wist Banks. De leden kregen een bijna militaire training en leerden hoe ze pistolen, rubberen kogels en traangas moesten gebruiken. Aan het eind van de training keerden ze terug naar hun normale werkzaamheden, maar ze bleven oproepbaar voor bijzondere situaties, zoals demonstraties en stakingen. De officiële benaming was inmiddels veranderd in PSU – Police Support Unit – omdat de TAG's nogal wat negatieve publiciteit over zichzelf hadden afgeroepen en eerder aan knokploegen deden denken. Die naamsverandering had echter vrijwel net zo weinig effect als die van Windscale in Sellafield; een kerncentrale blijft een kerncentrale, welke naam je hem ook geeft...

'Heeft hij zich in Eastvale ook zo gedragen?' vroeg Banks.

'Ik zou het niet durven zweren, maar ik ben er vrij zeker van dat Gill degene was die de aanval heeft ingezet. Ziet u, de situatie werd een beetje hachelijk. We stonden allemaal zo enorm dicht op elkaar. Gill stond met nog een paar anderen rustig boven aan de trap te kijken naar al die mensen die duwden en trokken; niet dat je veel kon zien, hoor, het was daar zo godvergeten donker met die ouderwetse straatlantaarns. Hoe dan ook, een van de demonstranten gooide met een fles en toen riep iemand boven me: "Sla die hufters in elkaar." Ik dacht dat het Gills stem was. Toen vielen ze de mensen beneden aan en... nu ja, u weet hoe dat is afgelopen. Het had niet gehoeven, dat is eigenlijk wat ik wilde zeggen. Tuurlijk, de sfeer was vrij agressief, maar als iemand ons opdracht had gegeven om niet zo moeilijk te doen en de mensen een beetje ruimte te geven, dan was er niets aan de hand geweest. In plaats daarvan gaf Gill het sein voor een aanval met de wapenstokken. Ik weet dat dienders elkaar de hand boven het hoofd moeten houden, maar...' Grant staarde naar de zee en huiverde.

'In een aantal gevallen moeten we elkaar inderdaad de hand boven het hoofd houden,' zei Banks, 'maar een geval als dit hoort daar niet bij. Gill is vermoord, vergeet dat niet.'

'Maar ik zou het niet durven zweren. Ik bedoel, niet officieel...'

'Maak je maar geen zorgen. Dit is officieus.' Voorlopig tenminste, voegde hij er in gedachten aan toe. Mocht hun gesprek ergens toe leiden, dan zou de jonge Grant zich op een later tijdstip wellicht nog voor enkele lastige beslissingen geplaatst zien. 'Wat vonden de anderen van Gill?' vroeg hij.

'O, de meesten vonden het wel grappig, een goede grap. Gill had het altijd over het in elkaar slaan van homo's en communisten. Ik geloof niet dat ze hem werkelijk serieus namen.'

'Maar het ging toch verder dan pure grootspraak? Je zegt net dat hij ervan genoot om mensen te slaan.'

'Ja. Hij was echt een schoft.'

'Dat moet iedereen dan toch hebben geweten?'

'Jawel, maar...'

'Keurden ze zijn gedrag goed?'

'Nou nee, zo zou ik het niet willen zeggen. Een paar van hen misschien wel... ik in elk geval niet.'

'Maar niemand heeft hem er ooit op aangesproken, hem gezegd dat hij ermee moest kappen?'

Grant zette zijn kraag op. 'Nee.'

'Waren ze bang voor hem?'

'Sommigen wel, ja. Hij was nogal een lastig portret.'

'En jij?'

'Ik? Nou nee, ik durfde het niet tegen hem op te nemen, dat is één ding dat zeker is. Ik ben amper lang genoeg om bij de politie te mogen en Gill was een beer van een vent.'

Een zeemeeuw zwierde krijsend langs hen heen, een witte flits tegen het grijs, en vloog al zoekend naar vis rondjes boven het water. De tanker aan de horizon was een heel eind naar rechts opgeschoven. Banks voelde dat de kou door zijn jas heen drong. Hij duwde zijn handen diep in zijn zakken en dook een beetje in elkaar tegen de koude, natte wind.
'Waren er ook mensen die hem wel graag mochten?' vroeg hij. 'Had hij echte vrienden op het bureau?'
'Ik zou zo zeggen van niet, nee. Hij was gewoon geen leuke vent. Veel te verwaand, te vol van zichzelf. Je kon bijvoorbeeld geen normaal gesprek met hem voeren; je moest altijd naar hem luisteren. Hij had overal een mening over, maar hij was zo dom als het achtereind van een varken. Hij dacht nooit ergens over na. Alles was altijd de schuld van Pakistanen en rasta's en studenten en skinheads en werkloze nietsnutten.'
'Dus hij was niet echt populair op het bureau?'
'Niet echt. Maar u weet hoe dat gaat. Zet een paar kerels – vooral die lui met een TAG-training – in de gemeenschappelijk werkruimte bij elkaar en je krijgt vanzelf van die macho stoeremannenpraat, zoals je in al die Amerikaanse politieseries ook hebt. Daar was hij goed in, Gill, met zijn verhalen over knokpartijen en gevaarlijke stunts.'
'Zitten er nog meer van die types bij jullie op het bureau?'
'Niet zo erg als hij. Er zijn er een paar die wel van een stevig robbertje houden op zijn tijd en sommigen pakken wel eens puur voor de lol jongeren op van de straat om een beetje leven in de brouwerij te brengen op een rustige avond. Maar niemand maakt het zo bont als Gill.'
'Had hij buiten het bureau om veel vrienden?'
'Ik heb geen flauw idee met wie hij buiten werktijd omging.'
'Had hij een vriendin?'
'Dat weet ik niet. Ik heb hem er nooit over gehoord.'
'Dus hij schepte niet op over vrouwen zoals hij dat over mensen in elkaar slaan wel deed?'
'Nee. Voorzover ik weet niet tenminste. Als hij het al over vrouwen had, dan was het altijd: die stomme hoeren en trutten. Hij was nogal grof in de mond. Hij sloeg hen ook, bij demonstraties en zo. Het maakte hem niet uit wie hij raakte.'
'Denk je dat hij het type was om met de vriendin of vrouw van een ander te rotzooien?'
Grant schudde zijn hoofd. 'Niet dat ik weet.'
De zeemeeuw vloog met een wild spartelende vis in zijn snavel langs de rots

achter hen omhoog. De zee was bedaard tot een ritmisch geklots tegen de stenen muur en ze hoefden niet meer bang te zijn voor opspattend water. Banks durfde het nu wel aan om een nieuwe sigaret op te steken.

'Had Gill vijanden?'

'Hij zal er, zeker gezien zijn houding naar de burgers toe, door de jaren heen vast en zeker heel wat hebben gemaakt,' zei Grant. 'Maar ik zou niemand met naam en toenaam kunnen noemen.'

'Iemand van het politiekorps?'

'Hè?'

'Je zei net dat niemand op het bureau hem echt graag mocht. Had iemand wellicht een gegronde reden om een hekel aan hem te hebben? Was hij iemand geld schuldig, bedroog hij mensen, gokte hij? Had hij misschien financiële problemen?'

'Volgens mij niet. Hij joeg mensen gewoon snel tegen zich in het harnas, meer niet. Hij had het wel eens over de paardenraces, dat wel, maar ik geloof niet dat hij daar vaak geld op inzette. Het was typisch zo'n machoding dat bij zijn imago hoorde. Hij heeft in elk geval nooit gevraagd of hij geld van me kon lenen, als u dat soms bedoelt. En ik denk niet dat hij corrupt was. In dat opzicht was hij volgens mij wel eerlijk.'

Banks ging met zijn rug naar het deinende water staan en tuurde naar het duistere silhouet van het vervallen kasteel. Vanaf de plek waar hij stond kon hij niet veel zien; de steile helling, waar vele zeevogels hun nest hadden, was een bont palet van gras, mos en kale steen. 'Is er verder nog iets wat je me kunt vertellen?' vroeg hij.

'Nee, volgens mij niet. Ik vond gewoon dat u moest weten dat al dat gepraat op de begrafenis onzin was. Gill was een akelige hufter. Ik zeg niet dat hij zijn verdiende loon heeft gekregen, want wat hem is overkomen wens je niemand toe, maar wie het zwaard opneemt...'

'Had jij zelf een bepaalde reden om een hekel te hebben aan Gill?'

Grant werd overvallen door de vraag. 'Ik? Hoe bedoelt u dat?'

'Precies wat ik zeg. Heeft hij jou persoonlijk wel eens iets aangedaan?'

'Nee. Hoor eens, inspecteur, als het u om mijn beweegredenen te doen is, neemt u dan maar van mij aan dat het echt is gegaan zoals ik het u heb verteld. Ik hoorde dat u navraag deed naar Gill en vond dat iemand u de waarheid moest vertellen. Ik ben heus niet iemand die over de overledenen roddelt, omdat ze zichzelf toch niet meer kunnen verdedigen.'

Banks glimlachte. 'Let maar niet op mij, ik ben een cynische oude man. Het is lang geleden dat ik zo'n jonge idealist als jij bij de politie heb ontmoet.'

Banks moest aan hoofdinspecteur Gristhorpe denken, die er wel in was geslaagd door de jaren heen een zeker idealisme te behouden. Hij was echter iemand van de oude garde; bij jongeren kwam die eigenschap tegenwoordig nog maar zelden voor, had Banks ontdekt, en al helemaal bij jongeren die bij de politie werkten. Zelfs Richmond kon met de beste wil van de wereld geen idealist worden genoemd. IJverig, dat wel, maar ook bijzonder praktisch ingesteld.

Er verscheen een mager glimlachje op Grants gezicht. 'Aardig van u om dat te zeggen, maar het is niet helemaal waar. Ik heb afgelopen vrijdag tenslotte net als alle anderen op hen ingeslagen,' zei hij. 'En weet u wat?' De woorden bleven in zijn keel steken en hij durfde Banks niet aan te kijken. 'Na een tijdje kreeg ik er zelf ook lol in.'

Oké, dacht Banks bij zichzelf, misschien had Grant hem alles wel verteld omdat hij zich ervoor schaamde dat hij zich net als Gill had gedragen en had genoten van de vechtpartij. Het was beslist niet ongebruikelijk dat mensen zich bij zoiets door hun opwinding lieten meeslepen; een vrijgekomen stoot adrenaline werkte maar al te vaak als stimulans bij mensen die normaal gesproken elke gewelddadige confrontatie zo snel mogelijk uit de weg gingen. Het zat Grant echter duidelijk dwars. Wellicht was dit voor hem een manier om Gills duivelse nalatenschap uit zich te verdrijven. Wat zijn beweegredenen ook waren, hij had Banks in elk geval heel wat gegeven om over na te denken.

'Dat gebeurt vaker dan je denkt,' zei Banks bij wijze van geruststelling. 'Maak je er niet al te druk om. Zeg, zou je iets voor me willen doen?' Ze draaiden zich om en liepen terug naar hun auto.

Grant schokschouderde. 'Hangt ervan af.'

'Ik zou graag iets meer informatie willen over Gills overwerk, waar hij is geweest en wanneer, bijvoorbeeld. Daar zou een overzicht van moeten zijn. Verder zou ik er ook enorm mee gebaat zijn als ik kon achterhalen of er ooit een officiële aanklacht tegen hem is ingediend en als ik iets meer over zijn privéleven wist.'

Grant fronste zijn wenkbrauwen en duwde zijn tong in zijn linkerwang, alsof hij een pijnlijke zweer in zijn mond had. 'Tja, nou ja,' zei hij uiteindelijk en hij tastte onbeholpen in de zak van zijn jas naar zijn autosleutels. 'Ik wil niet dat ze me betrappen. Als ze wisten dat ik hier met u heb staan praten, zouden ze me het leven al zuur maken. Kunt u niet gewoon zijn personeelsdossier opvragen?'

Banks schudde zijn hoofd. 'Mijn baas wil niet dat bekend wordt dat we Gill natrekken. Hij zegt dat het een verkeerde indruk maakt. Maar als we het doen zonder dat iemand er iets van merkt... Stuur het voor alle zekerheid maar naar mijn privéadres.' Banks krabbelde zijn adres op een kaartje en overhandigde dat aan Grant.

Grant stapte in zijn auto en draaide het raampje open. 'Ik kan niets beloven,' zei hij, 'maar ik zal zien wat ik kan doen.' Hij liet zijn tong over zijn lippen glijden. 'Als dit alles tot een belangrijke ontdekking leidt...' Hij zweeg.

Banks boog zich voorover, met een hand op het natte autodak leunend.

'Nu ja,' ging Grant verder, 'u moet niet denken dat ik iets van u wil, maar onthoudt u wel dat ik heb verteld dat ik graag bij de CID zou willen?' En hij glimlachte, een enorme, brede, onschuldige, trouwhartige glimlach.

Verdorie, die knul is ook niet op zijn achterhoofd gevallen. Banks kon geen hoogte van hem krijgen. Aanvankelijk had hij zich zo moralistisch opgesteld dat Banks vermoedde dat de Kerk een grote rol had gespeeld in zijn verleden. Ondanks al zijn idealisme en respect voor de wet kon hij echter evengoed een jonge Dirty Dick in wording zijn. Aan de andere kant was dat verdomde glimlachende vollemaansgezicht zo ontzettend engelachtig...

'Ja zeker,' zei Banks en hij beantwoordde zijn glimlach. 'Maak je geen zorgen, ik zal je niet vergeten.'

6

In de zijstraten tussen York Road en Market Street, vlak bij de plek waar Banks woonde, hadden projectontwikkelaars lange rijen hoge, victoriaanse eengezinswoningen omgebouwd tot studentenflats. In een ervan, een tweekamerappartement op zolder, woonden Tim Fenton en Abha Sutton.
Tim en Abha vormden een niet direct voor de hand liggend paar en waren twee nog minder voor de hand liggende revolutionairen. Tim had het knappe, blonde uiterlijk van een typische Amerikaanse corpsbal met de bijbehorende kledingkeuze. Abha, die half Indiaas was, had een goudbruine huid, gitzwart haar en een piercing in haar linkerneusgat. Zij studeerde grafisch ontwerpen; Tim had zich op maatschappijleer gestort. Ze zagen het marxisme als de oplossing voor alles wat er mis was met de wereld, maar benadrukten altijd direct dat ze het communisme in de Sovjet-Unie als een extreme verdraaiing van de waarheid van de profeet beschouwden. Ze waren beiden over het algemeen welgemanierd en niet het soort mensen dat de politie voortdurend uitscheldt voor alles wat mooi en lelijk is.
Ze zaten samen op een versleten bank onder een Che Guevara-poster en Banks had het zich gemakkelijk gemaakt op een tweedehands stoel op wieltjes bij het bureau. Op het scherm van de computer knipperde de cursor en de tafel, vloer en alle stoelen waren bedolven onder enorme stapels papier en boeken.
Nadat hij uit Scarborough was teruggekeerd, had Banks nog net even tijd gehad om bij het bureau aan te wippen en te zien wat Special Branch had afgeleverd. Zoals gewoonlijk bevatten hun dossiers ongeveer net zoveel informatie als Kojaks hoofd haren telde en waren deze gebaseerd op feiten die net zo weinig om het lijf hadden als de string van een stripper. Tim Fenton kwam erin voor omdat hij eens een congres in Slough had bezocht dat werd gesponsord door Marxism Today en omdat sommige sprekers daar ervan werden verdacht voor de Russen te werken. Dennis Osmond had de aandacht van de Branch getrokken omdat hij tijdens de mijnwerkersstaking voor diverse socialistische bladen een reeks fel tegen de regering gekante artikelen had geschreven en een aantal politiek getinte demonstraties had georganiseerd, met name gericht tegen de aanwezigheid van het Amerikaanse leger in Europa. Zoals Banks al had verwacht, bevatten hun misdaden tegen het

koninkrijk amper voldoende grond voor verbanning of executie.
Zoals te verwachten was, gedroegen Tim en Abha zich na Burgess' bezoek tamelijk vijandig en voorzichtig. Banks had tot dan toe op goede voet met hen gestaan na een succesvol verlopen onderzoek naar een reeks inbraken die in november van het jaar ervoor in studentenwoningen had plaatsgevonden. Zelfs marxisten, zo was maar weer gebleken, hechtten waarde aan hun stereo en televisie. Nu waren ze echter behoedzaam en weinig mededeelzaam. Er was een lang gesprek over koetjes en kalfjes nodig voordat ze zich een beetje ontspanden en openhartig met hem wilden praten. Toen Banks eindelijk de demonstratie ter sprake bracht, vereenzelvigden ze hem in elk geval niet langer met Burgess.
'Hebben jullie iets gezien?' was Banks' eerste vraag.
'Nee, dat kon helemaal niet,' antwoordde Tim. 'We stonden midden in de mensenmassa. Een van de agenten schreeuwde iets en zo is het begonnen. Het was één grote chaos en we hadden het veel te druk met onszelf in veiligheid te brengen om te kunnen zien wat er verder gebeurde.'
'Jullie waren toch betrokken bij de organisatie van de demonstratie?'
'Ja. Maar dat wil nog niet zeggen dat...'
Banks stak een hand op. 'Dat weet ik,' zei hij. 'En dat is ook niet wat ik bedoelde. Hadden jullie de indruk dat een van de andere betrokkenen misschien naast het protesteren tegen de komst van Honoria Winstanley nog iets anders van plan was?'
Ze schudden beiden ontkennend hun hoofd. 'Toen we op de boerderij bij elkaar waren,' legde Abha uit, 'was iedereen gewoon enorm opgetogen over het feit dat we in zo'n conservatief plaatsje als Eastvale een demonstratie konden organiseren. Ik weet heus wel dat er niet veel mensen waren, maar wij vonden het al heel wat.'
'De boerderij?'
'Ja. Maggie's Farm. Kent u het?'
Banks knikte.
'Ze hadden ons uitgenodigd om daar spandoeken en zo te komen maken,' zei Tim. 'Afgelopen vrijdagmiddag. Het zijn fantastische mensen; ze hebben het echt heel goed voor elkaar. Kijk maar naar Seth en Mara, dat zijn net twee van die oude, onafhankelijke ambachtslieden; ze doen wat ze willen en weten zich buiten de regeltjes om te redden. En Rick is een vrij felle marxist.'
'Ik dacht dat hij kunstenaar was.'
'Dat is hij ook,' zei Tim en hij keek beledigd. 'Hij probeert alleen geen commerciële dingen te schilderen. Hij is tegen het idee van kunst als handelswaar.'

De aardige aquarel die Banks tegen de schoorsteenmantel in Maggie's Farm had zien staan, kon dus niet van Rick zijn.
'En Paul Boyd?'
'We kennen hem niet zo goed,' zei Abha. 'En hij zei ook bijna niets. Een van de onderdrukten van de maatschappij, zou ik zeggen.'
'Zo kun je het ook noemen, ja. En Zoe?'
'Och, Zoe is best oké,' zei Tim. 'Ze gelooft heilig in al die burgerlijke, spirituele onzin – een beetje een navelstaarder – maar in wezen is het geen kwaad mens.'
'Weten jullie iets over hun achtergrond, waar ze vandaan komen?'
Ze schudden hun hoofd. 'Nee,' zei Tim ten slotte. 'We praten eigenlijk alleen maar over hoe het eraan toegaat in de wereld, hoe we dat kunnen veranderen, dat soort dingen. En de politiek natuurlijk. Rick is woest over zijn scheiding en zo, maar verder dan dat gaat de persoonlijke info niet.'
'Dus jullie weten verder niets over hen?'
'Nee.'
'Wie waren er nog meer bij?'
'Alleen wij en Dennis.'
'Osmond?'
'Dat klopt.'
'Kan een van jullie zich nog herinneren of je daar die dag een stiletto hebt zien liggen, of er iemand over hebt horen praten?'
'Nee. Daar zat die andere kerel ook zo over door te zagen,' zei Tim een tikje zenuwachtig. 'Die lul van een Burgess. Hij begon steeds weer over een stiletto.'
'Hij stond echt op het punt ons ervan te beschuldigen dat we die agent hadden vermoord,' zei Abha.
'Zo is hij nu eenmaal. Ik zou me er als ik jullie was maar niet al te druk over maken. Heeft iemand tijdens die vergadering de naam Gill laten vallen?'
'Voorzover ik weet niet,' zei Tim.
'Ik ook niet,' zei Abha.
'Hebben jullie wel eens iemand over hem horen praten? Dennis Osmond, bijvoorbeeld? Of Rick?'
'Nee. Het enige wat we van hem wisten,' zei Abha, 'was dat hij met de TAG-groep trainde en het leuk vond om tijdens massabijeenkomsten mensen op afstand te houden. U weet wel: demonstraties, stakingen, dat soort gelegenheden.'
Banks draaide zich snel om en de stoel kraakte protesterend. 'Hoe wisten jullie dat?'

'Dat hebben we ergens gehoord,' zei Abha. 'We houden...'
Tim gaf haar een por in haar ribben en ze zweeg.
'Wat ze bedoelt,' zei hij, 'is dat je, wanneer je hier in deze omgeving bij de politiek betrokken bent, er heel snel achter komt voor welke mensen je moet oppassen. De politie houdt ons bijvoorbeeld toch ook in de gaten? Ik weet in elk geval vrij zeker dat Special Branch een dossier over mij bijhoudt.'
'Dat is inderdaad waar,' zei Banks en hij glimlachte inwendig over het absurde van de hele situatie. Spelletjes. Kinderspelletjes, meer niet. 'Was dit bij veel mensen bekend? Wist iedereen dat het te verwachten was dat Gill die avond bij de demonstratie zou zijn?'
'Iedereen die betrokken was bij de organisatie van de demonstratie wel, natuurlijk,' zei Tim. 'En iedereen die al eens eerder bij een demonstratie in Yorkshire was geweest. Zoals hij zijn er godzijdank niet zoveel. Hij had echt een bar slechte reputatie.'
'Maar wisten jullie ook daadwerkelijk dat hij die avond zou werken?'
'Nee, dat niet. Voor hetzelfde geld had hij griep gehad of een gebroken been.'
'Maar afgezien daarvan?'
'Afgezien daarvan stond hij erom bekend dat hij zelden een gelegenheid als deze oversloeg. Hoor eens, ik begrijp niet waar dit allemaal toe dient,' zei Tim, 'maar ik vind wel dat u moet weten dat we nog steeds van plan zijn zelf een onderzoek in te stellen.'
'Naar de moord?'
Tim keek hem niet-begrijpend aan. 'Nee. Naar het gewelddadige gedrag van de politie. We komen over een paar dagen weer allemaal bij elkaar op de boerderij om aantekeningen te vergelijken.'
'Goed, laat het me dan maar weten als je iets over de dood van agent Gill ontdekt.'
Banks keek op zijn horloge en stond op. Het was tijd om te gaan en zich voor te bereiden op zijn etentje met Jenny. Nadat hij afscheid had genomen en langs de halfdonkere trap naar buiten was gelopen, bedacht hij dat het bijzonder vreemd was dat alle wegen steeds maar weer naar Maggie's Farm leken te leiden. Daarbij kwam ook nog eens dat bijna iedereen die erbij betrokken was geweest, had kunnen weten dat Gill die avond hoogstwaarschijnlijk aanwezig zou zijn. Als mensen in elkaar slaan Gills hobby was geweest, bestond er een gerede kans dat iemand wraakgevoelens jegens hem koesterde. Hij wilde maar dat Tony Grant een beetje opschoot en de informatie uit Scarborough opstuurde.

Mara trok de legerjas aan die ze bij de dump had gekocht en liep langs het pad in de richting van Relton. Het was inmiddels donker geworden en de sterren stonden als glinsterende stukjes ijs aan de heldere hemel. De heuvels en stroken kalksteen in de verte waren slechts vage schimmen, zwart tegen een zwarte achtergrond. De maansikkel was goed zichtbaar en hing een beetje scheef als een decorstuk bij een variétévoorstelling. Mara verwachtte bijna een mannetje te zien dat met hoge hoed, cape en wandelstok dansend zijn weg langs de hemel baande. Het grind kraakte terwijl ze erop liep en de wind joeg fluitend door de gaten in de met mos begroeide stapelmuur. In de verte fonkelden de lichten van de cottages en dorpjes in de Dale als sterretjes. Ze zou met Jenny gaan praten, had ze bedacht, en ze stopte haar handen nog dieper in haar zakken en dook met haar hoofd tussen haar schouders tegen de kou. Jenny kende inspecteur Banks ook. Hoewel ze alle politiemensen wantrouwde, moest zelfs Mara toegeven dat hij heel wat beter was dan die Burgess. Misschien kon ze er ook achter komen wat de politie werkelijk dacht en of ze van plan waren om Paul voortaan met rust te laten.
Mara's gedachten dwaalden af naar de I Tjing, die ze voor haar vertrek had geraadpleegd. Wat had je er in vredesnaam aan? Het was zogenaamd een orakel dat wijze woorden moest bieden wanneer je ze echt nodig had, maar Mara was niet helemaal overtuigd. Een van de problemen werd gevormd door het feit dat het altijd zulke dubbelzinnige antwoorden op je vragen gaf. Je kon niet gewoon vragen: 'Heeft Paul die politieagent vermoord?' en dan een eenvoudig ja of nee terugkrijgen. Deze keer had het orakel gezegd: 'De vrouw houdt de mand vast, maar deze bevat geen fruit. De man steekt het schaap, maar er vloeit geen bloed. Niets wat een positieve uitwerking heeft.' Hield dat in dat Paul niemand had vermoord, dat het bloed op zijn hand ergens anders vandaan kwam? En die lege mand dan? Had dat iets te maken met Mara's onvruchtbare baarmoeder? Als de tekst al enig praktisch advies bevatte, dan was het beslist dat ze niets moest ondernemen, maar toch liep ze hier over het pad om Jenny te bellen. Het enige wat het boek had gedaan was haar angst omzetten in woorden en beelden.
Aan het eind van het pad liep Mara Mortsett Lane op en wandelde ze langs de gesloten winkels en de cottages met overal achter de gordijnen een oplichtend televisiescherm. In de slecht verlichte telefooncel draaide ze Jenny's nummer. Ze hoorde een klik, gevolgd door een vreemde, lichaamsloze stem waarin ze uiteindelijk die van Jenny herkende. De stem vertelde haar dat de eigenaar niet aanwezig was, maar dat er na de piep een bericht kon worden achtergelaten. Mara, die nog nooit met een antwoordapparaat te maken had

gehad, wachtte gespannen af, bang dat ze de pieptoon misschien zou missen. Ze hoorde hem echter al snel, een onmiskenbare, hoge pieptoon. Mara sprak snel en luid, zoals mensen ook tegen buitenlanders praten, en was zich erg bewust van haar eigen stem: 'Jenny, met Mara. Ik hoop dat ik dit goed doe. Zou je alsjeblieft morgen rond lunchtijd naar de Black Sheep in Relton willen komen? Het is belangrijk. Ik ben er om één uur. Ik hoop dat je kunt komen.' Ze zweeg even, luisterde naar de stilte en bedacht dat ze er eigenlijk nog iets aan toe moest voegen, maar ze wist niet wat.

Mara hing op. Het had wel iets weg van het versturen van een telegram, iets wat ze één keer in haar leven had gedaan. Het idee dat elk woord geld kostte, werkte verlammend en hetzelfde gold op een of andere manier voor de gedachte dat er een bandje om een spoel langs de opnamekop werd gewonden terwijl ze praatte.

Maar goed, ze had het gedaan. Ze verliet de telefooncel en liep snel naar de Black Sheep, heel wat minder bezwaard nu ze eindelijk een praktische stap had gezet om haar angst te verlichten.

Banks en Jenny zaten aan de bar met een aperitiefje en bekeken het menu. De Royal Oak was een knus restaurant met gedempte lichten, ouderwetse ramen met verticale spijlen en glanzende koperen spullen in alle hoekjes en gaatjes. Tussen de donkere balken boven hen was een verzameling wandelstokken in alle soorten en maten horizontaal aan het plafond bevestigd: knoestige wandelstokken, stompe knuppels, degenstokken en gladde rottingen, vele ervan met een rijkelijk versierd, koperen handvat. Op een lange plank boven de bar stond een rij mokken met daarop het gezicht van mensen als Charles II, Shakespeare en Beethoven; een enkele bevatte echter ook hedendaagse bekendheden als Margaret Thatcher en Paul McCartney.

Met een wodka-tonic voor Jenny en een droge sherry voor Banks voor zich probeerden ze een keuze te maken. Ten slotte koos Jenny na de nodige zelfverwijten over de schade die het aan haar figuur zou aanrichten voor steak met een romige wijnsaus. Banks liet zijn keuze vallen op de gegrilde lamsbout. Hij zag die kleine opdondertjes weliswaar erg graag elke lente door de Dale dartelen, maar vond het minstens even heerlijk om ze op zijn bord te hebben. Bovendien werden het anders toch allemaal schapen, redeneerde hij.

Ze liepen achter de serveerster aan naar de eetzaal, waar ze tot de verheugende ontdekking kwamen dat er slechts één ander tafeltje bezet werd, door een bedrukt stel dat al aan het dessert toe was. Op de achtergrond klonk zachtjes Mozarts *Klarinetkwintet*. Banks keek naar Jenny, die voor hem uit liep.

Ze had een wijde bloes met een boothals aan in verschillende blauwe en rode tinten. Haar plooirok was effen roestbruin, dezelfde kleur als haar lange, golvende haar, en viel tot halverwege haar kuiten. De panty die ze droeg, had een of ander sierpatroontje waardoor het, zo vond Banks, net leek alsof ze een hele rij blauwe plekken aan de zijkant van haar benen had zitten. Hij had haar echter als een echte heer met haar uiterlijk gecomplimenteerd.
De serveerster stak een kaars aan, nam hun bestelling op en liep geruisloos weg, de wijnkaart bij hen achterlatend zodat ze die op hun gemak konden bekijken. Banks stak een sigaret op en keek Jenny glimlachend aan.
Alle *Playboys*, Miss Universe-verkiezingen en andere promotors van het vrouwelijk schoon ten spijt had Banks ontdekt dat hij een vrouw vaak vanwege een heel klein detail fysiek aantrekkelijk vond: een perfect geplaatste moedervlek, een bepaalde ronding van de lippen of de vorm van een enkel; of een gebaar, zoals de manier waarop ze haar glas oppakte, haar hoofd schuin hield wanneer ze lachte of tijdens het praten met een kettinkje speelde.
Bij zijn vrouw Sandra waren het de donkere wenkbrauwen geweest en het contrast dat deze vormden met haar natuurlijke asblonde haar. In het geval van Jenny waren het haar ogen, of eigenlijk de vele rimpeltjes aan weerszijden ervan, vooral wanneer ze glimlachte. Het was net een plattegrond waarvan de contouren een gevoel voor humor en een vreemde mengeling van stoerheid en kwetsbaarheid blootlegden waarmee Banks zich maar al te goed kon identificeren. Haar prachtige rode haar en groene ogen, fraai gevormde lichaam, lange benen en volle lippen mochten er beslist ook zijn, maar dat was slechts de slagroom op de taart. Het waren de rimpeltjes om haar ogen die het hem deden.
'Waar denk je aan?' vroeg Jenny, die opkeek van de kaart.
Banks gaf haar een beknopte samenvatting.
'Nou,' zei ze na een flinke lachbui, 'ik zal het maar als een compliment opvatten, hoewel heel wat vrouwen daar anders over zouden denken. Wat zullen we nemen?'
'Ze hebben hier een aardige séguret 1980, als ik het me goed herinner. En niet al te prijzig ook. Als je tenminste van rhônewijnen houdt.'
'Lijkt me lekker.'
Toen de serveerster terugkwam met hun voorgerecht van gerookte zalm en meloen, bestelde Banks de wijn.
'Wat is het doel van deze decadente uitspatting eigenlijk?' vroeg Jenny en haar ogen glansden ondeugend in het kaarslicht. 'Ben je van plan me te verleiden of wil je me paaien, zodat je me straks een verhoor kunt afnemen?'

'Stel nu eens dat ik zeg dat ik van plan ben je te verleiden?'
'Dan zou ik zeggen dat je op de goede weg bent.' Ze glimlachte en wierp een blik om zich heen. 'Kaarslicht, romantische muziek, fijne sfeer, uitstekend eten.'
De wijn werd gebracht, gevolgd door hun hoofdgerecht, en al snel genoten ze onder begeleiding van het *Fluitkwartet* volop van hun maaltijd.
Tijdens het eten beklaagde Jenny zich over haar dag. Ze had veel te veel colleges moeten geven en ze was de simplistische vooroordelen over psychologie van de studenten meer dan beu. Soms, bekende ze, had ze echt de buik vol van psychologie en wilde ze maar dat ze in plaats daarvan Engelse literatuur of geschiedenis had gestudeerd.
Banks vertelde haar over de begrafenis, maar liet zijn ontmoeting met Tony Grant bewust achterwege. Het kwam altijd van pas om nog iets in reserve te hebben, als hij er tenminste in zou slagen het gesprek op Osmond te brengen. Hij sprak ook over zijn bezoek aan Tim en Abha, en hoezeer Burgess' benadering dat had bemoeilijkt.
'Die Dirty Dick is een enorme hufter,' zei Jenny. 'Nemen we trouwens nog een nagerecht?' vroeg ze toen en ze schoof haar lege bord opzij.
'Aan jou de beslissing, het is jouw slanke lijn.'
'In dat geval neem ik, denk ik, chocolademousse. Totaal geen calorieën. En koffie met cognac.'
Toen de serveerster voorbijkwam, bestelde Banks Jenny's dessert en likeur, samen met een stuk stilton en een glas sauternes voor zichzelf. 'Je hebt niet echt antwoord gegeven op mijn vraag, hè?' zei hij.
'Wat vroeg je dan?'
'Wat je zou doen als ik zei dat ik inderdaad probeerde je te verleiden.'
'O, ja. Maar die heb ik wel beantwoord. Ik zei dat je dan op de juiste weg was.'
'Maar je zei er niet bij of ik er iets mee zou bereiken of niet.'
De rimpeltjes rond Jenny's ogen verdiepten zich. 'Alan! Krijg je de kriebels omdat Sandra er niet is?'
Banks vond het dwaas van zichzelf dat hij het onderwerp weer ter sprake had gebracht. Een flirt met Jenny was misschien wel leuk, maar er zat ook een serieuze kant aan die ze allebei het liefst zo veel mogelijk uit de weg gingen. Als die verdomde scène in Osmonds flat niet had plaatsgehad, dacht hij bij zichzelf, zou hij nooit zo stom zijn geweest om zulke spelletjes te spelen. Maar toen hij Jenny zo om de deur van Osmonds slaapkamer had zien kijken – met de ochtendjas die van haar schouder gleed, het verwarde haar en de ont-

spannen, zachte blik in haar ogen die vaak volgt op een vrijpartij – was hij niet alleen jaloers geweest, maar had hij ook oude verlangens voelen oplaaien. Hij wilde niet dat iemand anders de geneugten proefde die hij zichzelf moest ontzeggen. En ontzeggen moest hij ze zichzelf; dat leed geen enkele twijfel. Dus speelde hij zijn spelletjes met als gevolg dat ze allebei in verlegenheid werden gebracht.
Om zich een pose te geven, stak hij een sigaret op en schonk hij het laatste restje séguret in. 'Ander onderwerp?'
Jenny knikte. 'Goed idee.'
Het dessert werd gebracht en tegelijkertijd kwam een luidruchtige groep zakenmensen de eetzaal binnen. Gelukkig bood de serveerster hun een tafel aan de andere kant van de zaal aan.
'Dit is echt heerlijk,' zei Jenny en ze lepelde de mousse naar binnen. 'Ik neem aan dat je me nu zeker gaat uithoren? Ik heb zo het vermoeden dat een versierpoging waarschijnlijk veel leuker was geweest.'
'Breng me alsjeblieft niet in de verleiding,' zei Banks. 'Maar je hebt gelijk. Ik zou graag enkele dingen met je willen bespreken.'
'Zie je wel. Mag ik eerst mijn chocolademousse opeten?'
'Ga je gang.'
Toen de borden leeg waren, nam Jenny een slokje cognac. 'Vooruit dan maar,' zei ze en ze salueerde en ging rechtop zitten. 'Ik luister.'
'Was jij erbij?' vroeg Banks.
'Waarbij?'
'Bij de demonstratie. Je stond om twee uur 's ochtends bij mij op de stoep. Je zei dat je thuis twee uur op je vriendje had zitten wachten...'
'Dennis!'
'Ja, ja, al goed. Dennis.' Banks vroeg zich af waarom hij toch zo'n gruwelijke hekel aan de klank van die naam had. 'Maar het is best mogelijk dat je bij de demonstratie bent geweest.'
'Wil je daarmee zeggen dat ik misschien wel heb gelogen?'
'Zo bedoel ik het niet. Misschien ben je gewoon vergeten het tegen me te zeggen.'
'Je beschouwt me toch zeker niet als verdachte, hè? Ik geloof dat een versierpoging door Quasimodo nog leuker zou zijn dan dit.'
Banks lachte. 'Daar gaat het me helemaal niet om. Denk even goed na. Als jij daar samen met Osmond was tot aan het moment dat hij werd opgepakt, kun je getuigen dat hij Gill niet heeft neergestoken.'
'O, op die manier. Dus wat jullie betreft is Dennis de hoofdverdachte?'

'Burgess denkt van wel. En dat is wat telt.'
Banks vroeg zich af of hijzelf ook graag zag dat Osmond schuldig was. Eigenlijk natuurlijk wel, moest hij eerlijk toegeven. Ook vroeg hij zich af of hij Jenny moest vertellen over de aanklacht wegens mishandeling. Dat zou op dit moment wel een erg laaghartige streek zijn, vond hij zelf, omdat hij zijn eigen motieven wantrouwde. Zou hij het haar voor haar eigen bestwil vertellen of uit jaloezie, uit een verlangen om haar relatie met Osmond om zeep te helpen?
'Ik begrijp waar je naartoe wilt,' zei Jenny ten slotte. 'Nee, ik ben niet bij die demonstratie geweest. Ik weet niet wat zich daar precies heeft afgespeeld. Dennis heeft me er uiteraard wel het een en ander over verteld; hij stelt trouwens inderdaad zelf een onderzoek in naar wat er is gebeurd, samen met Tim en Abha. En Burgess zal er niet zonder kleerscheuren van afkomen. Blijkbaar is hij vandaag weer langs geweest met Hatchley.'
Dat wist Banks al. Hij wist ook dat het duistere duo niet meer had kunnen loskrijgen dan de eerste keer. Waarschijnlijk stonden ze nu in de Queen's Arms hun verdriet weg te drinken en met een beetje mazzel zou Dirty Dick te ver gaan bij Glenys en verkocht Cyril hem een lel.
'Nog even over de demonstratie,' zei Banks. 'Wat heeft Dennis je precies verteld?'
'Hij weet niet wat er met die politieagent is gebeurd. Dacht je nu echt dat ik hier met jou zou zitten praten en je vragen zou beantwoorden, als ik je er niet van wilde overtuigen dat hij er niets mee te maken heeft gehad?'
'Hij heeft dus niets gezien?'
'Nee. Hij zei dat hij iemand hoorde schreeuwen – hij heeft niet gehoord wat – en dat het daarna één grote chaos werd.'
Dat leek overeen te komen met wat Tony Grant, Tim en Abha ook hadden gezegd over het ontstaan van de rellen. Banks nam een slok sauternes en keek toe terwijl de rest van het drankje terugvloeide naar de bodem van zijn glas.
'Heeft hij in jouw bijzijn de naam Gill wel eens laten vallen?'
Jenny schokschouderde. 'Dat zou best kunnen. Ik had niet echt veel met die demonstratie van doen, dat heb ik je al gezegd.'
'Heb je de naam ooit eerder gehoord?'
'Dat weet ik niet.' Jenny reageerde nu een beetje stekelig. 'Ik kan niet zeggen dat ik me echt bezighou met Dennis' politieke beslommeringen. En als je van plan was daar een snedige opmerking over te maken, dan kun je dat gerust uit je hoofd laten. Tenzij je een kop hete koffie in je schoot wilt.'
Banks vond dat hij het onderwerp Osmond beter kon laten rusten. 'Ken je de bewoners van Maggie's Farm?' vroeg hij.

'Ja. Dennis is bevriend met Seth en Mara. We zijn er een paar keer geweest. Ik mag hen erg graag, vooral Mara.'
'Wat is de situatie daar eigenlijk precies?'
Jenny speelde met de cognac in haar glas en nam nog een slokje. 'Seth heeft de boerderij ongeveer drie jaar geleden gekocht,' zei ze. 'Blijkbaar mankeerde er het een en ander aan, waardoor hij hem vrij goedkoop op de kop kon tikken. Hij heeft hem helemaal opgeknapt, de oude stal gerenoveerd en toen een paar huurders gezocht. Na Mara was Rick de eerste, meen ik, samen met Julian. Hij had problemen met zijn vrouw.'
'Ja, dat heb ik gehoord,' zei Banks. 'Weet je iets over haar?'
'Nee. Behalve dan dat Rick haar als het Kreng aanduidt.'
'En Zoe?'
'Ik weet eigenlijk niet waar ze haar van kennen. Ze is er pas later bij gekomen. Ik heb gehoord dat ze van de oostkust komt. Ze lijkt heel zweverig, maar volgens mij is ze in werkelijkheid juist heel pienter. Je zou ervan staan te kijken hoeveel mensen tegenwoordig in dat hele newagegebeuren geloven. Ze zoeken blijkbaar iets... geruststelling misschien... Ach, ik weet het ook niet. Ze verdient er in elk geval een aardige boterham mee. Ze schrijft ook de wekelijkse horoscoop voor de *Gazette* en 's zomers heeft ze elk weekend een standje aan de kust, waar ze tarotkaarten leest en dergelijke. Je kent dat wel: Madame Zoe, zigeunerin en waarzegster...'
'De oostkust? Kan dat Scarborough zijn geweest?'
Jenny schudde haar hoofd. 'Whitby, als ik het me goed herinner.'
'Dat ligt er anders wel vlakbij in de buurt,' mompelde Banks.
'Waarbij?'
De serveerster kwam hun koffie brengen en Banks stak een nieuwe sigaret op, waarbij hij er wel voor zorgde dat Jenny geen last had van de rook.
'Vertel me eens over Mara.'
'Ik mag Mara erg graag. Ze is intelligent en ze heeft een interessant leven geleid. Voordat ze op de boerderij kwam wonen, zat ze bij een of andere religieuze groepering, maar dat was een heel teleurstellende ervaring. Het lijkt erop dat ze zich nu wil gaan settelen. Om een of andere reden kunnen we heel goed met elkaar opschieten. Over Seth weet ik niet zoveel, dat zei ik net al. Hij is in de jaren zestig opgegroeid en heeft de idealen uit die tijd niet verraden, hij is in elk geval geen aandelenhandelaar of accountant geworden, bedoel ik. Zijn belangstelling gaat voornamelijk uit naar houtbewerking. En er was iets met een vrouw in zijn verleden.'
'Wat voor vrouw?'

'O, het is iets wat Mara zich heeft laten ontvallen. Blijkbaar praat Seth er niet graag over. Hij had een vriendin en die is overleden. Misschien waren ze zelfs wel getrouwd, dat weet ik niet. Het speelde vlak voordat hij de boerderij kocht.'

'Hoe heette ze?'

'Alison, geloof ik.'

'Waaraan is ze overleden?'

'Een of ander ongeluk.'

'Wat voor ongeluk?'

'Het fijne weet ik er ook niet van. Ik hou echt geen dingen voor je achter. Mara zei dat zij het ook niet weet. Seth heeft het haar alleen maar verteld omdat hij dronken was. Blijkbaar kan hij niet zo goed tegen alcohol.'

'En dat is alles wat je weet?'

'Ja. Het was een of ander auto-ongeluk. Ze is aangereden of iets in die geest.'

'Waar woonde hij in die tijd?'

'Hebden Bridge. Is dat belangrijk?'

'Waarschijnlijk niet. Ik wil alleen graag zo veel mogelijk te weten komen over de mensen met wie ik te maken heb. Ze waren bij die demonstratie betrokken en telkens als ik iemand ondervraag, duikt Maggie's Farm weer op.'

De gegevens over dat ongeluk moesten vrij gemakkelijk op te zoeken zijn in het archief van de politie van Hebden Bridge, hoewel het Banks helemaal niet duidelijk was op welke manier Gill daarmee te maken kon hebben gehad. Wellicht had hij indertijd bij de verkeerspolitie gewerkt? Dat hij betrokken zou zijn geweest bij een religieuze groepering leek ook een beetje vergezocht, tenzij hij misschien dacht dat een goede vriend of een familielid door een dergelijke organisatie was gehersenspoeld.

'En Paul Boyd?' vroeg hij.

Jenny zweeg even. 'Hij zit daar nog niet zo lang. Ik kan niet zeggen dat ik hem goed ken. Om je de waarheid te zeggen – en het even heel onprofessioneel te verwoorden – krijg ik de koude rillingen van hem. Maar Mara is erg aan hem gehecht, haast alsof hij een jongere broer van haar is of zelfs een zoon. Ze verschillen een jaar of zeventien in leeftijd. Eigenlijk is hij van een andere generatie, punk, heeft de jaren zestig niet meegemaakt. Mara denkt dat hij behoefte heeft aan veel liefde en zorg, iets wat hij schijnbaar nooit heeft gekend.'

'Wat is jouw mening als psycholoog over Paul?'

'Het is moeilijk om daar antwoord op te geven. Zoals ik al zei heb ik hem amper gesproken. Hij maakt een erg boze indruk, is niet sociaal. Misschien

geeft het leven op de boerderij hem het gevoel dat hij eindelijk ergens bij hoort. Je kunt jezelf natuurlijk afvragen waarom hij überhaupt van de wereld zou houden. Geen enkele volwassene heeft hem ooit een kans gegeven en de maatschappij in zijn geheel al evenmin. Hij denkt dat hij waardeloos is, voelt zich afgewezen, dus kleedt en gedraagt hij zich als een verworpene; hij klampt zich aan dat beeld vast en schreeuwt het van de daken. En dat,' besloot Jenny met een spottend buiginkje, 'is de bescheiden mening van dokter Fuller.'
Banks knikte. 'Lijkt me logisch.'
'Maar daarom is hij nog geen moordenaar.'
'Nee.' Hij kon geen vragen meer bedenken die niet naar het gevaarlijke onderwerp Dennis Osmond leidden en het was het afgelopen halfuur zo goed gegaan dat hij niet het risico wilde lopen dat hun avondje alsnog in verbittering zou eindigen. Als hij echt opnieuw over Osmond begon, zou Jenny van nu af aan beslist enorm op haar hoede zijn.
Banks nam de rekening aan, maar Jenny stond erop dat ze meebetaalde en daarna vertrokken ze. De rit naar huis verliep vlekkeloos, maar Banks voelde een knagend schuldgevoel omdat hij vrij zeker wist dat hij iets te veel gedronken had en als iemand beter zou moeten weten dan met een glaasje te veel op te rijden, was hij het wel. Niet dat hij het gevoel had dat hij dronken was. Zoveel had hij tenslotte nu ook weer niet gedronken. Hij had zichzelf perfect in de hand. Maar dat beweerde iedereen wanneer bij de blaastest de kristallen van kleur verschoten. Jenny zei dat hij zich niet zo moest aanstellen en dat het prima ging. Toen hij haar afzette, volgde er geen uitnodiging om nog even een kop koffie te komen drinken en daar was hij blij om.
Het was maar goed, bedacht hij toen hij thuis in bed lag, dat Jenny hem niet naar zijn eigen theorieën had gevraagd. Als ze dat wel had gedaan, had hij haar – erop vertrouwend dat ze het voor zich zou houden – beslist verteld over zijn gesprekje met Tony Grant op Marine Drive, dat een geheel nieuw licht op de zaken wierp.
Aan de ene kant had Grants informatie het heel aannemelijk gemaakt dat er een persoonlijk motief ten grondslag lag aan de moord op Gill. Banks wist weliswaar nog niet wie een dergelijk motief kon hebben gehad, maar volgens Tim en Abha hadden vrijwel alle demonstranten – en dan met name de organisatoren en hun naasten – kunnen weten dat ze Gill bij de demonstratie konden verwachten. En als Gill er inderdaad bij aanwezig was, kon je dan niet gerust aannemen dat er geweld aan te pas zou komen?
Aan de andere kant, bedacht Banks, kon het evengoed zijn dat Gill niet door

een demonstrant uit de weg was geruimd, maar – als het tenminste waar was dat hij vijanden binnen het korps had – door een collega die zijn kans schoon had gezien: iemand met wiens vrouw of vriendin Gill had gerotzooid, bijvoorbeeld; of een collega met wie hij zich samen had laten omkopen. Volgens Tony Grant was dat laatste niet het geval, maar Grant was tenslotte nog een tamelijk naïeve beginneling.
Banks verwachtte niet dat Burgess deze theorie zou overwegen, vooral omdat hierdoor de hele politieke context in rook opging. Een collega-agent die wist dat waar Gill kwam geheid problemen ontstonden, kon het echter zo hebben gespeeld dat hij samen met hem moest overwerken en wist natuurlijk precies hoe hij ontdekking moest voorkomen. Dat ging voor de demonstranten allemaal niet op. Niemand had de politie gefouilleerd; niemand had hun uniformen op Gills bloed gecontroleerd.
Misschien was het inderdaad zo'n vergezochte theorie die je gewoonlijk te binnen schoot wanneer je op het punt stond in slaap te vallen en zou de absurditeit ervan de volgende ochtend pas tot hem doordringen. Hem helemaal uitsluiten durfde Banks echter ook niet. Hij had bij het Metropolitankorps mannen gekend die er best toe in staat waren om een collega om het leven te brengen en in de meeste gevallen zou de kwaliteit van de menselijke genenbank er door het verlies amper op achteruit zijn gegaan. Om hier meer over aan de weet te komen moest hij Tony Grant onder druk zetten en hem vragen nog een klusje voor hem op te knappen. Als er iets van waarheid in school, was het maar beter dat er zo min mogelijk mensen op de hoogte waren van Banks' bezigheden. Het kon nog gevaarlijk worden.
Met de sauternes nog altijd warm in zijn aderen en een kille, lege plek naast hem in bed viel Banks al peinzend over het slachtoffer in slaap, ervan overtuigd dat iemand in de naaste omgeving van agent Edwin Gill een heel goede reden had gehad om hem naar het leven te staan.

7

Banks sloeg het pad in dat naar Gristhorpes oude boerderij ten noorden van Lyndgarth voerde en vroeg zich af wat de hoofdinspecteur op woensdagochtend in vredesnaam thuis deed. Het briefje dat Rowe op zijn bureau had gelegd, was nietszeggend en bevatte alleen een uitnodiging om langs te komen.

Hij hield stil voor het stevige, vierkante huis, drukte zijn sigaret uit en haalde de cassette van Lightning Hopkins waarnaar hij had zitten luisteren uit de autoradio. Terwijl hij de frisse, koude lucht diep inademde tuurde hij even naar Swainsdale en het viel hem opeens op dat Relton en Maggie's Farm, die recht tegenover hem op de zuidelijke flank van de Dale lagen, bijna een spiegelbeeld vormden van Lyndgarth en Gristhorpes huis. Net als diens huis lag ook Maggie's Farm hoger op de heuvelhelling dan het dichtstbijzijnde dorpje, zo hoog dat het zich op de grens bevond van het heidelandschap dat zich kilometers ver over de toppen van de Dales uitstrekte.

Toen hij vanaf de boerderij langs de heuvel omlaag keek, zag Banks de bruingrijze ruïne van Devraulx Abbey even ten westen van Lyndgarth. Onder in het dal vormde Fortford de westelijke grens van het grasland langs de rivier. Dit was het breedste gedeelte van Swainsdale en de rivier de Swain slingerde zich hier bochtig door de vallei totdat hij in zuidoostelijke richting naar Eastvale afboog om uiteindelijk vlak voor York in de Ouse over te gaan.

's Zomers was het weelderige grasland bezaaid met goudgele boterbloemen. In de schaduw van de essen en wilgen aan de oever van de rivier groeiden grasklokjes, vergeet-mij-nietjes en wilde knoflook. De Leas, zoals de plek in de volksmond werd genoemd, was een populaire plek om met het hele gezin te gaan picknicken. Kunstenaars zetten hier graag hun ezel op en vele vissers waadden na een luie middag aan de rivieroever in de schemering de ondiepe gedeelten in. Hoewel de komst van de lente zich inmiddels aankondigde in het gras en als een groen waas om de takken van de bomen hing, maakten de weilanden een spookachtige, verlaten indruk. De kronkelende rivier glinsterde tussen de bomen en een straffe bries joeg vanuit het westen wolken langs de hemel. Schaduwen schoten met haast duizelingwekkende snelheid over de steile, groene hellingen.

Gristhorpe deed de deur open, ging Banks voor naar de woonkamer waar in de open haard een turfvuurtje brandde en liep toen de keuken in. Banks trok zijn met schapenvacht gevoerde jack uit en hield zijn handen voor het vuur. Buiten het raam aan de achterzijde lag een stapel stenen naast een onafgemaakte stapelmuur waaraan de hoofdinspecteur in zijn vrije tijd vaak werkte. Het ding omheinde niets en leidde nergens naartoe, maar Banks had er samen met Gristhorpe al heel wat aangename uurtjes in een weldadige stilte stenen staan plaatsen. Deze keer was het echter te koud voor zo'n bezigheid in de kille buitenlucht.
Gristhorpe keerde terug met een dienblad met daarop thee en scones, en nam plaats in zijn favoriete leunstoel om in te schenken. Ze kletsten wat over de muur en de kans dat er nog meer sneeuw zou vallen, en toen vertelde de hoofdinspecteur Banks zijn nieuws: het onderzoek naar de demonstratie was opgeschort.
'In de koelkast gezet, zogezegd,' zei hij. 'De assistent-hoofdcommissaris heeft het Bureau Intern Onderzoek verzocht om iemand van buitenaf het verslag te laten afmaken. Wellicht iemand van het korps Avon en Somerset.'
'Omdat wij te bevooroordeeld zouden zijn?'
'Aye, deels. Ik had het al zien aankomen. Ze hebben mij er sowieso alleen maar op gezet omdat ze de indruk wilden wekken dat we snel actie ondernamen.'
'Hebt u nog iets ontdekt?'
'Het heeft er veel van weg dat enkelen van onze jongens een beetje impulsief hebben gehandeld.'
Banks vertelde hem wat hij van Jenny, Tim en Abha had gehoord.
Gristhorpe knikte. 'De assistent-hoofdcommissaris vindt het maar niets. Als je het mij vraagt komt er helemaal geen officieel intern onderzoek. Ik vermoed dat het wordt opgeschort totdat het er niet meer toe doet. Wat hij eigenlijk hoopt is dat hoofdinspecteur Burgess de moordenaar snel in de kraag vat. Dan is iedereen tevreden en vergeten de mensen de rest.'
'Dus wat willen ze nu dat u doet?'
'Ik neem op aanraden van de AHS een paar dagen verlof. Ik blijf voorlopig weg, tenzij er natuurlijk iets anders gebeurt, iets wat helemaal losstaat van de moord op Gill. Hij heeft natuurlijk wel gelijk. Ik zou alleen maar in de weg lopen. Burgess heeft de leiding over die zaak en het mag niet zo zijn dat we elkaar voortdurend voor de voeten lopen. Zorg er alsjeblieft voor dat die vent niet met die smerige sigaren van hem in mijn kantoor komt! Kun je een beetje met hem overweg?'

‘Och, het gaat. Hij is heel energiek en beslist niet dom. Het probleem is alleen dat hij helemaal geobsedeerd is door terroristen en linkse rakkers in het algemeen.’
‘En jij denkt er anders over?’
‘Ja.’ Banks vertelde hem over zijn ontmoeting met Tony Grant en zijn theorieën over de mogelijke gevolgen daarvan. ‘Je zou toch denken dat Special Branch het had geweten als er een of andere terroristische daad op stapel stond,’ besloot hij zijn verhaal.
Gristhorpe verwerkte de informatie, dacht even na, wreef over zijn kin en keek Banks toen met zijn lichtblauwe ogen aan. ‘Ik ontken niet dat je best gelijk zou kunnen hebben,’ zei hij, ‘maar zorg in godsnaam dat je met beide benen op de grond blijft. Ga hierin niet overhaast te werk, want dan bezorg je jezelf vast en zeker heel wat ellende, en mij ook. Ik begrijp heel goed dat jij je eigen intuïtie wilt volgen – je zou een bar slechte diender zijn als dat niet zo was – en die Dirty Dick wel eens even wat laten zien. Maar wees voorzichtig. Omdat nu toevallig is gebleken dat die Gill een hufter was, wil dat nog niet zeggen dat dit ook de reden is waarom hij is vermoord. Burgess kan het bij het juiste eind hebben.’
‘Dat besef ik heus wel. Het is maar een theorie. Evengoed bedankt voor de waarschuwing.’
Gristhorpe glimlachte. ‘Graag gedaan. Hou het voor je. Als Burgess erachter komt dat je een eigen onderzoek instelt, maakt hij gehakt van je. En hij is niet de enige. De AHC vreet je met huid en haar op.’
‘Dan zal er niet veel van me overblijven,’ zei Banks grijnzend.
‘En dit gesprek heeft nooit plaatsgevonden. Ik heb geen flauw idee wat jij allemaal uitspookt, afgesproken?’
‘Afgesproken.’
‘Maar hou me wel op de hoogte. Godsamme, ik heb zo’n gruwelijke hekel aan dat politieke gekonkel.’
Banks wist dat de hoofdinspecteur uit een in Yorkshire gewortelde familie van radicalen kwam – chartisten, tegenstanders van de graanwetten – en ergens in zijn stamboom kwam zelfs een Luddite voor. Gristhorpe zelf was echter conservatief met een kleine ‘c’. Hij maakte zich echter wel sterk voor de rechten van de mens die in de loop der eeuwen zo zwaar bevochten waren. Zo zag hij zijn baan ook, als beschermer van de mens, niet als aanvaller. Banks was het met hem eens en dat was een van de redenen waarom ze het zo goed met elkaar konden vinden.
Banks dronk zijn thee op en keek op zijn horloge. ‘Over Dirty Dick gespro-

ken, ik moet er maar eens vandoor. Hij heeft om één uur een vergadering belegd in de Queen's Arms.'
'Het lijkt er haast op dat hij daar zijn intrek heeft genomen.'
'Dan zit u er niet eens zo heel ver naast.' Terwijl Banks zijn jack aantrok, vertelde hij hem over Glenys. 'Bovendien,' voegde hij eraan toe, 'drinkt hij als een tempelier.'
'Dus het draait niet alleen om Glenys en haar charmes?'
'Nee.'
'Heb je hem wel eens dronken gezien?'
'Nog niet.'
'Nu, hou hem dan maar in de smiezen. Drankgebruik is weliswaar onlosmakelijk verbonden met het vak, maar je kunt ook te ver gaan. In een levensgevaarlijke situatie afhankelijk zijn van een dronkenlap is wel het laatste wat je wilt.'
'Ik geloof niet dat er iets is om ons druk over te maken,' zei Banks toen hij naar zijn auto liep. 'Hij is altijd al een zuipschuit geweest. En toch is hij zo snel als een racehond. Trouwens, wat moet ik doen als ik vind dat hij te ver gaat? Ik zie zijn gezicht al voor me als ik hem voorstel eens bij de AA langs te gaan.'
Gristhorpe stond naast de auto. Banks draaide het raampje open, duwde Lightning Hopkins weer in de cassetterecorder en stak een sigaret op.
De hoofdinspecteur schudde zijn hoofd. 'Het wordt tijd dat jij ook eens kapt met die smerige gewoonte,' zei hij. 'En wat betreft die teringherrie die jij "muziek" noemt...'
Banks glimlachte en startte de auto. 'Weet u wat?' zei hij. 'Ik geloof dat u een onverdraaglijke oude zeurpiet aan het worden bent. Ik weet dat u zo onmuzikaal bent als de pest, en Mozart en The Beatles niet eens uit elkaar kunt houden, maar u moet niet vergeten dat het nog niet eens zo heel lang geleden is dat u zelf bent gestopt met roken. Hebt u dan helemaal geen slechte gewoonten meer over?'
Gristhorpe lachte. 'Die heb ik jaren geleden allemaal afgezworen. Wil je soms beweren dat ik er weer een paar moet oppakken?'
'Dat zou niet eens zo'n gek idee zijn.'
'Waarmee moet ik volgens jou dan beginnen?'
Banks draaide eerst het raampje dicht en antwoordde toen: 'Nou, naai eens een schaap.' Afgaande op diens opgetrokken wenkbrauwen en verblufte glimlach kon Gristhorpe blijkbaar liplezen. Met een brede grijns reed Banks het pad af in de richting van de stille, verlaten weiden langs de rivier die zich voor hem in de vallei uitstrekten en hij sloeg de weg naar Eastvale in.

Jenny was al vijf minuten te laat. Mara dronk langzaam van haar halfje mild en draaide een sigaret. Het was woensdag rond lunchtijd en de Black Sheep was vrijwel helemaal verlaten. Afgezien van de pubbaas die de *Sun* zat te lezen en twee oude mannen die domino speelden, was zij de enige in de knusse bar.

Nu het erop aankwam, was ze zenuwachtig en vond ze zichzelf maar dwaas. Zo goed kende ze Jenny nu tenslotte ook weer niet en haar verhaal was wat aan de magere kant. Ze kon het echte probleem niet in woorden uitdrukken. Hoe moest ze in godsnaam zeggen dat ze vermoedde dat Paul die agent had gedood en dat ze het steeds enger vond om met hem in één huis te wonen, maar hem ondanks alles niet wilde verraden en wilde dat hij bij hen bleef wonen? Zonder de gevoelens waarmee dit gepaard ging, klonk het belachelijk. En doen alsof ze de informatie alleen maar nodig had voor een verhaal dat ze aan het schrijven was, was niet direct de dringende reden voor de afspraak die ze aan de telefoon had aangegeven. Misschien kwam Jenny helemaal niet. Misschien had Mara haar bericht niet goed ingesproken op het antwoordapparaat en had ze het bericht nooit ontvangen.

Het enige geluid in de pub was de astmatische ademhaling van een van de oude mannen, zo nu en dan het geritsel van de krant, en het getik van de dominostenen op het harde tafelblad. Ze speelde met het bier in haar glas en wierp voor de zoveelste keer een blik op haar horloge. Kwart over een.

'Nog een biertje, liefje?' riep Larry Grafton.

Mara schudde glimlachend haar hoofd. Waarom vond ze het niet erg wanneer mensen uit de streek haar met 'liefje' aanspraken, maar hadden al haar nekharen overeind gestaan van verontwaardiging en weerzin toen Burgess het deed? Het moest iets in zijn stem zijn geweest, vond ze. De oude mannen uit Yorkshire die het woord bezigden waren waarschijnlijk net zo chauvinistisch als iedereen – in feite was de rolverdeling tussen de seksen in het gezinsleven in de Dales net zo traditioneel als in de rest van Engeland – maar wanneer een man hier een vrouw met 'liefje' aansprak, klonk er op zijn minst nog enige affectie in door. Burgess had het woord echter als wapen gebruikt, denigrerend, dominerend.

Jenny's komst stoorde haar in haar gedachten.

'Het spijt me dat ik zo laat ben,' zei ze hijgend. 'Het college liep uit.'

'Dat geeft niet,' zei Mara. 'Ik ben er ook nog niet zo lang. Wil je iets drinken?'

'Ik ga zelf wel even.'

Jenny liep naar de bar en Mara keek haar na, zoals gewoonlijk lichtelijk geïntimideerd door haar zelfverzekerde houding. Jenny droeg ook altijd precies de juiste, duur uitziende kleding. Deze keer had ze een kort bontjasje aan (uiteraard namaak, Jenny zou nog niet dood in echt bont willen worden gezien), een groene, zijden bloes, een strakke, roestbruine ribbroek en glanzend gepoetste laarzen. Niet dat Mara zich zo zou willen kleden – het paste niet bij haar persoonlijkheid – maar ze voelde zich nu wel erg sjofel in haar door de motten aangevreten trui en modderige waterlaarzen. Haar spijkerbroek was ook niet kunstmatig ouder gemaakt, zoals de broeken die tieners tegenwoordig droegen; die van haar had elke vlek en elke vale plek zelf verdiend.

'Rustig, hè?' zei Jenny en ze zette de drankjes neer. 'Je keek zo peinzend toen ik binnenkwam. Wat is er?'

Mara vertelde haar hoe ze het vond om met 'liefje' te worden aangesproken.

'Ik begrijp precies wat je bedoelt. Ik kon Burgess wel wurgen toen hij dat bij mij flikte.' Ze lachte. 'Dorothy Wycombe heeft eens een glas omgekiept over een staljongen die haar "liefje" noemde.'

'Dorothy wil ons niet kennen,' zei Mara. 'Ik geloof dat ze ons te traditioneel vindt.'

Jenny lachte. 'Dan hebben jullie echt mazzel.' Ze trok haar jasje uit en nestelde zich behaaglijk op haar stoel. 'Ik heb gehoord dat ze de vloer heeft aangeveegd met Burgess. Ze heeft het Alan ook niet gemakkelijk gemaakt. Hij loopt tegenwoordig met een grote boog om haar heen.'

'Alan? Is dat die politieman die jij kent? Inspecteur Banks?'

Jenny knikte. 'Het is geen slechte vent. Hoezo? Wil je daarover met me praten?'

'Wat bedoel je?'

'Doe niet zo achterdochtig. Ik weet heus wel dat de politie jullie sinds de demonstratie niet met rust laat. Ik vroeg me gewoon af of dat was wat je dwarszat. Je berichtje was nogal vaag.'

Mara glimlachte. 'Ik ben niet gewend met antwoordapparaten om te gaan. Sorry.'

'Nergens voor nodig. Je kwam alleen enorm bezorgd en serieus over. Is dat ook zo?'

Een dominosteen tikte hard op het bord, duidelijk een winnende zet. 'Waarschijnlijk niet zo erg als het overkwam,' zei Mara. 'Maar het gaat wel over de demonstratie. Gedeeltelijk, althans.' Aangezien Jenny de naam van Banks had laten vallen, bedacht ze dat ze net zo goed eerst kon proberen of ze iets over het onderzoek aan de weet kon komen en wat de politie ervan dacht.

'Vooruit met de geit.'

Mara haalde diep adem en vertelde Jenny over de recente gebeurtenissen op de boerderij, met name over Burgess' bezoek.
'Je moet een klacht indienen,' raadde Jenny haar aan.
Mara trok haar neus op. 'Een klacht? Bij wie dan? Hij heeft ons verteld wat er zou gebeuren als we dat deden. Blijkbaar is zijn baas een nog grotere rotzak dan hij.'
'Doe het dan hier bij ons eigen politiebureau. Hoofdinspecteur Gristhorpe is geen kwade vent.'
Mara schudde haar hoofd. 'Je begrijpt het niet. De politie luistert niet eens naar mensen als wij.'
'Daar zou ik als ik jou was maar niet zo zeker van zijn, Mara. Alan wil het graag begrijpen. Hij is slechts op zoek naar de waarheid.'
'Jawel, maar... ik kan het niet goed uitleggen. Wat denken ze nu eigenlijk werkelijk over ons, Jenny? Geloven ze echt dat iemand van ons die agent heeft vermoord?'
'Dat weet ik niet. Echt niet. Ze zijn inderdaad in jullie geïnteresseerd. Ik zou liegen als ik zei dat het niet zo was. Maar of ze ook daadwerkelijk iemand als verdachte beschouwen... Dat denk ik niet. Nog niet.'
'Maar waarom vallen ze ons dan steeds lastig? Wanneer houden ze daar eens mee op?'
'Wanneer ze weten wie de dader is. Jullie zijn heus niet de enigen; dat doen ze bij alle betrokkenen. Ze leggen Dennis ook het vuur aan de schenen, en Dorothy Wycombe, en de studenten. Je zult je er even doorheen moeten slaan.'
'Dat zal dan wel.' De oude mannen gooiden de dominostenen door elkaar voor een nieuw potje en in het vuur viel een stuk kool, waardoor er een regen van vonken en een flinke rookwolk ontstonden. De vlammen laaiden weer hoog op en likten aan de zwarte muur achter in de haard. 'Hoor eens,' vervolgde Mara, 'heb je er bezwaar tegen als ik je iets vraag wat betrekking heeft op je werk, iets over psychologie? Het is voor een verhaal waarmee ik momenteel bezig ben.'
'Ik wist niet dat je verhalen schreef.'
'O, het is puur voor mezelf. Ik heb in elk geval nog nooit geprobeerd om ze gepubliceerd te krijgen.' Mara hoorde zelf ook dat haar smoesje niet overtuigend klonk.
'Goed,' zei Jenny. 'Wacht, dan haal ik eerst nog even wat te drinken.'
'Nee, het is mijn beurt.' Mara liep naar de bar en bestelde nog een halfje voor zichzelf en een wodka-tonic voor Jenny. Als ze erin slaagde een paar van haar vermoedens omtrent Paul te sussen – zonder te laten merken dat ze die had,

natuurlijk – zou ze zich vast en zeker al een heel stuk beter voelen.
'Waar gaat het om?' vroeg Jenny toen Mara terugkwam.
'Het is iets wat ik graag wil weten, een term die ik ergens heb opgevangen en wil kunnen plaatsen. Wat is een psychopaat precies?'
'Een psychopaat? Lieve hemel, dit is net een examenvraag. Even nadenken, hoor. Je zult het helaas met de ingekorte versie moeten doen. Ik heb mijn boeken niet bij me.'
'Dat geeft helemaal niet.'
'Tja, in wezen is het denk ik iemand die voortdurend in staat van oorlog verkeert met de maatschappij. Iemand die rebelleert om het rebelleren, niet omdat er enige aanleiding toe is.'
'Maar waarom dan? Hoe worden mensen zo?'
'Daar is geen pasklaar antwoord op te geven,' zei Jenny, 'maar over het algemeen wordt aangenomen dat familie en achtergrond bepalende factoren zijn. Heel vaak zijn mensen die wij als psychopaat aanduiden al op jeugdige leeftijd door hun ouders, of in elk geval een van hun ouders, mishandeld, onmenselijk behandeld en afgewezen. In reactie daarop wijzen ze de hele samenleving af en gedragen zij zich ook wreed.'
'Wat zijn de symptomen?'
'Asociaal gedrag: diefstal, roekeloosheid, dierenmishandeling. Het is moeilijk te zeggen.'
'Wat voor mensen zijn het?'
'Wat ze doen, raakt hen totaal niet. Ze praten hun eigen gewelddadige gedrag – zelfs moord – altijd goed. Ze zien echt niet in dat ze iets verkeerds hebben gedaan.'
'Kunnen ze worden geholpen?'
'Soms wel. Het probleem is dat ze zich door wat hun is overkomen van de rest van ons hebben afgezonderd, hebben losgemaakt. Ze hebben zelden vrienden en het begrip trouw heeft voor hen geen enkele betekenis.'
'Maar het is wel mogelijk om hen te helpen?'
'Ze vinden het erg moeilijk om hun liefde en vertrouwen aan iemand te schenken of dergelijke gevoelens in anderen te beantwoorden. Als je niemand je liefde geeft, voel je je ook niet akelig wanneer je wordt afgewezen. Dat is het werkelijke probleem: ze hebben iemand nodig die hen vertrouwt en warme gevoelens voor hen koestert, maar dat zijn nu net die dingen die ze moeilijk kunnen accepteren.'
'Het is dus hopeloos.'
'Vaak is het al te laat,' zei Jenny. 'Als ze in een vroeg stadium worden behan-

deld, kunnen ze nog wel worden geholpen, maar soms is het patroon tegen de tijd dat ze hun pubertijd bereiken al zo ingebakken dat het vrijwel onomkeerbaar is. Maar hopeloos is het natuurlijk nooit.' Ze boog zich voorover en legde een hand op die van Mara. 'Gaat dit over Paul?'
Mara trok zich schielijk terug. 'Waarom denk je dat?'
'De uitdrukking op je gezicht, de toon waarop je het zegt. Dit gaat niet over een of ander verhaal dat je aan het schrijven bent. Dit is echt, hè?'
'En als dat zo is?'
'Ik kan je niet vertellen of Paul een psychopaat is of niet, Mara. Daarvoor ken ik hem niet goed genoeg. Hij lijkt zich thuis te voelen op de boerderij.'
'O, maar dat is ook zo,' zei Mara. 'Hij voelt zich er thuis. Hij is al veel spontaner en vrolijker dan toen hij net bij ons kwam. Behalve de afgelopen dagen dan.'
'Tja, het is logisch dat het hem aangrijpt, al die aandacht van de politie. Maar dat zegt helemaal niets. Je denkt toch niet dat hij die politieman heeft gedood?'
'Je mag aan niemand vertellen dat we het erover hebben gehad, hoor,' zei Mara snel. 'Vooral niet aan inspecteur Banks. Ze zijn alleen maar op zoek naar een excuus om Paul op te pakken en ik weet zeker dat die Burgess hem dan dwingt een bekentenis af te leggen.'
'Dan doen ze heus niet,' zei Jenny. 'Je hebt toch geen concrete aanleiding om te geloven dat Paul misschien de dader is?'
'Nee.' Mara wist niet zeker of ze overtuigend overkwam. Zover had ze het gesprek niet willen laten komen, maar het leek onmogelijk om nu op een neutraler onderwerp over te stappen. 'Ik maak me gewoon zorgen over hem,' ging ze verder. 'Hij heeft het niet gemakkelijk gehad. Zijn ouders hebben hem afgestaan en zijn pleegouders hebben hem kil behandeld.'
'Nu ja, dat wil nog niets zeggen,' zei Jenny. 'Als dat het enige is, hoef je je echt niet druk te maken. Veel mensen hebben geen gewoon gezinsleven gehad en komen daar ongeschonden uit. Er zijn wel heel speciale omstandigheden voor nodig om iemand in een psychopaat te veranderen. Je moet van een mug geen olifant maken, hoor.'
Mara knikte. 'Het spijt me dat ik probeerde je om de tuin te leiden,' zei ze. 'Dat was niet netjes van me. Ik voel me nu een stuk beter. Zullen we er een streep onder zetten?'
'Goed, als jij dat wilt. Wees wel voorzichtig, Mara. Ik zeg niet dat Paul niet gevaarlijk is, alleen maar dat ik het niet weet. Als je echt aanleiding hebt om hem te verdenken...'

Maar Mara hoorde haar al niet meer. De deur ging open en er kwam een vreemd uitziende man naar binnen gewandeld. Zijn bizarre uiterlijk was echter niet wat haar dwarszat; het was het mes dat hij voorzichtig in zijn hand hield. Ze stond bleek en bevend op. 'Ik moet weg,' zei ze. 'Er is iets gebeurd... het spijt me.' En weg was ze, Jenny met open mond achterlatend.

'Lulkoek!' zei Burgess. 'Oproerkraaiers zijn het. Dat zou je zo onderhand toch moeten weten. Waarom denk je eigenlijk dat ze een Groot-Brittannië zonder kernenergie willen? Omdat ze zo dol zijn op vrede? Droom maar lekker verder.'
'Ik weet het zo net nog niet,' zei Richmond en hij streek over zijn snor. 'Het zijn maar studenten, ze weten niet...'
'Máár studenten? Gelul! Weet je wie die lui zijn die in landen als Korea en Zuid-Afrika de regering ten val willen brengen? Die klotestudenten. Máár studenten! Word toch eens volwassen, man. Moet je zien wat voor chaos studenten in Amerika hebben veroorzaakt vanwege de oorlog in Vietnam, ze hebben daar bijna eigenhandig de overwinning voor de communisten in de wacht gesleept.'
'Wat ik wilde zeggen, hoofdinspecteur,' ging Richmond verder, 'is dat geen van hen bekendstaat als militant. Ze praten gewoon soms met elkaar over politiek, meer niet.'
'Maar Special Branch heeft wel een dossier over Tim Fenton.'
'Daar ben ik me van bewust. Maar hij heeft in feite helemaal niets gedáán.'
'Tot nu toe niet, misschien.'
'Wat schiet hij er dan mee op door Gill te doden?'
'Anarchie.'
'Met alle respect,' mengde Banks zich nu in het gesprek, 'maar dat is niet echt consequent. De studenten steunen inderdaad het idee van ontwapening, maar marxisten zijn geen anarchisten. Ze geloven in een klasse...'
'Ik weet heus wel waarin die achterlijke marxisten geloven,' zei Burgess. 'Ze geloven in alles wat hun doel bevordert.'
Banks gaf het op. 'Probeer het nog maar een keertje, Phil,' zei hij. 'Kijk of je kunt achterhalen of een van hen banden heeft met extremere groeperingen of eerdere gewelddadigheden met een politieke achtergrond. Ik betwijfel of je iets zult vinden wat nog niet bekend is bij Special Branch, maar doe het toch maar.'
'Komt voor elkaar, inspecteur.'
'Ik heb nog een borrel nodig,' zei Burgess.
Hatchley bood aan om het volgende rondje te halen. Het was druk in de

Queen's Arms. Op woensdag was er een boerenmarkt in Eastvale en het was een drukte van jewelste in het stadje.
Burgess keek Banks aan. 'Die Osmond zint me ook niet. Over hem is er ook een dossier en toen ik hem sprak, had ik beslist de indruk dat hij loog.'
Dat was Banks met hem eens.
'We zullen hem nog eens onder handen nemen,' zei Burgess. 'Jij gaat met me mee. Wie weet is die griet van hem er ook weer. Als ik haar een beetje onder druk zet, roept hij jou misschien te hulp en laat hij zich per ongeluk iets ontvallen.'
Banks maskeerde zijn woede door naar een sigaret te grijpen. Het laatste waar hij nu zin in had was Osmond en Jenny weer samen te zien. Maar ergens had Burgess wel gelijk. Ze zochten de moordenaar van een agent en moesten resultaten boeken. Met elke dag die voorbijgleed klonken de protesten in de media luider.
Craig kwam binnen en liep naar hen toe, maar leek niet goed te weten wie hij moest aanspreken. Als een toeschouwer die op Wimbledon de bal volgt keek hij van Banks naar Burgess en terug, en hij liet zijn keuze ten slotte op Banks vallen.
'We zijn zojuist door Relton gebeld, inspecteur. Er staat daar een kerel in de pub die beweert dat hij een mes heeft gevonden. Ik dacht... u weet wel... dat het misschien het mes is waarnaar wij op zoek zijn.'
'Waar wachten we nog op?' Burgess sprong zo snel overeind dat hij tegen de tafel stootte en de rest van het bier morste. Hij wees naar Hatchley en Richmond. 'Jullie gaan terug naar het bureau en blijven daar tot je iets van ons hoort.'
Ze haalden Banks' witte Cortina op van de parkeerplaats achter het politiebureau. Het was in Market Street en op het plein zo druk dat Banks via binnenwegen naar de hoofdweg reed.
Hij stopte automatisch een cassette in de recorder. 'Je vindt het toch niet erg?' vroeg hij aan Burgess en hij zette het volume lager. *Hello Central* werd ingezet.
'Nee. Dat is toch Lightning Hopkins? Ik hou wel van een beetje blues. Ik vond die Billie Holiday de vorige keer ook goed.' Hij liet zich achteroverzakken op de passagiersstoel en stak met de aansteker van het dashboard een sigaar op. 'Mijn vader heeft in de laatste oorlog een kooi gehad tussen een eskader yankees en zo belangstelling gekregen voor blues en jazz. Natuurlijk kon je hier in die tijd zelden iets van het echte spul krijgen, maar hij heeft na de oorlog contact met hen gehouden en de yanks stuurden hem vaak van die 78-toerenelpees. Ik ben met dat soort muziek opgegroeid en het is altijd blijven hangen.'

Banks reed hard, maar lette goed op eventuele wandelaars in de berm. Zelfs in maart liep de rugzakbrigade al vaak in de heuvels rond. Toen ze Fortford naderden, staarde Burgess nadenkend naar het grasland langs de rivier. 'Niet gek,' merkte hij op. 'Een mooie plek om na je pensioen te wonen, als het weer hier tenminste niet zo verdomde slecht was.'
In Fortford draaiden ze met een scherpe bocht naar links de B-weg op die hekloos door het grasland liep en langs de heuvelhelling naar Relton voerde, waar ze de auto bij de pub parkeerden. Banks was al eens eerder in de Black Sheep geweest; de pub was beroemd in de Dale, omdat de pubbaas zijn eigen bier brouwde dat verder nergens te krijgen was. Het bitter van de Black Sheep had in landelijke wedstrijden al vele prijzen gewonnen.
Hoewel Banks bij binnenkomst met zijn gedachten niet direct bij dat bier had gezeten, sloeg hij het aanbod van een pint door de pubbaas zeker niet af. Burgess gaf de voorkeur aan een pint Watney's boven de plaatselijk gebrouwen variant.
Banks wist wel dat er herders in de omgeving waren, maar ze vormden een ongrijpbare groep en hij had er nog nooit een ontmoet. Veel boeren hoedden hun eigen schapen, maar op de gemeenschapsweiden aan de zuidzijde van Swainsdale hadden ze zich in een clubje verenigd en drie herders ingehuurd. De meeste schapen waren op de boerderijen zelf geboren en opgegroeid, en dwaalden nooit ver af. Dat gold echter niet voor alle beesten; de winter was een zwaar seizoen en heel wat dieren raakten bedolven onder de sneeuw. De herders kenden de heide als hun broekzak, wisten elke greppel en elk gat te vinden, en konden schapen net zo goed van elkaar onderscheiden als mensen.
Joe Crockers gezicht was net zo ruig en verweerd als het landschap waarin hij de dagen doorbracht, en zijn huid zag er zo bruin en stug uit als gelooid leer. Zijn neus was een misvormde knobbel en zijn ogen stonden zo diep weggezonken in zijn gezicht dat het net leek alsof hij voortdurend tegen de zon in tuurde. Zijn pet en oude, wapperende jas completeerden het geheel. Zijn herdersstaf, een lange tak van een hazelaar met een metalen haak, stond tegen de muur aan.
'Godsamme,' hoorde Banks Burgess achter zich mompelen. 'Een schaapherder!'
'Daar zeg ik geen nee tegen,' zei Crocker en hij nam een glas aan. 'Ik zocht een paar ooien die moesten lammeren en toen trapte ik dus op dit mes.' Hij legde het mes op tafel. Het was een stiletto met een lemmet van ruim tien centimeter en een versleten, benen handvat. 'Ik heb hem niet aangeraakt, hoor,' ging hij verder en hij tikte met een opmerkelijk gladde, slanke wijsvin-

ger tegen zijn neus. 'Ik kijk ook wel eens televisie.'
'Hoe hebt u hem dan opgeraapt?' vroeg Burgess. Het viel Banks op dat zijn stem deze keer niet koeionerend klonk, maar juist respectvol. Misschien had hij een zwak voor schaapherders.
'Zo.' Crocker hield het eind van het handvat tussen duim en middelvinger beet. Hij had echt bijzonder mooie handen, zag Banks, handen die je normaal gesproken eerder bij een concertpianist zou verwachten.
Burgess knikte en nam een teug van zijn Watney's. 'Uitstekend. U hebt juist gehandeld, meneer Crocker.' Banks haalde een envelop uit zijn zak, liet het mes erin glijden en verzegelde hem.
'Is dit 'm dan? Het mes waarmee die agent is vermoord?'
'Dat kunnen we nu nog niet zeggen,' zei Banks tegen hem. 'We zullen een aantal tests moeten uitvoeren. Maar als blijkt dat dit hem is, hebt u ons een enorme dienst bewezen.'
'Nou, mooi. Het was niet alsof ik er speciaal naar op zoek was of zo.' Crocker wendde gegeneerd zijn gezicht af en hief zijn pint naar zijn lippen. Banks bood hem een sigaret aan.
'*Nay*, knul,' zei hij. 'In mijn vak heb je alle adem die je kunt krijgen hard nodig.'
'Waar hebt u het mes gevonden?' vroeg Burgess.
'Op de heide in de buurt van Eastvale.'
'Kunt u ons de plek laten zien?'
'Aye.' Er verscheen een plagerige glimlach op Crockers rimpelige gezicht. 'Het is wel een eindje lopen, hoor. En je kunt er niet met de auto komen.'
Burgess keek naar Banks. 'Tja,' zei hij, 'jij bent bekend met dit deel van het land. En gek op de natuur. Waarom ga jij niet met meneer Crocker de hei op, dan bel ik het bureau wel dat ze een auto sturen om mij op te pikken.'
Ja, ja, dacht Banks bij zichzelf, en in de tussentijd zit jij natuurlijk lekker met een nieuwe pint Watney's bij de open haard.
Hij knikte. 'Als ik jou was, zou ik dat mes zo snel mogelijk bij het lab afleveren,' zei hij. 'Als je het via de gebruikelijke kanalen stuurt, duurt het dagen voordat ze die tests uitvoeren. Vraag naar Vic Manson. Als hij een gaatje heeft, zal hij direct naar vingerafdrukken zoeken en een van zijn collega's overhalen om het bloed te checken. Dat ding heeft een tijdje in weer en wind buiten gelegen, maar misschien levert het toch nog iets op.'
'Goed idee,' zei Burgess. 'Waar is dat lab?'
'Even buiten Wetherby. Vraag de chauffeur maar om je er direct heen te brengen.'

Terwijl Burgess naar de telefoon liep, dronken Banks en Crocker hun pint Black Sheep bitter leeg en daarna gingen ze op pad.
Ze klommen over een hek aan het oostelijke uiteinde van Mortsett Lane en liepen over de heide. De tocht over het veldbeemdgras met daartussen stukken heide en veenmos was een zware opgave voor Banks. Crocker liep voortdurend voor hem uit en leek als een hovercraft over de toppen te glijden. Hoe hoger ze kwamen, des te feller en krachtiger de wind werd.
Banks was niet op een wandeling over de heide gekleed en zijn schoenen zaten al snel onder een dikke laag modder en andere viezigheid. Gelukkig had hij zijn warme, met schapenvacht gevoerde jack aan. Hoewel de helling niet al te steil was, was het geen gemakkelijke klim en Banks was al snel buiten adem. Ondanks de koude wind die in zijn gezicht blies, zweette hij.
Ten slotte bereikten ze een vlakker gedeelte van de heide. Crocker bleef glimlachend staan wachten tot Banks hem had ingehaald.
'Verdorie, knul, hoe moet dat dan als je achter een schurk aan rent?'
'Gelukkig komt dat niet zo heel vaak voor,' zei Banks hijgend.
'Aye. Nou, hier heb ik hem dus gevonden. Hier in het gras.' Hij wees met zijn staf. Banks bukte zich en tastte over de grond. Niets wees erop dat het mes hier had gelegen.
'Blijkbaar heeft iemand hem hier gewoon neergegooid,' zei hij.
Crocker knikte. 'Het was heel gemakkelijk geweest om hem te verstoppen,' zei hij. 'Al die stukken steen waar je hem onder kunt leggen. Als ie had gewild, had ie hem zelfs kunnen begraven.'
'Maar dat heeft hij dus niet gedaan. Hij is waarschijnlijk in paniek geraakt en heeft hem toen weggegooid.'
'Als u het zegt, dan zal dat haast wel.'
Banks keek om zich heen. Ze bevonden zich op ongeveer drie kilometer van Eastvale; in de verte waren in de kuil waarin de stad lag nog net de spitse kantelen van het kasteel zichtbaar. In tegenovergestelde richting zag hij, eveneens op zo'n drie kilometer afstand, het huis en de bijgebouwen van Maggie's Farm. Het had er veel van weg dat het mes ongeveer halverwege Eastvale en de boerderij in het wilde landschap was weggegooid. Als een van de boerderijbewoners de demonstratie had verlaten zonder te zijn gearresteerd of verwond, was dit de meest voor de hand liggende route naar huis. Dat duidde op Paul of Zoe, want Rick en Seth waren opgepakt en gefouilleerd. Het kon zelfs die Mara zijn geweest, als ze had gelogen over het feit dat ze de hele avond thuis was geweest.
Aan de andere kant kon iedereen in de afgelopen dagen hiernaartoe zijn

gelopen om zich van het mes te ontdoen. Dat leek echter minder waarschijnlijk, want er waren veel betere manieren om van het mes af te komen en dit had meer weg van een spontane daad dan een geplande. Banks' theorie dat de dader misschien een collega van het slachtoffer was geweest, viel nu in elk geval in duigen. Opnieuw wees alles in de richting van Maggie's Farm.
Banks trok de kraag van schapenvacht strak om zijn hals en kneep zijn ogen tot spleetjes om te voorkomen dat ze traanden. Geen wonder dat Crockers ogen continu halfgesloten waren. Hij kon hier verder niets meer doen, besefte hij, maar de plek moest wel op een of andere manier worden gemarkeerd.
'Zou u deze plek kunnen terugvinden?' vroeg hij.
'Tuurlijk,' antwoordde de schaapherder.
Banks had geen flauw benul hoe; er was niets wat deze plek van alle andere op de heide onderscheidde. Maar goed, het was natuurlijk Crockers werk om elke vierkante centimeter van het gebied te kennen.
Hij knikte. 'Mooi. We zullen straks waarschijnlijk een paar man hiernaartoe sturen om een grondig onderzoek in te stellen. Hoe kan ik het best contact met u opnemen?'
'Ik woon in Mortsett.' Crocker gaf hem zijn adres.
'Gaat u mee terug naar beneden?'
'Nay. Ik moet nog wat ooien opsporen. Het is het lammerseizoen, begrijpt u.'
'Ja, oké, in elk geval nogmaals bedankt voor uw hulp.'
Met een kort knikje wandelde Crocker vervolgens snel en moeiteloos verder langs de helling naar boven alsof het niets was. De tocht naar beneden zou wel iets gemakkelijker gaan, verwachtte Banks. Hij had dit nog niet bedacht of hij bleef met een voet achter een heideplant haken en viel voorover op de grond. Hij vloekte hartgrondig, klopte zichzelf af en liep verder. Gelukkig was Crocker de andere kant op gegaan en had hij deze tuimeling niet gezien, want anders zou voor het vallen van de avond iedereen in de Dale het hebben geweten.
Hij klom zonder verdere ongelukken over het hek en schoot heel even de Black Sheep in om snel een pint te drinken en wat warmer te worden. Hij kon nu toch niets doen en moest wachten tot Burgess klaar was in het lab. Het was heel goed mogelijk dat ze alsnog met lege handen achterbleven. Duidelijke, zweterige vingerafdrukken op een glad oppervlak konden echter de verschrikkelijkste weersomstandigheden doorstaan en Banks meende in het scharnier tussen lemmet en handvat wat opgedroogd bloed te hebben gezien.

8

Een plotselinge, zware regenbui verdreef de kooplui van het marktplein. Het was trouwens toch al bijna tijd om de boel in te pakken en te vertrekken; in de winter en de vroege lente was het op marktdagen vaak kil en nat. De regen hield echter net zo snel op als hij was begonnen en binnen de kortste keren scheen het zonnetje weer. De natte straatkeitjes weerkaatsten het gedempte, bronskleurige licht dat over de kleine plassen gleed en danste wanneer het water rimpelde in de wind.

De gouden wijzers op de blauwe plaat van de kerkklok gaven tien voor halfvijf aan. Burgess was nog niet terug uit het lab. Banks zat met een sigaret en een kop zwarte koffie bij het raam met de kapotte, opgetrokken luxaflex in zijn kantoortje te wachten en bestudeerde het tafereeltje voor hem. De mensen die het plein overstaken, liepen soppend door de plassen die zich hadden verzameld op de plekken waar de keitjes waren versleten of afgebroken. Iedereen droeg een grijze regenjas of een kleurig, waterdicht jack, alsof niemand echt geloofde dat de zon lang zou blijven schijnen en de meesten hadden ook een paraplu bij zich. Het zou zo donker worden. Op het plein tekende zich in het licht van de zon al de lange schaduw af van de in tudorstijl opgetrokken gevel van het politiebureau. Om kwart voor vijf hoorde Banks iemand door de gang komen aanlopen en al snel banjerde Burgess met een lichtbruine map in zijn handen de kamer binnen.

'Gelukt,' zei hij. 'Het heeft wel even geduurd, maar het is hen gelukt, een set duidelijk leesbare vingerafdrukken en een match met Gills bloedtype. Er is geen twijfel mogelijk: dit is het mes. Ik heb Richmond al opgedragen om de afdrukken na te trekken. Als ze in de databank zitten, kunnen we zo aan de slag.'

Hij stak een sigaartje op en tikte dit al rokend regelmatig af op de rand van de asbak, of er nu as aan zat of niet. Banks liep terug naar het raam. De schaduw was langer geworden; aan de overkant van het plein schoten secretaresses en kantoormedewerkers op weg naar huis nog gauw even bij Joplins tijdschriftenwinkeltje naar binnen voor een avondkrant en jonge stelletjes slenterden hand in hand naar café El Toro om elkaar over de pieken en dalen van hun dag op kantoor te vertellen.

Toen Richmond op de deur klopte en binnenkwam, sprong Burgess overeind. 'En?'
Richmond streelde zijn snor. Hij wist slechts met grote moeite een triomfantelijke grijns te onderdrukken. 'Het is Boyd,' zei hij. 'Paul Boyd. Op achttien punten overeenstemming. Genoeg om stand te houden in de rechtszaal.'
Burgess klapte opgetogen in zijn handen. 'Prachtig! Precies wat ik al dacht. We gaan eropaf. Kom jij ook maar mee, Richmond. Waar hangt Hatchley eigenlijk uit?'
'Dat weet ik niet, hoofdinspecteur. Ik geloof dat hij nog steeds bezig is met het checken van getuigenverklaringen.'
'Laat ook maar. Drie is meer dan genoeg. We gaan Boyd ophalen voor een goed gesprek.'
Ze stapten in Banks' Cortina en vertrokken naar Maggie's Farm. Deze keer draaide Banks geen muziek; ze reden met hun drieën in gespannen stilte langs het grasland aan de rivier, dat spookachtig in de nevelige schemer lag. Grind knerpte onder de banden en toen ze voor de boerderij stilhielden, bewoog een gordijn achter een van de ramen aan de voorkant.
Nog voordat Burgess had aangeklopt, deed Mara Delacey de deur al open. 'Wat moeten jullie nu weer?' vroeg ze kortaf, maar ze deed een stap opzij en liet hen binnen. Ze liepen achter haar aan naar de keuken waar iedereen zat te eten. Mara nam weer plaats achter haar nog halfvolle bord. Julian en Luna schoven iets dichter naar haar toe.
'Da's ook toevallig,' zei Burgess en hij leunde tegen de brommende koelkast. 'Iedereen zit hier bij elkaar, op één persoon na. We zijn op zoek naar Paul Boyd. Is hij thuis?'
Seth schudde zijn hoofd. 'Nee. Ik heb geen flauw idee waar hij is.'
'Wanneer heb je hem voor het laatst gezien?'
'Gisteravond, denk ik. Ik ben bijna de hele dag weg geweest. Toen ik terugkwam, was hij er niet.'
Burgess keek naar Mara. Niemand zei iets. 'Iemand van jullie moet toch weten waar hij zit? Krijg ik het nu hier te horen of straks op het bureau?'
Stilte.
Burgess liep naar Julian om hem over zijn bol te strijken, maar de jongen trok zijn hoofd weg en verstopte zijn gezicht tegen Ricks zij. 'Het zou toch jammer zijn,' merkte Burgess terloops op, 'als het ermee zou eindigen dat jullie niet meer voor deze kindertjes kunnen zorgen en ze moeten worden weggehaald.'
'Waag het niet!' zei Mara met een rood aangelopen gezicht. 'Zelfs u kunt onmogelijk zo'n harteloze schoft zijn.'

Burgess trok een wenkbrauw op. 'Geloof je dat nou echt, liefje? Weet je heel zeker dat je het daar op aan durft te laten komen? Waar is Boyd?'
Rick stond op. Hij was net zo lang als Burgess en minstens dertien kilo zwaarder. 'Neem eens iemand die net zo groot is als u,' zei hij. 'En als u het leven van mijn zoontje overhoop durft te halen, krijgt u verdomme met mij te maken.'
Burgess grijnsde spottend en draaide zich om. 'Ik sta echt te trillen op mijn benen. Zeg op: waar is Boyd?'
'Dat weten we niet,' zei Seth rustig. 'Hij zit hier niet gevangen, hoor. Hij betaalt zijn huur en is vrij om te doen wat hij wil, om te komen en gaan wanneer hij dat wil.'
'Dat duurt dan niet lang meer,' zei Burgess. 'Misschien moeten jullie die waarzegster van jullie maar eens vragen om de sterren te raadplegen over zijn verblijfplaats, want als we hem niet snel vinden, krijgen jullie het hier nog zwaar te verduren.' Hij wendde zich tot Banks en Richmond. 'We gaan maar eens wat rondkijken. Waar is zijn kamer?'
De drie mannen klommen langs de smalle trap naar boven. Terwijl Richmond de andere kamers controleerde, liepen Banks en Burgess die van Paul in. Er was net genoeg ruimte voor een eenpersoonsmatras op de vloer en een ladekastje onder het kleine raam dat uitkeek op Eastvale. Op het onopgemaakte bed lagen verkreukelde lakens en dekens; vieze sokken en ondergoed waren op een hoop op de vloer gegooid. Er hing een muffe geur van stof en ongewassen kleding in de ruimte. In een piepkleine vaste kledingkast hingen enkele jassen, waaronder ook een parka, en onderin stond een paar vertrapte loafers. Afgezien van wat schoon ondergoed, T-shirts en een paar truien met gaten bevatte de ladekast niets bijzonders. Op het kussen op het bed lag een groezelige pocketeditie van H.P. Lovecrafts *De bezoeker uit de duisternis* opengeklapt met de rug omhoog. Op het omslag prijkte een afbeelding van een half doorzichtig monster met een kikkergezicht in iets wat aan een smoking deed denken. Uit gewoonte pakte Banks het boek op en hij bladerde erdoorheen om te zien of Boyd misschien ergens iets interessants in een kantlijn of op de blanco pagina's achterin had geschreven. Maar nee. Richmond kwam binnen en voegde zich bij hen.
'Hier is niets,' zei Burgess. 'Volgens mij is hij hem trouwens niet gesmeerd, tenzij hij nog andere kleren had. Als ik hem was, had ik die parka en een paar truien meegenomen. Wat voor weer was het op de avond dat Gill is neergestoken?'
'Koud en nat,' zei Banks.

'Echt weer voor een parka dus?'
'Dat zou ik wel denken.'
Burgess haalde de jas uit de kast en bekeek hem nauwkeurig. Hij trok elke zak binnenstebuiten en toen hij had gevonden wat hij zocht, liet hij de licht verkleurde plek aan Banks zien. 'Dit hebben jullie mensen die avond beslist over het hoofd gezien. Zou bloed kunnen zijn. Dan heeft hij het mes weer in zijn zak gestopt, nadat hij Gill had gedood. Neem deze maar mee, Richmond. Hij kan naar het lab. Waarom nemen jullie niet even een kijkje in de bijgebouwen? Je weet maar nooit: straks heeft hij zich in de houtstapel verstopt. Dan kijk ik hier nog even verder.'
Banks en Richmond liepen naar beneden naar de keuken en Mara ging met hen mee met de sleutels. Ze verlieten het huis via de achterdeur en kwamen uit in een grote, rechthoekige tuin met een lage omheining. Het terrein werd grotendeels in beslag genomen door lange rijen voor groenten – donkere, lege voren om die tijd van het jaar – maar er was ook een kleine, vierkante zandbak waarin een plastic laadwagen met grote, rode wielen en een geel emmertje met schep lagen. Achter in de tuin stond een stenen gebouwtje met een geasfalteerd dak dat net iets groter was dan een garage en links van hen was een poortje dat naar de stal leidde.
'We gaan daar eerst maar even kijken,' zei Banks tegen Mara, die met de sleutelbos in de aanslag achter hen aan naar de verbouwde stal liep. Het was geen groot gebouw, lang niet zo groot als een heleboel andere, vergelijkbare gebouwen die tot vakantieappartementen waren verbouwd, maar aan de buitenkant was het wel volgens het traditionele Dales-ontwerp uit steen opgetrokken.
Mara opende de deur naar Zoe's appartement op de begane grond. De metamorfose van nederige stal naar bijzonder aangename woonruimte verraste Banks; Seth had echt uitstekend werk afgeleverd. Het houtwerk was grotendeels onbehandeld gelaten en hoewel het er een tikje geïmproviseerd uitzag, bood het in al zijn eenvoud een heel stevige, aantrekkelijke aanblik. Niet alleen had elk appartement een eigen toegang, zo ontdekte hij, maar ook een eigen kook- en douchegelegenheid; daarnaast bevatte het een enorme, spaarzaam gemeubileerde woonkamer, een grote slaapkamer en een kleinere voor Luna. Van Paul Boyd echter taal noch teken.
De appartementen vormden elk een opzichzelfstaande wooneenheid, begreep Banks, en als Rick en Zoe niet bevriend waren geraakt met Seth en Mara, zouden ze hier gemakkelijk een heel eigen leven hebben kunnen leiden. Mara's reactie op Burgess' dreigement in combinatie met wat Jenny hem tijdens het etentje had verteld, deed Banks vermoeden dat Mara's liefde voor

de kinderen één verbindende factor was – wie zou er nu niet een inwonende babysitter willen hebben? – en dat hun gemeenschappelijke politieke ideeën wellicht een andere vormden.
Boven was de indeling heel anders. Beide slaapkamers waren vrij klein en de meeste ruimte werd in beslag genomen door Ricks atelier, waar het veel rommeliger was dan op en rond Zoe's grote, met boeken en kaarten bedekte werktafel beneden. Verspreid over het dak had Seth drie dakramen aangebracht waardoor er heel veel licht naar binnen viel en de ruimte stond vol schildersdoeken, paletten en her en der neergegooide tubes verf. Voorzover Banks kon zien waren Rick Trelawneys schilderijen inderdaad niet echt commercieel, zoals Tim Fenton hem al had gezegd, en bestonden ze voornamelijk uit bijna willekeurig aangebrachte kleurvlekken of collages van gevonden voorwerpen. Sandra wist het een en ander van kunst af en van haar had Banks geleerd dat een flink aantal schilderijen die hij nog niet op zijn zolder zou willen hebben staan door experts als geniaal werden beschouwd. Bij deze schilderijen lag het echter anders, dat kon zelfs hij wel zien; hierbij vergeleken waren Jackson Pollocks woeste explosies even begrijpelijk als de landschappen van Constable.
Toen hij wat tussen de spullen snuffelde, ontdekte Banks onder een oude jutezak echter een flinke stapel kleine landschapsaquarellen. Ze leken veel op het schilderij dat hij tijdens zijn vorige bezoek in de woonkamer van de boerderij had zien staan en hij begreep dat deze toch ook van Ricks hand waren. Zo verdiende hij dus zijn geld! Hij verkocht leuke landschapjes aan toeristen en oude dametjes om zijn revolutionaire kunst te kunnen betalen.
Toen ze klaar waren deed Mara, die hen al die tijd zwijgend met over elkaar geslagen armen had gadegeslagen, de boel weer op slot en liepen ze terug naar het huis.
'Gaan jullie maar alvast,' zei Banks, terwijl hij het poortje achter hen dichttrok. 'Ik wil graag even een kijkje nemen in die schuur. Die is toch niet afgesloten?'
Mara schudde haar hoofd en ging met Richmond naar binnen.
Banks deed de deur open. Binnen in de schuur was het donker en het rook er naar hout, schaafsel, metaal, lijnzaadolie en beits. Hij trok aan het touwtje dat voor hem bungelde en een kaal peertje verlichtte nu Seths werkplaats. Planken, latten en meubelstukken, al dan niet gerestaureerd, stonden tegen de muren aan. In de donkere hoeken hingen spinnenwebben. Hij zag een draaibank en een uitgebreide verzameling goed onderhouden gereedschap – schaven, zagen, hamers, beitels – en op de geïmproviseerde houten planken

langs de muren lagen dozen met spijkers en schroeven. Er was geen ruimte voor iemand om zich te verstoppen.
Aan de andere kant van de werkplaats stond een oude Remmington-typemachine op een bureau naast een open archiefkast. Daarin trof Banks slechts correspondentie aan die van doen had met Seths timmerbedrijf: offertes, facturen, rekeningen, bestellingen. Daar vlakbij stond een boekenkastje. De meeste boeken gingen over antieke meubels en meubelmakerij, maar er stonden ook een paar oude romans en twee boeken over het menselijk brein, waarvan één *The Tip of the Iceberg* heette. Misschien koesterde Seth wel heimelijk de ambitie om hersenchirurg te worden, dacht Banks bij zichzelf. Als meubelmaker had hij waarschijnlijk zelfs een voorsprong op anderen.
Hij liep terug naar de deur en wilde het licht al uitdoen toen hij op een richel bij de deur een haveloos notitieboek zag liggen. Het stond vol maten, adressen en telefoonnummers, duidelijk Seths werkboek. Toen hij erdoorheen bladerde, viel het hem op dat er één bladzijde slordig was uitgescheurd. Op de volgende pagina was een lichte afdruk te zien van de diep in het papier gedrukte cijfers. Banks scheurde een velletje uit zijn eigen aantekenboekje, legde dat eroverheen en kraste er zachtjes over met een potlood. In het reliëf kon hij nog net een getal ontcijferen: 1139. Het was moeilijk te zeggen of dit in hetzelfde handschrift was geschreven als de rest, omdat de cijfers zoveel groter en nadrukkelijker waren neergepend.
Hij pakte het boek op en wilde vertrekken, maar botste bijna tegen Seth op die in de deuropening stond.
'Wat doet u?'
'Dit notitieboek,' zei Banks. 'Waar gebruik je dat voor?'
'Aantekeningen voor mijn werk. Afmetingen, de adressen van klanten, materiaal dat ik moet bestellen. Dat soort zaken.'
'Er ontbreekt een pagina.' Banks toonde hem de plek. 'Wat betekent dit, 1139?'
'U denkt toch zeker niet dat ik dat nog weet?' zei Seth. 'Dat moet van een hele tijd geleden zijn. Waarschijnlijk een of andere afmeting.'
'Waarom is die pagina er uitgescheurd?'
Seth keek hem met zijn diep in zijn gezicht liggende, bruine ogen achterdochtig en ontstemd aan. 'Dat weet ik niet meer. Misschien was het niet belangrijk. Misschien had ik op de achterkant iets geschreven wat ik ergens mee naartoe moest nemen. Het is gewoon een oud notitieboekje.'
'Maar er ontbreekt slechts één pagina. Vind je dat dan niet een beetje vreemd?'

'Nee, dat heb ik toch al gezegd.'
'Heb je die pagina er misschien uitgescheurd om aan Paul Boyd te geven? Is het een telefoonnummer dat hij moest bellen? Een deel van een adres?'
'Nee. Ik zeg net dat ik me niet kan herinneren waarom ik hem er heb uitgescheurd. Blijkbaar was het niet belangrijk.'
'Ik zal dit notitieboekje moeten meenemen.'
'Waarom?'
'Er staan namen en adressen in. We zullen moeten controleren of Boyd misschien naar een van deze mensen is gegaan. Ik heb gehoord dat hij hier heel vaak met je heeft zitten werken.'
'Maar dat boekje is van mij. Waarom zou hij zich dan op een van die adressen bevinden? Dat zijn allemaal mensen hier in de Dale, mensen voor wie ik heb gewerkt. Ik wil niet dat de politie hen lastigvalt. Dat kan me opdrachten kosten.'
'Toch zullen we het moeten nagaan.'
Seth vloekte binnensmonds. 'Doe wat u niet laten kunt. Maar ik wil er wel een kwitantie voor hebben.'
Banks schreef er eentje voor hem uit en trok toen aan het touwtje om het licht uit te doen. Ze liepen zwijgend terug naar de boerderij.
Seth ging zitten om verder te eten en Mara liep achter Banks aan naar de andere kant van de keuken. Boven konden ze Burgess en Richmond nog steeds horen zoeken.
'Meneer Banks?' zei Mara zachtjes en ze kwam heel dicht naast hem staan bij het raam.
Banks stak een sigaret op. 'Ja?'
'Wat hij over de kinderen zei... Dat is toch niet waar, hè? Dat kan hij toch niet zomaar...?'
Banks nam plaats in de schommelstoel, en Mara trok een driepotig krukje bij en ging tegenover hem zitten. Er lag een stapeltje tarotkaarten op een tafel naast hem, met bovenop De Maan. De Maan strooide zo te zien druppels bloed uit over een pad dat tussen twee torens door naar de verte leidde. Op de voorgrond klauwde een kreeft zich vanuit een meertje op het land, en een hond en een wolf stonden naar de maan te huilen. Het was een verontrustend, hypnotisch plaatje. Banks huiverde, alsof er zojuist iemand over zijn graf was gelopen, en richtte zijn aandacht weer op Mara.
'Het zijn toch niet jouw kinderen?' zei hij.
'U weet best dat het niet mijn kinderen zijn. Maar ik hou van hen alsof het wel mijn eigen kinderen zijn. Jenny Fuller heeft me verteld dat ze u kent. Ze

zei dat u niet zo erg bent als de rest. Vertelt u me alstublieft dat ze ons niet kunnen dwingen om de kinderen af te staan.'
Banks glimlachte in zichzelf. Niet zo erg als de rest? Hij zou Jenny dat dubbelzinnige compliment onder haar neus wrijven.
Hij keek Mara aan. 'Hoofdinspecteur Burgess zal doen wat nodig is om dit tot op de bodem uit te zoeken. Ik denk niet dat het zover zal komen dat de kinderen worden weggehaald, maar bedenk wel dat hij geen loze dreigementen uit. Als je iets weet, moet je het ons vertellen.'
Mara beet op haar lip. Ze zag eruit alsof ze elk moment in tranen kon uitbarsten. 'Ik weet niet waar Paul is,' zei ze ten slotte. 'U gelooft toch niet echt dat hij het heeft gedaan?'
'We hebben bewijzen die daarop duiden. Heb je hem ooit met een stiletto gezien?'
'Nee.'
Banks vermoedde dat ze loog, maar wist dat het geen zin had om aan te dringen. Wellicht zou ze hem dan een of ander onbeduidend detail aanbieden in de hoop dat dit de druk zou verlichten, maar de hele waarheid zou ze hem niet vertellen.
'Hij is weg,' zei ze uiteindelijk. 'Dat weet ik wel. Maar ik weet niet waar naartoe.'
'Hoe weet je dat hij weg is?'
Mara aarzelde even en haar stem klonk zo nonchalant dat ze onmogelijk de waarheid kon spreken. Voordat ze iets zei, streek ze haar lange kastanjebruine haar achter haar oren. Daardoor leek haar gezicht nog magerder en afgetobder. 'Hij was de afgelopen dagen erg van slag, vooral nadat hoofdinspecteur Burgess hem zo had lopen treiteren. Hij dacht dat jullie hem er wel voor zouden laten opdraaien, omdat hij al eens in de gevangenis heeft gezeten en omdat hij... er anders uitziet. Hij wilde ons niet in de problemen brengen en is weggegaan.'
Banks pakte de kaart van de stapel om te zien wat eronder lag: De Ster. Een beeldschone, naakte vrouw goot water uit twee vazen in een plas op de grond. Achter haar stonden bloeiende bomen en struiken, en in de lucht werd één grote, heldere ster door zeven kleinere omringd. Om een of andere reden deed de vrouw hem aan Sandra denken, wat vreemd was, want er was geen sterke uiterlijke gelijkenis.
'Hoe weet je dat hij is vertrokken?' vroeg Banks. 'Heeft hij een briefje achtergelaten?'
'Nee, hij heeft het me zelf verteld. Hij zei gisteravond dat hij erover dacht om

weg te gaan. Hij zei alleen niet wanneer.'
'En zeker ook niet waarheen?'
'Nee.'
'Heeft hij iets gezegd over de moord op agent Gill?'
'Nee, helemaal niets. Hij zei ook niet dat hij wilde weglopen omdat hij schuldig was, als u dat bedoelt.'
'En je hebt er niet aan gedacht om ons te laten weten dat hij ervandoor ging, ook al bestaat er een kans dat hij een moordenaar is?'
'Hij is geen moordenaar.' Mara praatte te snel. 'Ik heb in elk geval geen enkele reden om dat te geloven. Wat ons betreft stond het hem vrij om te vertrekken als hij dat wilde.'
'Wat heeft hij precies meegenomen?'
'Hoe bedoelt u?'
Banks wierp een blik door het raam naar buiten. 'Het is hondenweer en het regent voortdurend. Wat had hij aan? Had hij een koffer bij zich of een rugzak?'
Mara schudde haar hoofd. 'Dat weet ik niet. Ik heb hem niet zien weggaan.'
'Heb je hem vanmorgen nog gezien?'
'Ja.'
'Hoe laat was dat?'
'Rond een uur of elf, halftwaalf. Hij slaapt altijd uit.'
'Hoe laat is hij weggegaan? Bij benadering?'
'Dat weet ik echt niet. Rond lunchtijd was ik niet thuis. Ik ben om tien voor een vertrokken en was rond een uur of twee weer terug. Toen was hij al weg.'
'Was er toen iemand anders thuis?'
'Nee. Seth was weg met het bestelbusje. Zoe was met hem mee, omdat ze een paar horoscopen moest wegbrengen. En Rick was met de kinderen naar Eastvale.'
'En je weet dus niet wat Boyd aanhad of wat hij heeft meegenomen?'
'Nee. Ik zei net al dat ik hem niet heb zien weggaan.'
'Kom eens mee naar boven.'
'Wat?'
Banks liep naar de trap. 'Mee naar boven. Kom op.'
Mara liep achter hem aan naar Pauls kamer. Banks deed de kast open en trok de laden uit het ladekastje. 'Wat is er weg?'
Mara streek met een hand langs haar voorhoofd. Burgess en Richmond keken even om een hoek van de deur, maar gingen toen naar beneden.
'Ik... ik heb geen idee,' zei Mara. 'Ik weet niet wat voor kleren hij allemaal had.'

'Wie doet hier in huis de was?'
'Ik. Meestal, tenminste. En Zoe soms ook.'
'Dan moet je toch weten wat voor kleren Boyd allemaal had. Wat is er weg?'
'Hij had niet zoveel.'
'Hij moet in elk geval een andere winterjas hebben gehad. Zijn parka heeft hij achtergelaten.'
'Nee, dat is niet zo. Hij had wel een windjack. Een blauw windjack.'
Banks noteerde het. 'En verder?'
'Een spijkerbroek, zou ik zeggen. Hij draagt nooit iets anders.'
'Schoenen?'
Mara keek in de kast en zag daar de afgetrapte loafers staan. 'Een paar oude instappers. Hush Puppies, als ik me niet vergis.'
'Kleur?'
'Zwart.'
'En dat is alles?'
'Voorzover ik weet wel.'
Banks klapte zijn opschrijfboekje dicht en keek Mara glimlachend aan. 'Hoor eens, maak je maar niet al te druk over de kinderen. Zodra hoofdinspecteur Burgess Paul Boyd heeft opgespoord, vergeet hij zijn dreigementen wel. Als we hem snel vinden, tenminste.'
'Ik heb echt geen flauw idee waar hij is.'
'Oké. Maar als je iets bedenkt... Denk er eens rustig over na.'
'Mensen als Burgess zouden niet vrij moeten mogen rondlopen,' zei Mara. Ze sloeg haar armen stevig over elkaar en staarde naar de vloer.
'O? En wat stel je dan voor dat we met hem doen? Opsluiten?'
Ze keek Banks aan. Ze had haar kaken op elkaar geklemd en haar ogen stonden vol tranen.
'Of moeten we hem maar laten inslapen?'
Mara liep wild langs hem heen en vloog langs de trap naar beneden. Banks deed het iets langzamer. Burgess en Richmond stond klaar voor vertrek in de woonkamer.
'Vooruit, laten we weg wezen,' zei Burgess. 'Hier worden we toch niet veel wijzer.' Hij draaide zich om naar Seth die in de deuropening van de keuken stond. 'Als ik ontdek dat jullie Boyd op een of andere manier hebben geholpen, kom ik terug. En dan zitten jullie dieper in de shit dan jullie ooit hadden kunnen denken. Groeten aan de kindertjes.'

Mara staarde de auto na toen die over het pad wegreed. Banks' woorden hadden haar enigszins gerustgesteld, maar ze vroeg zich af wat hij kon doen wanneer Burgess eenmaal iets had besloten. Als de kinderen werden weggehaald, bedacht ze, kon ze misschien niet voorkomen dat ze de hoofdinspecteur met haar blote handen wurgde.
Ze werd zich weer bewust van de aanwezigheid van de anderen in de kamer. Ze had hun nog niet verteld wat er met Paul was gebeurd en niemand van hen wist dat hij voorgoed was verdwenen. Ze had amper tijd gehad om iets te zeggen. Iedereen was vlak voor etenstijd teruggekomen, toen zij druk bezig was in de keuken; en toen was de politie gearriveerd.
'Wat is er aan de hand, Mara?' vroeg Seth. Hij kwam naar haar toe en legde een hand op haar schouder. 'Weet jij er iets van?'
Mara knikte. Ze probeerde haar tranen te bedwingen.
'Vooruit.' Seth pakte haar hand en bracht haar naar een stoel. 'Vertel het ons maar.'
Toen ze zag dat ze haar allemaal verwachtingsvol aanstaarden, wist Mara zich te beheersen. Ze pakte haar blikje Old Holborn-tabak en draaide een sigaret.
'Hij is vertrokken,' zei ze. Toen vertelde ze hun dat ze Crocker met een mes in zijn hand de Black Sheep had zien binnenkomen. 'Ik ben meteen naar huis gerend om hem te waarschuwen. Ik wilde niet dat de politie hem zou oppakken en ik dacht dat ze op het mes misschien zijn vingerafdrukken zouden aantreffen of zoiets. Hij heeft in de gevangenis gezeten, dus zijn afdrukken zitten vast ergens in een of andere database.'
'Maar waarom dacht je direct aan Paul?' vroeg Zoe. 'Dat mes heeft volgens mij altijd hier op de schoorsteenmantel gelegen. Niemand heeft er ooit aandacht aan besteed. Iedereen die hier vrijdagmiddag was, kan het hebben meegenomen.'
Mara nam een trekje van haar sigaret en vertelde hun eindelijk over het bloed dat op Pauls hand had gezeten toen hij terugkwam van de demonstratie. Dezelfde hand die de volgende ochtend glad en onbeschadigd was geweest.
'Waarom heb je ons dat niet verteld?' vroeg Seth. 'Ik neem aan dat je Paul er ook niet op hebt aangesproken. Er kan immers een heel eenvoudige verklaring voor zijn geweest.'
'Dat besef ik ook wel,' zei Mara. 'Dacht je soms dat ik er niet dag en nacht over heb zitten piekeren? Ik was bang voor hem. Stel dat hij het inderdaad had gedaan... Maar ik wilde hem niet afvallen. Als ik het aan jullie had ver-

teld, hadden jullie hem misschien wel gezegd dat hij moest vertrekken.'
'Hoe reageerde hij toen je thuiskwam en hem vertelde dat het mes was gevonden?' vroeg Rick.
'Hij trok helemaal wit weg. Hij durfde me niet aan te kijken. Hij was net een bang dier.'
'Dus toen heb je hem geld en kleding gegeven?'
'Ja. Ik heb hem jouw rode windjack gegeven, Zoe. Het spijt me.'
'Dat geeft niet,' zei Zoe. 'Ik had precies hetzelfde gedaan.'
'En ik heb tegen de politie gezegd dat hij waarschijnlijk een blauwe aanhad. Hij heeft zijn blauwe jack wel meegenomen, maar het niet aangetrokken.'
'Waar is hij naartoe?' vroeg Rick.
'Geen idee. Ik wilde niet dat hij me dat vertelde. Hij is een doordouwer; hij redt het wel. Ik heb hem wat geld gegeven, geld dat ik had opgespaard van mijn werk in de winkel en de verkoop van mijn aardewerk. Hij heeft genoeg om ergens naartoe te gaan als hij dat wil.'
Die avond, toen de anderen naar de stal waren teruggegaan en Seth zat te lezen, dacht Mara terug aan de paar maanden dat Paul bij hen had gewoond en hoe energiek ze zich in zijn aanwezigheid had gevoeld. In het begin had hij zich stuurs en afstandelijk gedragen, en er was een moment geweest waarop Seth overwoog hem te vragen om te vertrekken. Paul was toen echter net uit de gevangenis; hij was niet gewend om met mensen om te gaan. Tijd en goede zorgen hadden voor een wonder gezorgd. Al snel maakte hij in zijn eentje lange wandelingen over de heide en kon hij beter omgaan met de claustrofobie die de avonden in de gevangenis vaak tot een ware hel voor hem had gemaakt. Hoewel niemand hem ertoe dwong, werkte hij graag met Seth samen in de werkplaats.
Toen ze aan de vooruitgang dacht die hij had geboekt en waar het allemaal toe had geleid, voelde Mara zich intriest. Als hij nu werd opgepakt en weer in de gevangenis belandde, was alles voor niets geweest. Ze zag voor zich hoe hij verkleumd en alleen door de onbekende, angstaanjagende wereld buiten Swainsdale rondzwierf en had het liefst een potje gehuild. Ze hield zichzelf echter voor dat hij sterk was, vindingrijk, een doorzetter. Hij ervoer het beslist anders dan zij het zou doen. Bovendien waren denkbeeldige verschrikkingen altijd vele malen erger dan de werkelijkheid.
'Ik hoop dat Paul heel ver weg is,' zei Seth in de stilte die die avond viel nadat ze de liefde hadden bedreven. 'Ik hoop dat ze hem nooit te pakken krijgen.'
'Hoe komen we er ooit achter waar hij is, hoe het met hem gaat?' vroeg Mara.
'Hij zal het ons op een of andere manier heus wel laten weten. Maak je daar

maar geen zorgen over.' Hij sloeg een arm om haar heen en ze legde haar hoofd op zijn borst. 'Wat jij hebt gedaan was goed.'
Toch was ze bedrukt. Ze dacht niet dat ze ooit nog iets van Paul zouden horen, niet na alles wat er was gebeurd. Ze wist niet wat ze anders had moeten doen, maar ze was er niet helemaal van overtuigd dat wat zij had gedaan juist was. Ze probeerde wat te slapen en zag opeens de blik in zijn ogen voor zich vlak voordat hij vertrok. Dankbaarheid, ja, dat ook, vanwege de waarschuwing, het geld en de kleding, maar ook woede en teleurstelling. Hij had gekeken alsof hij werd verbannen. Ze wist niet of hij had verwacht dat ze hem ondanks alles zou vragen om te blijven – ze had hem in elk geval niet gezegd dat hij weg moest gaan – maar er had iets beschuldigends in zijn gebaren gelegen, alsof hij wilde zeggen: jij denkt zeker dat ik het heb gedaan, hè? Je wilt natuurlijk niet dat ik jullie in moeilijkheden breng. Je hebt me toch al nooit vertrouwd. Ik ben een buitenbeentje en dat zal ik altijd blijven ook. Dat had ze Seth en de anderen niet verteld.

Terwijl Banks op zijn beurt stond te wachten bij de drukke bar in de Queen's Arms nam Burgess plaats aan een rond tafeltje bij de ingang aan Market Street. Het was halfnegen. Hatchley was zojuist vertrokken voor zijn afspraakje met Carol Ellis en Richmond was naar een feestje van de rugbyclub.
Dirty Dick was duidelijk in zijn nopjes. Hij leunde achterover in zijn stoel en wierp iedereen die toevallig zijn kant uit keek een werkelijk stralende blik toe. Meer dan een chagrijnige reactie kreeg hij echter niet terug.
'Hé, meneer Banks,' zei Cyril. 'Hebt u een ogenblikje voor me?'
'Tuurlijk. Voor jou altijd, Cyril. En graag vast een pint bitter en een pint Double Diamond.'
'Het gaat over die vriend van u.' Cyril knikte agressief met zijn hoofd in Burgess' richting.
'Hij is niet echt een vriend van me,' zei Banks. 'Eerder een soort baas.'
'Aye. Nou, hoe dan ook, zegt u alstublieft tegen hem dat hij mijn Glenys niet meer moet lastigvallen. Ze heeft het veel te druk met haar werk om tijd te verspillen aan zo'n type als hij.' Cyril boog zich een stukje naar hem toe en terwijl de spieren boven de opgestroopte mouwen van zijn overhemd zich spanden ging hij zachter verder: 'En zegt u hem maar namens mij dat het mij niets kan schelen dat hij een diender is, met alle respect voor u, meneer Banks. Als hij niet uit mijn buurt blijft, krijgt hij binnenkort een dreun van me, dat meen ik echt.'

Glenys had blijkbaar in de gaten gekregen waar hun gesprekje over ging en tapte nu blozend aan de andere kant van de bar een pint.
'Ik zal je boodschap met alle plezier overbrengen,' zei Banks en hij rekende de drankjes af.
'Vergeet u de Double Diamond voor dat heerschap niet,' zei Cyril verachtelijk.
'Haal die grijns eens gauw van je gezicht,' zei Burgess nadat Banks Cyrils boodschap had doorgegeven. 'Die vijf pond heb je nog lang niet in je zak. Ze ziet me wel zitten, die jonge Glenys. Geen twijfel mogelijk. En van een beetje gevaar, een beetje risico, gaan de hormonen alleen maar sneller stromen. Moet je haar nu eens zien.' En inderdaad wierp Glenys Burgess blozend een glimlach toe, toen Cyril net even een andere kant op keek. 'We moeten alleen een manier zien te bedenken om die boerenpummel uit de weg te krijgen... Komende maandag is trouwens haar vrije avond. Meestal gaat ze met vriendinnen naar de film.'
'Als ik jou was, zou ik een beetje voorzichtig zijn,' zei Banks.
'Ja, maar jij bent mij niet.' Hij goot de helft van zijn pint naar binnen. 'Zo, dat smaakt. Goed, we hebben die rotzak dus te pakken. Nu ja, binnenkort dan.'
Banks knikte. Dat, begreep hij nu, was de reden voor de feestelijke stemming. Burgess was al aan zijn vierde pint bezig en Banks aan zijn derde.
Ze hadden alles gedaan wat in hun vermogen lag. Boyd was er inderdaad tussenuit geknepen, ook al had Banks geen flauw idee hoe hij wist dat het mes was gevonden. Het lag voor de hand dat hij naar Eastvale was gegaan en daar een bus had genomen. De 43 kwam langs Cardigan Drive, die langs de westelijke stadsgrens voerde. Om daar te komen hoefde hij alleen maar de heide over te steken en een stukje langs Gallows View te lopen. De bussen naar York en Ripon reden overigens ook over die weg. Iemand moest hem hebben gezien. Banks had zijn signalement aan de busbedrijven doorgegeven en de foto uit zijn dossier aan politiebureaus in het hele land gestuurd, met bijzondere aandacht voor Leeds, Liverpool en Londen. Zoals Burgess al zei: het was slechts een kwestie van tijd voordat hij werd opgepakt.
'Hoe kom je eigenlijk aan dat litteken?' vroeg Burgess.
'Dit?' Banks wreef over het witte halvemaantje bij zijn rechteroog. 'In Heidelberg opgelopen. Tijdens een duel.'
'Ha, ha, heel grappig! Je bent een echte lolbroek, weet je dat? Ken je die mop al over dat...' Burgess zweeg plotseling en keek op naar de gedaante die naast hen bleef staan en boven hen uittorende. 'Toe maar,' zei hij en hij schoof rumoerig zijn stoel een stukje opzij om plaats te maken. 'Daar hebben we... eh...'

'Dokter Fuller,' zei Jenny. Ze wierp een blik op Banks en zette een stoel naast de zijne.
'Maar natuurlijk. Hoe kon ik dat nu vergeten? Iets te drinken, liefje?'
Jenny glimlachte allervriendelijkst. 'Ja, lekker. Een halve pint bier, graag.'
'Och kom, neem toch een hele pint,' drong Burgess aan.
'Goed dan. Een pint.'
'Mooi zo.' Burgess wreef in zijn handen en stond op om naar de bar te lopen. Daarbij raakte hij met zijn been de tafelrand. Het bier klotste in de glazen, maar belandde nog net niet op de tafel.
Jenny trok een gezicht naar Banks. 'Wat heeft hij?'
Banks grinnikte. 'Iets te vieren.'
'Dat begrijp ik, ja.' Ze boog zich iets naar hem toe. 'Hoor eens, ik moet je iets vragen...'
Banks legde een vinger tegen zijn lippen. 'Niet nu,' zei hij. 'Hij is al aan de beurt. Zo meteen is hij terug.' En jawel, Burgess was alweer op weg naar hun tafeltje met drie pinten waaruit hij bier op zijn schoenen morste.
'Wat vieren jullie eigenlijk?' vroeg Jenny, nadat Burgess de drankjes op tafel had weten te zetten zonder al te veel te knoeien.
Banks vertelde haar over Paul Boyd.
'Wat erg.'
'Erg! Je zei dat hij je de koude rillingen gaf.'
'Dat is ook zo. Het gaat mij voornamelijk om de anderen. Het moet een zware klap zijn voor Seth en Mara. Ze hebben zoveel voor hem gedaan. Vooral Mara.' Jenny keek bijzonder afwezig bij de gedachte aan Mara Delacey en Banks vroeg zich af waarom dat was.
'Weet je,' zei Burgess, 'ik vind het persoonlijk een beetje jammer dat het Boyd is.'
Jenny keek verwonderd. 'Echt waar? Waarom dan?'
'Nu ja...' Hij schoof zijn stoel een stukje dichter naar haar toe. 'Ik had eigenlijk gehoopt dat het dat vriendje van jou zou zijn. Dan hadden we hem heel lang achter slot en grendel kunnen zetten, en hadden jij en ik samen lekker... nu ja, je weet wel.'
Tot Banks' stomme verbazing begon Jenny te lachen. 'U hebt een levendige fantasie, hoofdinspecteur Burgess, dat moet ik u echt nageven.'
'Zeg maar Dick. Dan doen al mijn vrienden.'
Jenny onderdrukte een giechelbui. 'Ik geloof niet dat ik dat kan. Echt niet.'
'Ben je dan niet blij dat het allemaal achter de rug is?' vroeg Banks aan haar.
'En anders Osmond wel, zou ik zo denken.'

'Uiteraard. Helemaal als dat inhoudt dat we dan verschoond blijven van verdere bezoekjes van hem daar.' Ze knikte in Burgess' richting.
'Ik kan best nog eens op bezoek komen,' zei Dirty Dick met een knipoog.
'Ach, verzin toch eens wat nieuws, man. Waar denk je dat Paul nu is?' vroeg ze aan Banks.
'We hebben totaal geen idee. Hij is aan het begin van de middag vertrokken, nog voordat we een positieve identificatie hadden. Hij kan werkelijk overal zijn.'
'Maar je bent ervan overtuigd dat je hem zult vinden?'
'Ja.'
Jenny keek naar Burgess. 'Dus uw taak zit erop? Ik neem aan dat u dan niet veel langer in dit godvergeten oord zult blijven hangen, is het wel?'
'Och, dat weet ik zo net nog niet.' Burgess stak een sigaartje op en keek haar wellustig aan. 'Het heeft zo zijn voordelen.'
Jenny kuchte en wuifde de rook weg.
'Maar nu even serieus,' vervolgde hij. 'Ik blijf tot hij is opgepakt. Ik heb hem heel wat te vragen.'
'Maar dat kan nog dagen duren, weken zelfs.'
Burgess haalde zijn schouders op. 'Alles op kosten van de belastingbetaler, liefje. Jouw beurt voor een rondje, Banks.'
'Voor mij niets, hoor,' zei Jenny. 'Ik moet er zo weer vandoor.' Ze had haar glas nog niet eens halfleeg.
Met een licht gevoel in zijn hoofd liep Banks naar de bar.
'Hebt u het tegen hem gezegd?' vroeg Cyril.
'Ja zeker.'
'Mooi. Ik hoop dat hij weet wat goed voor hem is. Moet je die klootzak nou eens zien, hij kan gewoon niet van ze afblijven.'
Banks keek achterom. Dirty Dick was nog dichter bij Jenny gaan zitten en zijn elleboog rustte nu op de rugleuning van haar stoel. Ze bleef er bewonderenswaardig rustig onder, vond Banks. Het was niets voor haar om zulk seksistisch, patroniserend gedrag te tolereren. Misschien heeft ze wel een oogje op hem, bedacht hij plotseling. Als Glenys hem wel ziet zitten, geldt dat misschien voor haar ook. Wellicht heeft hij echt de juiste flair om vrouwen in te palmen. En hij is tenminste beschikbaar. Best knap om te zien, ook. Dat nonchalante uiterlijk – versleten leren jack, overhemd open aan de hals – stond hem goed, evenals die grijze haren bij zijn slapen.
Banks zette de gedachte onmiddellijk van zich af. Het was belachelijk. Jenny was een intelligente vrouw met smaak. Een vrouw als zij zou nooit vallen voor

de brutale charmes van Dirty Dick. Vrouwen waren echter een groot mysterie, bedacht Banks somber toen hij met de drankjes terugliep. Ze vielen altijd op die waardeloze types. Hij herinnerde zich maar al te goed de mooie Anita Howarth, lijdend voorwerp van zijn puberale lustgevoelens in de derde klas. Ze was in het geheel niet gevoelig geweest voor Banks' pezige, knappe uiterlijk en had verkering gekregen met die waardeloze puistenkop van een Steve Naylor. Die zich zo op het oog maar weinig aan haar gelegen had laten liggen. Hij leek veel liever cricket of rugby te spelen dan met Anita ergens naartoe te gaan. Daardoor had ze hem alleen nog maar interessanter gevonden. Intussen moest Banks al zijn tijd en energie aanwenden om de ongewenste avances van Cheryl Wagstaff, die met dat gele paardengebit, af te houden.
'Ik bood deze prachtige jongedame net aan om haar de bezienswaardigheden van Londen te laten zien,' zei Burgess.
'Ik denk dat ze die al eens heeft gezien,' antwoordde Banks stijfjes.
'Niet op de manier zoals ik ze zou laten zien.' Burgess verschoof zijn arm, zodat zijn hand op Jenny's schouder kwam te liggen.
Banks vroeg zich af of hij deze keer als reddende engel moest optreden en Jenny's eer verdedigen. Ze waren hier tenslotte niet in functie. Hij bedacht echter dat ze heel goed in staat was voor zichzelf te zorgen. Er verscheen een lievige uitdrukking op haar gezicht die weinig goeds voorspelde.
'Haalt u alstublieft uw hand van mijn schouder, hoofdinspecteur,' zei ze.
'Och, kom nu toch, liefje,' zei Burgess. 'Niet zo verlegen. En noem me toch Dick.'
'Alstublieft?'
'Gun me nou een kans. We kennen elkaar nog helemaal niet...'
Burgess zweeg abrupt toen Jenny rustig en beheerst haar glas oppakte en het restje koude bier in zijn schoot goot.
'Ik zei toch dat ik maar een halfje wilde,' zei ze, waarna ze haar jas pakte en vertrok.
Burgess vluchtte op een holletje naar het herentoilet. Gelukkig had Jenny gehandeld alsof het de gewoonste zaak van de wereld was en gingen de mensen om hen heen volledig in hun eigen gesprek op, zodat het voorval vrijwel onopgemerkt was gebleven. Cyril had het echter wel gezien en zijn gezicht zag vuurrood van het ingehouden lachen.
Banks haalde Jenny buiten in. Ze stond met haar hand tegen haar mond gedrukt tegen het eeuwenoude, pokdalige marktkruis midden op het plein geleund. 'Godsamme,' zei ze, nadat ze uitgelachen was en zichzelf op de borst had geklopt, 'zoveel lol heb ik in jaren niet gehad. Die vent is een regelrechte

neanderthaler. Het verbaast me dat je zijn gezelschap zo op prijs stelt.'
'Hij valt wel mee,' zei Banks. 'Zeker na een paar glaasjes.'
'Ja, daar moet je op zijn minst halfdronken voor zijn. En een man. Eigenlijk blijven mannen toch altijd die puberale lummels uit de kleedkamer.'
'Hij heeft een flinke reputatie als rokkenjager.'
'Dan zijn ze daar in het zuiden zeker wanhopiger dan wij.'
Banks' vertrouwen in de vrouw werd hierdoor deels hersteld.
Het was op het verlaten plein bitterkoud. De keitjes waren nog altijd nat van de regen en glinsterden in het gedempte licht van de gaslampen. De kerkklok sloeg halftien. Banks zette de kraag van zijn jas op en hield de revers stijf tegen elkaar. 'Wat wilde je me vragen?'
'Ach, het is niets. Het doet er nu niet meer toe.'
'Vooruit, Jenny, je houdt iets voor me verborgen. Ik zie het aan je. Gaat het over Paul Boyd?'
'Indirect. Maar ik zei het net al, het doet er niet meer toe.'
'Weet je waarom hij ervandoor is?'
'Natuurlijk niet.'
'Hoor eens, ik weet dat Mara een vriendin van je is. Gaat het soms over haar? Het kan belangrijk zijn.'
'Goed dan,' zei Jenny en ze stak haar hand op. 'Stil maar. Ik vertel je alles wat je weten wilt. Je wordt al net zo erg als die maat van je. Mara vroeg zich af hoe het met het onderzoek stond. Ze zijn allemaal een tikje gespannen op de boerderij en ze willen graag weten of ze nog meer bezoekjes kunnen verwachten van die fantastische vrouwenversierder. Geloof je me nu als ik zeg dat het er niet meer toe doet?'
'Wanneer heb je haar gesproken?'
'Vandaag rond lunchtijd in de Black Sheep.'
'Dan heeft ze natuurlijk het mes gezien,' zei Banks half in zichzelf.
'Wat?'
'Die schaapsherder, Jack Crocker. Hij heeft het mes gevonden. Dat heeft ze natuurlijk gezien. Ze herkende het mes van Boyd en is ervandoor gegaan om hem te waarschuwen. Daarom kon hij er net op tijd tussenuit knijpen.'
'O, Alan, dat zal toch zeker niet?'
'Ik had al zo'n vermoeden dat ze loog toen ik haar daarstraks sprak. Is jou niets opgevallen?'
'Ze ging er inderdaad een beetje gehaast vandoor, maar ik had geen flauw idee waarom. Ik ben even daarna zelf ook weggegaan. Je gaat haar toch niet arresteren, hè?'

Banks schudde zijn hoofd. 'Hierdoor is ze eigenlijk medeplichtig,' zei hij, 'maar ik betwijfel of we het kunnen bewijzen. En zodra Burgess Boyd in handen heeft, zal hij Mara en de anderen volgens mij geen blik meer waardig gunnen. Het was alleen erg dom van haar dat ze dat heeft gedaan.'
'Vind je? Zou jij een vriend zomaar verraden? Wat zou jij doen als iemand Richmond van een moord beschuldigde, of mij?'
'Daar gaat het niet om. Natuurlijk zou ik doen wat ik kon om je vrij te pleiten. Maar ze had het ons moeten vertellen. Boyd kan gevaarlijk zijn.'
'Ze geeft om Paul. Het ligt dan ook niet direct voor de hand dat ze hem aan jullie overhandigt.'
'Ik vraag me af of ze hem ook heeft verteld waar hij zich moest verstoppen.'
Jenny huiverde. 'Het is een beetje te koud om hier te blijven staan,' zei ze. 'Ik kan maar beter gaan voordat Dirty Dick naar buiten komt en me in elkaar slaat. Dat zou echt iets voor hem zijn. En jij moet terug naar binnen, want anders gaat hij nog denken dat je hem hebt laten zitten. Doe hem maar de groeten van me.' Ze kuste Banks op zijn wang en liep snel naar haar auto. Hij bleef nog even in de kou staan nadenken over Mara en over wat Jenny had gezegd, maar ging toen weer de Queen's Arms binnen om te zien wat er van de doorweekte hoofdinspecteur was terechtgekomen.
'Het is geen katje om zonder handschoenen aan te pakken, dat moet ik haar nageven,' merkte Burgess op, die totaal niet onder de indruk was van het gebeurde. 'Nog een pint?'
'Ik heb eigenlijk wel genoeg gehad.'
'Och kom, Banks. Wees niet zo'n saaie drol.' Zonder op antwoord te wachten liep Burgess naar de bar.
Banks vond dat hij al te veel had gedronken en vermoedde dat er zo meteen geen weg terug meer was. Maar ach, dacht hij bij zichzelf, na nog een paar pinten zou dat hem toch geen zak meer kunnen schelen. Hij had het idee dat Burgess een beetje eenzaam was en behoefte had aan gezelschap nu hij zo'n succes had behaald, en hij vond niet dat hij hem zomaar aan zijn lot kon overlaten. Bovendien wachtte hem toch alleen maar een leeg huis. Als hij straks echt ver over de limiet heen was, kon hij de Cortina wel op het parkeerterrein bij het politiebureau laten staan en naar huis lopen. Het was nog geen twee kilometer.
Dus dronken ze stevig door. Wanneer je eenmaal gewend was geraakt aan zijn aanmatigende houding en de onderwerpen politiek en werk vermeed, kon je best een goed gesprek met Burgess voeren, ontdekte Banks. Hij beschikte over een uitgebreide, gevarieerde verzameling moppen, wist enorm

veel van jazz en kon talloze vermakelijke verhalen opdissen over missers van de politie. Banks herinnerde zich nog wel dat er bij de Metropolitan Police zoveel verschillende afdelingen en teams waren die allemaal hun eigen operaties runden, dat het niet ongebruikelijk was dat de uniformdienst ergens binnenviel en zo een geheime surveillance van het fraudebestrijdingsteam verpestte.

Toen Burgess een uur en twee pinten later de climax naderde van een anekdote over een sullige agent van de narcoticabrigade die zich in zijn eigen voet had geschoten, opperde Banks dat het wellicht tijd werd om op te stappen.

'Je zult wel gelijk hebben,' zei Burgess spijtig. Hij dronk zijn glas leeg en kwam overeind.

Het was niet direct te merken dat hij dronken was. Hij praatte normaal en zijn ogen stonden helder. Toen ze buiten kwamen, kostte het hem echter de grootste moeite om op de stoep te blijven lopen. Om zijn evenwicht te bewaren sloeg hij een arm om Banks' schouders en samen zigzagden ze over het plein. Godzijdank is het hotel hier om de hoek, dacht Banks bij zichzelf.

'Dat is dus het enige waar ik last van heb,' zei Burgess. 'Geest zo scherp als wat, niets mis met het geheugen, maar zodra ik te veel drink, laat mijn motoriek me compleet in de steek. Enig idee hoe mijn collega's bij de Yard me noemen?'

'Nee.'

'Bambi.' Hij lachte. 'Bambi! Je weet wel, dat kleine opdondertje in die tekenfilm, zoals dat klerebeest loopt. Het is heus geen verwijzing naar mijn vriendelijke, zachtaardige karakter.' Hij tastte met een hand in zijn kruis. 'Tering, zeg, het voelt nog steeds aan alsof ik in mijn broek heb gezeken. Dat verrekte rotwijf!' Maar hij lachte erbij.

Banks sloeg de uitnodiging om mee naar Burgess' kamer te gaan en daar samen een fles whisky soldaat te maken af. Hoeveel medelijden hij ook met de eenzame man had, zo'n enorme masochist was hij nu ook weer niet. Burgess liet hem met tegenzin vertrekken. 'Dan drink ik lekker alles zelf op,' waren zijn afscheidswoorden, luidkeels geuit in het bijzijn van een gegeneerde receptiemedewerker in de lobby van het hotel.

Banks ging op weg naar huis en wilde maar dat hij zijn walkman had meegenomen. Dan had hij tijdens de wandeling naar Blind Willie McTell of Bukka White kunnen luisteren. Hij had echter totaal geen evenwichtsproblemen en had binnen twintig minuten de voordeur van zijn lege huis bereikt. Hij was moe en wilde al helemaal niets meer drinken, dus ging hij direct naar bed. Zoals altijd wanneer hem iets dwarszat kon hij ook nu echter niet meteen de slaap vatten. En er waren heel wat dingen in de zaak-Gill die hem bezighielden.

Het motief was een probleem, tenzij Burgess natuurlijk gelijk had en Boyd eenvoudigweg had uitgehaald naar de eerste de beste agent die bij hem in de buurt kwam. In dit geval bood het feit dat ze hadden ontdekt wíé het had gedaan blijkbaar geen verklaring voor het wáárom. Voorzover iedereen wist had Boyd geen politieke drijfveren en zelfs straatschoffies als hij maakten er geen gewoonte van om tijdens demonstraties tegen kernenergie politiemensen neer te steken. Als iemand een persoonlijke reden had gehad om Gill uit de weg te ruimen, dan speelde er heel wat in het leven van de andere verdachten om in overweging te nemen: de aanklacht wegens mishandeling tegen Osmond, Trelawneys voogdijstrijd, het ongeluk van Seths vrouw, Mara's religieuze groepering en zelfs Zoe's waarzeggerijpraktijken aan de kust. Het was moeilijk om op dit moment een verband te zien, maar er waren wel gekkere dingen gebeurd. Misschien kon Tony Grants dossier hem daarbij helpen, wanneer dat ding tenminste eindelijk eens arriveerde.

Banks was ook nieuwsgierig naar de vingerafdrukken op het mes. Wanneer een mes in iemand wordt gestoken, glijden de vingers die het handvat vasthouden gewoonlijk weg en worden afdrukken uitgewist of onduidelijk. Boyds vingerafdrukken waren heel duidelijk te onderscheiden geweest, bijna alsof hij ze heel voorzichtig een voor een had aangebracht. Dat kon zijn gebeurd als hij het mes had opgeklapt en in zijn hand had meegenomen voordat hij het weggooide, of als hij het direct nadat iemand anders het had gebruikt had opgeraapt. Er zaten andere afdrukken onder de zijne, maar die waren te onduidelijk geworden. Natuurlijk konden die ook van hem zijn, maar er was geen enkele manier om daarachter te komen.

Boyd had het mes in elk geval in zijn zak gehad. De vlekken aan de binnenkant van de zak van de parka kwamen overeen met het bloedtype van Gill. Maar als hij het mes inderdaad had gebruikt, waarom was hij dan zo stom geweest om het op te rapen nadat hij het had laten vallen? Hij moest het op een bepaald moment hebben laten vallen, want verschillende mensen hadden gezien dat het door de menigte op straat heen en weer werd geschopt. En als hij het daar gewoon had laten liggen, was het zeer onwaarschijnlijk geweest dat ze het verband met de boerderij hadden ontdekt.

Maar als Boyd het niet had gedaan, waarom had hij dan een mes opgepakt dat niet van hem was? Om iemand te beschermen? En wat lag er meer voor de hand dan dat hij de bewoners van Maggie's Farm wilde beschermen? Of was er nog iemand anders geweest die hij kende, iemand om wie hij gaf, die

het mes ook zo had kunnen pakken? Er bleven voorlopig heel wat vragen onbeantwoord, vond Banks, en Burgess was wel erg voorbarig aan het feesten geslagen die avond.
Dan was er nog de kwestie van het getal dat uit Seth Cottons notitieboekje was gescheurd. Banks wist niet wat het betekende, maar het kwam hem wel vaag bekend voor. Boyd trok erg naar Seth en was vaak in zijn werkplaats geweest. Kon het getal iets met hem te maken hebben? Zou het iets te maken kunnen hebben met waar hij naartoe was?
Het kon natuurlijk een telefoonnummer zijn. Er waren in de regio Swainsdale nog altijd heel veel viercijferige nummers in gebruik. Banks stapte impulsief uit bed en liep naar beneden. Hoewel het na elven was, wilde hij toch een poging wagen. Hij draaide 1139 en hoorde de telefoon aan de andere kant overgaan. Het duurde lang. Hij wilde net ophangen toen een vrouw opnam.
'Hallo. Rossghyll Guest House, *bed and breakfast*.' De stem klonk beleefd, maar terughoudend.
Banks vertelde wie hij was en toen duidelijk werd dat hij geen potentiële gast was, werd de houding van de vrouw iets minder beleefd. 'Weet u wel hoe laat het is?' zei ze. 'Had dit echt niet tot morgenochtend kunnen wachten? Weet u hoe vroeg ik moet opstaan?'
'Het is belangrijk.' Banks gaf haar het signalement van Paul Boyd en vroeg of ze hem had gezien.
'Dat soort mensen komt er bij mij niet in,' antwoordde de vrouw kwaad. 'Wat denkt u wel? Dit is een fatsoenlijk pension.' En met die woorden hing ze op.
Banks sjokte naar boven. Hij zou er natuurlijk iemand naartoe moeten sturen, voor alle zekerheid, maar het leverde waarschijnlijk helemaal niets op. En als het een nummer van buiten de regio was, kon het werkelijk overal zijn. Omdat het netnummer ontbrak, konden ze dat met geen mogelijkheid achterhalen.
Banks lag nog even wakker, maar viel ten slotte toch in slaap en droomde over Burgess die deemoedig zijn nederlaag moest bekennen.

9

De troosteloze hemel drukte zwaar op de zeurende hoofdpijn die Banks voelde toen hij de volgende ochtend om halftwaalf op weg ging naar Maggie's Farm. Burgess had gebeld om te zeggen dat hij wat papierwerk wilde afhandelen op zijn hotelkamer en niet mocht worden gestoord, tenzij Paul Boyd opdook. Banks vond het prima; hij wilde Mara Delacey spreken en hoe minder Dirty Dick er vanaf wist, des te beter.

Hij zette de auto stil voor de boerderij en klopte aan. Het verbaasde hem niets toen Mara de deur opendeed en kreunend zei: 'Niet weer, hè!'

Ze liet hem met tegenzin binnen. Er was verder niemand in het huis aanwezig. Waarschijnlijk waren de anderen allemaal aan het werk.

Banks wilde Mara mee het huis uit zien te krijgen en op neutraal terrein met haar praten. Misschien, dacht hij bij zichzelf, lukte het hem dan om iets meer uit haar te krijgen.

'Ik wil je graag even spreken,' zei hij. 'Het is geen verhoor, niets officieels.'

Ze keek verrast op. 'Ga verder.'

Banks tikte op zijn horloge. 'Het is bijna tijd lunchtijd en ik heb nog niet gegeten,' zei hij achteloos. 'Heb je misschien zin om even met me naar de Black Sheep te rijden?'

'Waarom? Is dit soms een slinkse manier om me mee te nemen naar het bureau?'

'Het is geen trucje. Echt niet. Wat ik je te vertellen heb, kan je wellicht goed van pas komen.'

Ze keek hem achterdochtig aan, maar het aanbod was te verleidelijk om zomaar af te slaan. 'Vooruit dan maar.' Ze pakte een windjack dat ze over haar dikke trui en spijkerbroek aantrok. 'Ik moet vanmiddag toch naar de winkel.' Ze streek haar dikke, kastanjebruine haar naar achteren en bond het vast in een paardenstaart.

In de auto boog Mara zich voorover om de cassettebandjes te bekijken die Banks in het rekje had liggen dat Brian hem afgelopen mei voor zijn verjaardag – hij was 38 – had gegeven. Daar stonden Zemlinsky's *Birthday of the Infanta*, Mozarts *Die Zauberflöte*, Dowlands *Lachrymae* en de airs van Purcell gebroederlijk zij aan zij met Lightning Hopkins, Billie Holiday, Muddy

Waters, Robert Wilkins en een aantal verzamelbandjes met bluesmuziek.
Mara pakte het bandje met Billie Holiday en glimlachte even. 'Een politieman die van blues houdt, kan zo slecht nog niet zijn,' zei ze.
Banks lachte. 'Ik hou van heel veel soorten muziek,' zei hij, 'alleen niet van country-and-western en smartlappen; je weet wel: Frank Sinatra, Engelbert Humperdinck en dergelijken.'
'Zelfs van rock?'
'Zelfs van rock. Alhoewel niet alles. Ik moet eerlijk bekennen dat ik wat dat betreft echt in de jaren zestig ben blijven hangen. Toen de Beatles uit elkaar gingen, hield het voor mij op. Ik weet zelfs waar de naam van jullie boerderij vandaan komt.'
Banks vond het prettig te merken dat hij zo ontspannen met Mara kon praten. Het was voor het eerst dat zijn belangstelling voor muziek hem had geholpen de juiste band met een getuige te creëren, zoals hij dat zo graag zag. Mensen beschouwden het vaak als een excentrieke karaktertrek van hem, maar nu hielp het hem ook daadwerkelijk bij een belangrijke zaak. Een gemeenschappelijke belangstelling voor jazz en blues had eveneens voor een luchtiger relatie met Burgess gezorgd.
Maar ja, dacht hij bij zichzelf, zodra Mara eenmaal doorhad waar hij met zijn vragen naartoe wilde, zou ze waarschijnlijk heel wat minder toeschietelijk zijn.
Ze gingen aan een tafeltje in een rustig hoekje van de pub zitten, vlak bij de betegelde open haard. In een glazen lijst aan de muur naast hen hing een verzameling vlinders die op het hout waren vastgeprikt. Banks haalde een halfje mild voor Mara en een pint Black Sheep bitter voor zichzelf. Een borrel tegen de nadorst die hopelijk zijn hoofdpijn zou verdrijven. Hij bestelde ploughman's lunch; Mara wilde lasagne.
'Ploughman's lunch is een gerecht dat in de jaren zeventig voor toeristen is bedacht,' merkte Mara op.
'Het is dus niet authentiek?'
'Nee.'
'Ach, nou ja. Ik kan wel ergere dingen bedenken.'
'Ik neem aan dat u meteen ter zake wilt komen,' zei Mara. 'Heeft Jenny Fuller u over ons gesprek verteld?'
'Nee, maar daar was ik zelf al achter gekomen. Ik geloof dat ze zich zorgen over je maakt.'
'Dat is nergens voor nodig. Met mij gaat het goed.'
'Echt? Ik dacht dat je bezorgd was om Paul Boyd.'

'En wat dan nog?'
'Denk je dat hij de dader is?'
Mara zweeg en nam een slokje bier. Ze veegde een verdwaalde pluk haar van haar wang en gaf toen pas antwoord. 'In het begin misschien wel,' zei ze. 'Ik maakte me inderdaad een beetje zorgen. Zoveel weten we namelijk niet van hem af. Ik denk dat ik heel even anders naar hem ging kijken. Maar nu niet meer. En het kan me niets schelen wat u voor bewijzen tegen hem hebt.'
'Waardoor ben je van gedachten veranderd?'
'Een gevoel. Niets tastbaars, niet iets wat u zou begrijpen.'
Banks boog zich naar haar toe. 'Of je het nu gelooft of niet, Mara, politiemensen hebben ook dergelijke gevoelens. We noemen het een voorgevoel of houden het erop dat we de waarheid altijd herkennen door ons speurderstalent, onze intuïtie. Misschien heb je wat Boyd betreft inderdaad gelijk. Ik zeg niet dát het zo is, maar het is mogelijk. In deze zaak is niet alles even duidelijk en helder als het op het eerste gezicht lijkt. In sommige opzichten is Paul een net iets te mooie verdachte om waar te zijn.'
'Is dat niet juist wat jullie graag willen? Iemand wie je gemakkelijk de schuld in de schoenen kunt schuiven?'
'Ik niet.'
'Maar jullie... ik dacht dat jullie er zeker van waren, dat jullie bewijzen hadden?'
'Het mes, bedoel je?'
'Ja.'
'Toen Jack Crocker er hier gisteren rond lunchtijd mee kwam aanzetten, wist je toen meteen wat het was?'
Mara zei niets. Voordat Banks weer iets kon zeggen, werd hun eten gebracht en ze vielen er op aan.
'Hoor eens,' zei Banks, nadat hij een groot gedeelte van de homp Wensleydale en ingemaakte ui naar binnen had gewerkt, 'we zullen puur voor de vorm eens aannemen dat Boyd onschuldig is.' Mara keek hem aan, maar het was moeilijk de blik in haar ogen te doorgronden. Achterdocht? Hoop? Beide reacties waren volkomen natuurlijk. 'Als dat zo is,' vervolgde Banks, 'dan werpt dat meer vragen dan antwoorden op. Het is voor iedereen veel gemakkelijker als Boyd de dader blijkt te zijn – voor iedereen behalve hemzelf, natuurlijk – maar de gemakkelijkste oplossing is niet per se altijd de juiste. Begrijp je wat ik bedoel?'
Mara knikte en er krulde een lachje om haar mondhoeken. 'Dat doet me denken aan het achtvoudige pad,' zei ze.

'Het wat?'
'Het achtvoudige pad. Dat is de boeddhistische manier om verlichting te bereiken.'
Banks reeg een stuk ingelegde ui aan zijn vork. 'Tja, van dat soort verlichting weet ik niet zoveel af,' zei hij, 'maar we kunnen alles wat een beetje meer licht op deze zaak werpt goed gebruiken.' Hij vertelde haar vervolgens over het bloed en de vingerafdrukken op het mes. 'Dat weten we zeker,' zei hij. 'Dat is bewijsmateriaal, dat zijn feiten. Boyd was bij de demonstratie aanwezig en we kunnen bewijzen dat hij het moordwapen in handen heeft gehad. Volgens hoofdinspecteur Burgess is dat genoeg om tot een veroordeling te leiden, maar zelf ben ik daar minder zeker van. Gezien het politieke aspect van de zaak heeft hij echter misschien wel gelijk. Als Boyd schuldig wordt bevonden, maken wij een goede indruk en komt iedereen die net een beetje anders is dan anderen in een slecht daglicht te staan.'
'Maar dat willen jullie toch graag?'
'Het zou erg fijn zijn als je die vooroordelen van je eens overboord kieperde. Je lijkt wel zo stoned als een overjarige hippie bij een of ander rockfestival. Scheld me maar meteen even lekker voor smerige juut uit, dan hebben we dat ook weer gehad. Hou anders alsjeblieft op met dat kinderachtige gedrag.'
Mara zei niets, maar de lichte blos die over haar gezicht trok ontging Banks niet.
'Ik wil de waarheid weten,' ging Banks verder. 'Ik ben er niet op uit om een groep of één persoon te pakken, ik wil alleen de moordenaar hebben. Als we ervan uitgaan dat Boyd het niet heeft gedaan, waarom staan zijn vingerafdrukken dan op het mes en waarom is het mes dan op de heide ongeveer halverwege Eastvale en Maggie's Farm gevonden?'
Mara schoof haar nog halfvolle bord lasagne weg en draaide een sigaret. 'Ik ben natuurlijk geen politieagent,' zei ze, 'maar misschien heeft hij het wel opgeraapt en op weg naar huis weggegooid toen het tot hem doordrong wat het was.'
'Maar waarom? Wie doet er nu zoiets stoms? Je gaat tijdens een demonstratie toch niet bukken om een met bloed besmeurd mes op te rapen? Denk eens even na. Boyd wist niet of hij zou kunnen ontsnappen. Stel dat hij was aangehouden met dat mes in zijn zak?'
'Als de politie dicht bij hem kwam, kon hij het mes altijd nog laten vallen.'
'Jawel, maar dan hadden zijn vingerafdrukken er wel op gezeten. Ik denk niet dat hij dan zo koelbloedig was geweest om het schoon te vegen voordat ze

hem in de kraag vatten. En zelfs als dat wel zo was, dan had er ongetwijfeld wat van Gills bloed op zijn kleding of handen gezeten.'
'Alles goed en wel,' zei Mara, 'maar ik begrijp werkelijk niet waar u nu eigenlijk naartoe wilt.'
'Dat zal ik je zo vertellen.' Banks liep eerst naar de bar om twee drankjes te bestellen. De pub was intussen aardig volgelopen en er zaten zelfs twee goed ingepakte wandelaars uit te rusten bij de open haard.
Banks ging zitten en nam een slok bier. Zijn hoofdpijn was inderdaad nagenoeg verdwenen. 'Het draait allemaal om het mes,' zei hij. 'Jij herkende het direct; hetzelfde geldt waarschijnlijk voor Paul Boyd. Het is afkomstig van de boerderij, hè?'
Mara wendde haar blik af en staarde naar de vlinders.
'Niemand is erbij gebaat als je nu informatie achterhoudt. Ik wil alleen maar dat je bevestigt wat we allang weten.'
Mara drukte haar sigaret uit. 'Oké, het is inderdaad afkomstig van de boerderij. En wat dan nog? Als u dat toch al wist, waarom vraagt u het dan?'
'Omdat Paul misschien wel iemand wil beschermen. Dat zou toch kunnen? Als hij dat mes inderdaad ergens heeft gevonden en het heeft meegenomen, moet hij hebben gedacht dat het een bewijsstuk was tegen iemand die hij kende, iemand van de boerderij. Tenzij hij natuurlijk gewoon ontzettend dom is.'
'Iemand van ons, bedoelt u?'
'Ja. Voor wie zou hij het altijd en overal opnemen?'
'Geen idee. Er waren die middag nogal wat mensen op de boerderij.'
'Ja, ik weet wie er allemaal bij die bijeenkomst waren. Kan een van hen het mes hebben meegenomen?'
Mara haalde haar schouders op. 'Het lag in het volle zicht op de schoorsteenmantel.'
'Van wie is het mes?'
'Dat weet ik niet. Het ligt er al zolang ik het me kan herinneren.'
'Dat doet er ook niet toe. We zullen het er maar op houden dat het een stiletto voor algemeen gebruik was. Denk je dat Paul het zou hebben opgeraapt om Dennis Osmond te beschermen? Of Tim, of Abha?'
Mara wikkelde een losse pluk haar om haar vinger. 'Dat weet ik niet,' zei ze. 'Eigenlijk kende hij hen niet zo goed.'
'Wat was zijn rol die middag? Was hij er wel bij aanwezig?'
'Dat wel, ja, maar hij zei niet veel. Wat betreft studenten en politieke discussies heeft Paul een minderwaardigheidscomplex. Hij weet niets af van Karl

Marx en de rest, en hij durft niet genoeg op zijn eigen mening te vertrouwen om te denken dat hij iets kan bijdragen.'
'Hij was er dus wel, maar hij deed niet echt mee?'
'Dat klopt. In principe stond hij er wel achter. Hij was niet alleen bij de demonstratie om... om...'
'Om moeilijkheden te veroorzaken?'
'Inderdaad. Hij was daar echt om te demonstreren. Hij heeft nog nooit een baan gehad. Hij heeft niets om de regering-Thatcher dankbaar voor te zijn.'
'Je zei dat het mes altijd op de schoorsteenmantel lag. Heb je gezien of iemand het die middag heeft opgepakt, al was het alleen maar om er even mee te spelen?'
'Nee.'
'Wanneer ontdekte je dat het weg was?'
'Wat?'
'Je moet hebben gezien dat het was verdwenen. Was dat voordat je Jack Crocker er hier gisteren mee zag binnenkomen?'
'Ik... ik...'
Banks stak een hand op. 'Laat maar. Ik denk dat ik het al doorheb. Je had gezien dat het weg was en om een of andere reden dacht je dat Paul het afgelopen vrijdag had meegenomen.'
'Nee!'
'Waarom ben je dan naar huis gerend om hem te waarschuwen?'
'Omdat ik bang was dat jullie het op hem zouden hebben gemunt als dat mes hier ergens was gevonden. Jack Crocker werkt op de heide. Toen ik hem zag, wist ik dat het hier in de buurt moest zijn gevonden.'
'Lijkt geloofwaardig,' zei Banks. 'Maar ik ben niet overtuigd. Jij was niet bij de demonstratie, hè?'
'Nee. Dat was niet omdat ik er niet achter sta, maar er moest nu eenmaal iemand thuisblijven om op de kinderen te passen.'
'Je hebt hen niet vroeg in bed gestopt om er stiekem even tussenuit te kunnen knijpen?'
'Beschuldigt u mij nu?'
'Ik vraag het je alleen.'
'Nou, ik zou niet weten hoe ik dat volgens u dan had moeten doen. De anderen hadden het busje meegenomen en het is via de heide minstens zes kilometer lopen naar Eastvale.'
'Dan blijven dus Paul, Zoe, Seth en Rick over. Seth en Rick zijn opgepakt,

maar als Paul dat mes tijdens de demonstratie heeft opgeraapt, is het best mogelijk dat een van hen Gill heeft neergestoken.'
'Daar geloof ik niets van.'
'Heeft Osmond of een van de anderen zo'n hekel aan jullie dat ze jullie misschien de schuld in de schoenen wilden schuiven?'
'Volgens mij niet. Niemand had een reden om een hekel aan ons te hebben.'
'Als je het mes echt al een hele tijd niet had gezien, had iemand anders het ook vóór vrijdag al kunnen wegnemen. Hebben jullie de afgelopen week veel bezoekers gehad?'
'Ik... dat weet ik niet meer.'
'Sluiten jullie de boel altijd goed af?'
'U maakt zeker een grapje. We hebben niets wat de moeite van het stelen waard is.'
'Denk eens goed na. Je snapt nu zeker wel wat mijn probleem is, hè? Hoe ingewikkeld het wordt wanneer we Boyd buiten beschouwing laten. En als iemand inderdaad dat mes heeft meegenomen, is er sprake van voorbedachten rade. Ken je iemand die een goede reden heeft om agent Gill te vermoorden?'
'Nee.'
'Is er vrijdagmiddag tijdens die bijeenkomst op de boerderij over hem gesproken?'
'Niet dat ik weet. Maar ik liep ook de hele tijd in en uit. U kent dat wel: om thee te zetten, op te ruimen.'
Banks nam een slok van zijn Black Sheep bitter. 'Zegt het getal 1139 jou iets?'
Mara fronste haar wenkbrauwen. De diepe rimpels kromden zich aan weerszijden van haar voorhoofd omlaag en kwamen op de brug van haar neus weer bij elkaar. 'Nee,' zei ze. 'Dat geloof ik niet, tenminste. Hoezo? Hoe komt u eraan?'
'Het maakt bijvoorbeeld geen deel uit van een telefoonnummer of adres?'
'Nee, zeg ik toch. Voorzover ik weet niet. Het komt me vaag bekend voor, maar ik weet niet waarvan.'
'Heb je wel eens van het Rossghyll Guest House gehoord?'
'Ja, dat is een stukje verderop in de Dale. Hoezo?'
Banks sloeg haar nauwlettend gade, maar zag niets in haar gezichtsuitdrukking wat erop duidde dat de naam haar verder iets zei. 'Laat maar. Als je verder nog iets te binnen schiet, laat het me dan weten. Het kan belangrijk zijn.'
Mara dronk haar glas leeg en verschoof een stukje op haar stoel. 'Is er verder nog iets?'

'Nog één ding. Het ziet er niet zo best uit voor Paul, nu hij ervandoor is gegaan. Ik besef heel goed dat ik niet van je kan verlangen dat je hem verraadt, zelfs niet als je weet waar hij is. Maar het zou het best zijn als hij zichzelf aangaf. Denk je dat die mogelijkheid bestaat?'
'Niet echt. Hij is bang voor de politie en al helemaal door die ellendeling van een hoofdinspecteur van jullie.' Ze schudde haar hoofd. 'Ik geloof niet dat hij zichzelf zal aangeven.'
'Als hij contact met jullie opneemt, vertel hem dan wat ik heb gezegd. Zeg hem dat ik beloof dat hij eerlijk zal worden behandeld.'
Mara knikte langzaam. 'Ik denk alleen niet dat het iets zal uithalen,' zei ze. 'Hij zal me niet geloven. Hij vertrouwt ons nu net zomin als hij jullie vertrouwt.'
'Hoe komt dat?'
'Hij weet nu dat ik even heb gedacht dat hij het had gedaan. Paul heeft in zijn leven zo weinig liefde gekend dat hij het moeilijk vindt om mensen te vertrouwen. En als ze hem dan ook nog eens laten barsten, ook al is het per ongeluk, houdt het wat hem betreft gewoon op.'
'Probeer het toch maar,' zei Banks, 'als je de kans krijgt...'
'Ik zal het tegen hem zeggen. Maar ik verwacht eigenlijk niet dat iemand van ons ooit nog iets van Paul zal horen. Kan ik nu gaan?'
'Als je heel even wacht, geef ik je een lift.' Banks had nog een halfvol glas voor zich staan en maakte nu aanstalten om dat leeg te drinken.
Mara stond op. 'Nee, ik ga wel lopen. De winkel is hier niet ver vandaan en ik heb behoefte aan een beetje frisse lucht.'
'Zeker weten?'
'Ja.'
Nadat ze was vertrokken ontspande Banks zich en hij dronk op zijn gemak de rest van zijn bier op. Het gesprek was beter verlopen dan hij had gehoopt en hij was zelfs iets te weten gekomen over het mes. Mara had ontwijkend geantwoord, maar dat was voornamelijk omdat ze geen belastende dingen over zichzelf wilde zeggen, wat vrij logisch was. Hij kon het haar niet kwalijk nemen.
Banks zou deze informatie voorlopig niet aan Burgess doorgeven. Hij wilde niet dat Dirty Dick zoals gewoonlijk als een op hol geslagen stier over iedereen heen denderde en hun de stuipen op het lijf joeg. Banks was erin geslaagd een deel van Mara's weerzin tegen de politie in het algemeen weg te nemen – of dat nu dankzij Jenny's invloed, zijn muzikale voorkeur of pure charme was, durfde hij niet te zeggen – maar als Burgess weer kwam opdraven, zou Mara's haat jegens hem ongetwijfeld ook zijn weerslag op Banks hebben.

Omdat zijn hoofdpijn was verdwenen, meende hij tijdens de rit naar Eastvale wel weer wat muziek te kunnen opzetten. Hij kon echter de gedachte dat hij iets belangrijks over het hoofd had gezien niet van zich afzetten. Hij had het vreemde gevoel dat twee onbeduidende dingen die Mara of hijzelf had gezegd tot één waarheid dienden te worden samengesmeed. Zodra ze met elkaar werden verbonden, zou er een gloeilampje aanspringen en zou hij een stap dichter bij de oplossing van de zaak zijn. Billie Holiday zong niettemin gewoon verder: '*Sad am I, glad am I / For today I'm dreaming of Yesterdays.*'

Mara liep met gebogen hoofd door de straat en dacht na over haar gesprek met Banks. Als een typische politieagent had hij de ene lastige vraag na de andere op haar afgevuurd. En Mara had haar buik vol van lastige vragen. Waarom kon alles niet weer gewoon bij het oude worden, zodat ze verder kon met haar leven?

'Hallo, liefje,' begroette Elspeth haar toen ze de winkel in kwam.

'Hallo. Hoe gaat het met Dottie?'

'Ze wil niet eten. Ik snap niet hoe ze denkt ooit beter te zullen worden als ze weigert te eten.'

Ze wisten allebei dat Dottie nooit beter zou worden, maar zeiden dit geen van beiden.

'Wat is er met jou aan de hand?' vroeg Elspeth. 'Je hebt een gezicht als een oorwurm.'

Mara vertelde haar over Paul.

'Ik zal maar niet zeggen "wat heb ik je gezegd",' zei Elspeth en ze streek haar rok van donkere tweed glad, 'maar ik heb van het begin af aan gedacht dat die knul problemen zou veroorzaken. Jullie zijn zonder hem veel beter af.'

'Je zult wel gelijk hebben.' Mara was het niet met haar eens, maar het had geen enkele zin tegen Elspeth in te gaan en het voor Paul op te nemen. Ze had van haar ook geen medeleven verwacht.

'Ga maar gauw naar achteren en laat die pottenbakkersschijf maar eens flink draaien, liefje,' zei Elspeth. 'Daar knap je vast en zeker van op.'

Het voorste gedeelte van de winkel stond propvol met voor toeristen bestemde souvenirs. Op de planken langs de muren lagen met de hand gebreide truien, op tafels stond aardewerk – waaronder ook stukken van Mara – en schalen met kleine hebbedingetjes, zoals sleutelringen met het logo van het Dales National Park: de zwarte snoet van een Swaledale-schaap. Alsof dat nog niet genoeg was, werd de rest van de ruimte in beslag genomen door luxe briefpapier, glazen presse-papiers, zachte pluchen dieren en magneetjes

voor op de koelkast in de vorm van aardbeien of Humpty Dumpty.
Het achterste gedeelte zag er echter heel anders uit. Eerst kwam de kleine werkplaats, compleet met pottenbakkersschijf en schalen bruine en zwarte glazuur, en daarachter de droogruimte en een kleine, elektrische pottenbakkersoven. Het was stoffig en rommelig in de werkplaats, en overal lagen stukjes oude klei, maar Mara vond het er heerlijk. Meestal had ze het graag schoon en netjes om zich heen, maar ze had gemerkt dat het een bijzondere ervaring was om te midden van de chaos prachtige voorwerpen te creëren.
Ze bond een schort om, haalde een klomp klei uit de ton en woog een gepaste hoeveelheid af voor een kleine vaas. De klei was te nat, dus rolde ze hem plat uit op een vlakke, betonnen plaat, die het overtollige vocht opzoog. Terwijl ze hiermee bezig was – hard duwend met de muis van haar handen en de klei vervolgens met haar vingers naar zich toe trekkend om alle lucht eruit te krijgen – voelde ze dat ze niet zo volledig in haar werkzaamheden opging als anders en dat haar gedachten steeds afdwaalden naar haar gesprek met Banks.
Met een diepe rimpel in haar voorhoofd sneed ze de klomp met een stuk metaaldraad in tweeën om te zien of er luchtbellen in zaten en smeet ze de stukken vervolgens met veel meer kracht dan gewoonlijk weer tegen elkaar. Er liet een stukje klei los dat vlak boven haar rechteroog tegen haar voorhoofd sprong. Ze legde de klei neer, ademde een paar keer diep in en uit, en probeerde zich te concentreren op wat ze aan het doen was.
Het lukte niet. Dat was natuurlijk de schuld van Banks. Hij had haar dingen aangepraat die niets dan verdriet veroorzaakten. Natuurlijk wilde ze niet dat Paul schuldig was, maar als dat inhield dat iemand anders die zij kende de politieagent had vermoord, zoals Banks had geopperd, werd het er alleen maar erger op.
Zuchtend zette ze de draaischijf met het voetpedaal in beweging en kwakte ze de klei zo precies mogelijk in het midden neer. Vervolgens maakte ze zowel de klei als haar handen goed nat met water uit een kom die naast haar stond. Door de beweging van de schijf vlogen druppels kleiachtig water door de lucht en kwamen op haar schort terecht.
Ze wilde niet geloven dat een van haar vrienden Gill had neergestoken. Het zou veel beter zijn als Osmond of een van de studenten het om politieke beweegredenen had gedaan. Tim en Abha waren best aardig, hoewel wat naïef en overdreven, maar Osmond had Mara nooit echt vertrouwd; ze vond hem net iets te glad en eigengereid.
Maar Rick dan? Hij hield er ook een sterke, politieke mening op na, was

daarin veel feller dan Seth of Zoe. Hij had al zo vaak gezegd dat iemand Margaret Thatcher zou moeten vermoorden en dan merkte Seth altijd op dat er dan alleen maar iemand voor in de plaats zou komen die net zo erg was als zij. Maar de vermoorde man was slechts een eenvoudige politieagent en geen politicus. Hoewel Rick herhaaldelijk zei dat de politie slechts een instrument van de regering was, betaalde dommekrachten, geloofde ze niet dat hij daarom een van hun mensen zou vermoorden.

Ze boog zich voorover met haar ellebogen tegen haar zij geklemd en duwde hard tegen de klei totdat deze in het midden lag. Het duurde even voordat het lukte en ze glimlachte tevreden, stak haar duim in de bovenkant en duwde hem een paar centimeter in de klei. Ze vulde het gat met water en duwde verder tot de plek waar ze de bodem van de vaas wilde hebben.

Ze hield de binnenkant met één vinger vast, liet de snelheid van de schijf afnemen en vormde onder aan de buitenkant een ribbel in de klei die ze optrok tot de hoogte die ze in gedachten had. Ze moest deze handeling verschillende keren uitvoeren waarbij ze de klei elke keer net iets verder optrok en keek dan toe terwijl de groef langs de buitenkant omhoog gleed en verdween.

Ze was niet van plan zich door Banks van de kaart te laten brengen. Ze wilde niet Rick nu gaan verdenken zoals ze dat met Paul wel had gedaan. In zijn geval had ze goede redenen gehad om zich zorgen te maken, hield ze zichzelf voor: zijn gewelddadige verleden; het bloed waarover hij had gelogen. En bovendien zaten zijn vingerafdrukken op het mes. Ze had geen enkele reden om nu iemand anders te verdenken. Ze hoopte maar dat Paul inmiddels heel ver weg was en zich nooit meer liet zien. Dat zou nog het beste zijn, dat de politie bleef geloven dat hij het had gedaan, maar hem nooit zou kunnen vinden.

Ze hoorde hoe Elspeth in de winkel probeerde een klant te bewegen tot de aanschaf van een trui. 'Een traditioneel Dales-patroon... wol uit de omgeving, natuurlijk... uiteraard met de hand gebreid...'

Bijna klaar. Haar handen waren echter niet stabiel en toen ze zich even niet concentreerde, had ze zonder het te beseffen de druk met haar rechtervoet opgevoerd waardoor de schijf sneller was gaan draaien. Plotseling tolde de klei wild van het middelpunt af – waanzinnige vormen, zoals op de schilderijen van Salvador Dali of plastic dat smolt in het vuur – en toen stortte het hele geval op de draaischijf in elkaar. Einde verhaal. Mara pakte de metaaldraad en sneed de troep eraf. Er was misschien nog net genoeg over voor een eierdopje, maar ze kon de gedachte dat ze helemaal opnieuw moest beginnen

niet verdragen. Die akelige Banks had haar hele dag verpest.
Geërgerd rukte ze haar natte schort los en maakte ze de draaischijf schoon. Ze trok haar windjack aan en liep naar de winkel.
'Het spijt me, Elspeth,' zei ze. 'Ik kan me vandaag blijkbaar niet concentreren. Ik denk dat ik maar even een stukje ga wandelen.'
Elspeth fronste haar wenkbrauwen. 'Weet je zeker dat alles in orde is?'
'Ja, hoor. Maak je maar geen zorgen, ik red me wel. Groetjes aan Dottie.'
'Zal ik doen.'
Ze verliet de winkel en de bel klingelde luid. In plaats van rechtstreeks naar huis te gaan klom ze over het hek aan het uiteinde van Mortsett Lane en liep ze in de richting van de heide. Tijdens de wandeling liet ze de gebeurtenissen van de afgelopen vrijdagmiddag op de boerderij nogmaals de revue passeren. Ze had bijna de hele tijd in de keuken doorgebracht om een stoofschotel voor het avondeten voor te bereiden – zodat iedereen een beetje weerstand zou krijgen tegen de kou en de regen – en talloze potten thee te zetten. De kinderen waren erg vervelend geweest, schoot haar nu te binnen. Uit hun doen omdat er zoveel volwassenen aanwezig waren, hadden ze haar voortdurend lastiggevallen en om haar aandacht gebedeld. Ze had niet echt geluisterd naar wat ze in de woonkamer allemaal zeiden en deden, zelfs niet toen ze er even bij was gaan zitten, en ze had niet gezien of iemand iets van de schoorsteen pakte.
Het enige wat haar iets zei, was het getal dat Banks had vermeld: 1139 was het toch? Ze meende dat recentelijk ergens te hebben gehoord. Met een half oor eigenlijk, want ze had op dat moment aan iets heel anders zitten denken. De commune, dat was het geweest. Het was haar plotseling te binnen geschoten hoe ze daar na de avondmaaltijd van bruine rijst en groenten (elke dag!) allemaal in kleermakerszit in de meditatieruimte zaten met het altaartje voor de goeroe en de zware geur van sandelhoutwierook. Dan vertelden ze elkaar hoe leeg hun leven was geweest voordat ze het Ware Pad hadden gevonden. Hoe ze op de verkeerde plaatsen naar de verkeerde dingen hadden gezocht. En ze hadden hand in hand liedjes gezongen. *Amazing Grace* was een van hun favorieten geweest. Op een bepaalde manier had de bijeenkomst op de boerderij haar aan die tijd doen denken, hoewel er in feite nauwelijks overeenkomsten waren.
Dat was waaraan ze had zitten denken toen ze iemand dat getal hoorde noemen. Bovendien had ze in de keuken gestaan, want ze herinnerde zich nu heel duidelijk het zanderige gevoel van de aardappels die ze had staan schillen. Was het niet vreemd hoe je hersens blijkbaar werkten? Alle onderdelen

van die middag waren aanwezig, zo helder als glas, maar ze kon zich met geen mogelijkheid meer herinneren wie het getal had genoemd of in welke context. Bovendien waren er die middag voortdurend mensen de keuken in- en uitgelopen.
Met gebogen hoofd wandelde ze in een hoog tempo tegen de wind in over ruige graspollen en heide, terwijl ze over Paul piekerde en zich afvroeg waar hij zou zijn.

Ze konden weinig anders doen dan afwachten tot Boyd opdook. Ondanks al zijn vermoedens had Banks niets concreets om mee aan de slag te gaan en dat zou waarschijnlijk zo blijven tot hij Boyd kon ondervragen. Dirty Dick kampte in zijn hotelkamer nog steeds met de naweeën van het bier en de whisky van de vorige avond, en Richmond was druk bezig met het verzamelen van alle mogelijke informatie die hij over de verdachten kon vinden. Een strafblad alleen was niet genoeg; daaraan ontbrak vaak die belangrijke, menselijke factor, dat kleine detail dat een aanwijzing vormt over het motief en inzicht geeft in het grotere geheel.
Banks tuurde somber door zijn raam naar het grauwe marktplein en rookte veel te veel sigaretten. Om vier uur werd er op zijn deur geklopt en hij riep: 'Binnen.'
Craig stond voor de deur. 'We hebben een aanwijzing over Boyd, inspecteur,' zei hij uitgelaten en hij schoof een stevige vrouw van middelbare leeftijd met krulspelden in haar haren naar voren.
Banks trok een stoel voor haar bij.
'Dit is mevrouw Evans, inspecteur,' zei Craig. 'Ik ben de huizen aan Cardigan Drive langs gegaan om te vragen of iemand Boyd had gezien en mevrouw Evans zei dat ze hem inderdaad was tegengekomen. Ze was zo vriendelijk om direct met me mee te gaan zodat u met haar kon praten.'
'Uitstekend werk,' zei Banks. Craig glimlachte en vertrok.
Banks vroeg mevrouw Evans wat ze had gezien.
'Het was gistermiddag rond een uur of drie,' stak ze van wal. 'Dat weet ik, omdat ik net terugkwam van Tesco's met de boodschappen en ik de bus bijna niet uit kon komen.'
'Welke bus was dat?'
'De 44. Vertrekt om twee uur zesenveertig van het busstation.'
Banks kende de route. De bus reed ten behoeve van mensen uit de stad met een flinke omweg naar Cardigan Drive en vervolgde dan zijn weg naar York.
'En toen zag u Paul Boyd?'

'Ik zag een jonge knul die op de foto leek.' Craig had een foto van Boyd uit diens gevangenisdossier meegenomen om te kunnen laten zien. 'Zijn haar zit nu anders, maar ik weet zeker dat hij het was. Ik had hem al eens eerder gezien.'
'Waar dan?'
'In de stad. Meestal had hij dan net zijn uitkering opgehaald. Ik hou mijn tas altijd stevig vast wanneer ik hem zie. Ik weet dat het niet netjes is om op zijn uiterlijk af te gaan, maar hij ziet er altijd zo gemeen uit, vind ik.'
'Waar hebt u hem gisteren gezien?'
'Hij kwam vanaf de heide naar Gallows View gerend.'
'Vanuit de richting van Relton?'
'Aye.'
'En waar ging hij naartoe?'
'Naartoe? Hij ging nergens naartoe. Hij wilde met de bus mee. Heeft hem maar net gehaald ook. Hij duwde me bijna omver met mijn twee loodzware boodschappentassen.'
'Wat had hij aan? Weet u dat nog?'
'Aye, wis en waarachtig wel. Een rood windjack. Het viel me nog op dat het ding veel te klein voor hem was, te korte mouwen en te krap onder zijn armen.'
Het verbaasde Banks niet dat Mara had gelogen over Boyds kleding.
'Had hij nog iets bij zich?'
'Zo'n reistas van een of andere vliegmaatschappij, British Airways, geloof ik.'
'Herinnert u zich verder nog iets?'
'Alleen maar dat hij nogal haast leek te hebben en bedrukt keek. Ik bedoel, normaal gesproken ben ik degene die bang is voor hem, dat zei ik net al, maar deze keer was hij degene die in zijn piepzak zat.'
Banks liep naar de deur en riep Craig terug. 'Dank u wel, mevrouw Evans,' zei hij. 'Heel fijn dat u hiernaartoe hebt willen komen. Agent Craig zal u naar huis brengen.' Mevrouw Evans knikte met een ernstig gezicht en Craig nam haar mee.
Zodra hij alleen was, raadpleegde Banks het schema met de vertrektijden van de bussen en hij ontdekte dat de bus van twee uur zesenveertig vanuit Eastvale inderdaad altijd naar York reed en daar pas om vier uur negen aankwam. Vervolgens belde hij het treinstation in York en nadat hij eerst een hele reeks norse kantoormedewerkers aan de lijn had gehad, werd hij uiteindelijk doorverbonden met een vriendelijke dame van de afdeling Informatie. Van haar hoorde hij dat Boyd tussen vier uur vijftien en vijf uur een trein

naar vrijwel elke denkbare bestemming kon hebben genomen: Leeds, Londen, Newcastle, Liverpool, Edinburgh en alle tussenliggende steden, of een aansluiting naar nog eens talloze andere plaatsen. Veel leek hij er niet mee op te schieten, maar hij riep Hatchley bij zich en droeg hem op alle medewerkers van de catering en het treinpersoneel op te sporen. Dat hield in dat hij naar York moest en het zou wel even in beslag nemen, maar ze konden nu in elk geval iets doen. Natuurlijk trok Hatchley een lang gezicht – blijkbaar had hij plannen voor die avond – maar Banks trok zich er niets van aan. Hatchley had verder niets te doen. Waar had hij anders personeel voor?

Die avond at Banks thuis Irish stew uit blik en banjerde hij rusteloos door het huis in afwachting van een berichtje van Hatchley. Omdat hij zich niet op een boek kon concentreren en er bijna spijt van had dat hij niet zelf naar York was gegaan, zette hij bij wijze van afleiding om negen uur de televisie aan en staarde hij naar een beeldschone, blonde politieagente en haar Amerikaanse partner met een ongelooflijk grote bek, die als gekken door Londen renden en een kogelregen op de stad lieten neerdalen. Het was in elk geval geluid, iets wat de leegte in huis een beetje opvulde. Ten slotte was hij zijn eigen gezelschap zo beu dat hij Sandra belde.

Na afloop van hun gesprek voelde hij zich eenzamer dan ooit, maar dat gevoel verdween al snel. Twintig minuten later belde Hatchley vanuit York. Hij was erin geslaagd om de adressen los te peuteren van de meeste controleurs en cateringmedewerkers die werkzaam waren op de treinen die vanuit York waren vertrokken, maar geen van hen woonde in de stad zelf. Het had er veel van weg dat de eerste echte aanwijzing op niets uitdraaide. Dat gebeurde soms. Banks droeg Hatchley op naar het hoofdbureau van de CID in York te gaan en van daaruit zo veel mogelijk mensen op de lijst te bellen, en hem terug te bellen zodra hij iets had gevonden. Dat gebeurde niet. Om halftwaalf ging Banks naar bed. Misschien dat ze morgen, wanneer Boyds foto in alle landelijke dagbladen verscheen, eindelijk de meevaller kregen die ze nodig hadden.

10

De meevaller vond vroeg op de vrijdagochtend plaats. Het Rossghyll Guest House bleek een doodlopend spoor te zijn en alle spoormedewerkers op de treinen vanuit York hadden het te druk gehad om zich één specifieke persoon te herinneren, maar vanuit Edinburgh belde een kapper op om te melden dat hij Paul Boyd had herkend van de foto die op die ochtend in de krant had gestaan. Hoewel Banks de man vanwege diens sterke accent amper kon verstaan, wist hij een beschrijving los te krijgen van Pauls nieuwe kapsel. En wat nog belangrijker was: hij kwam erachter dat Paul het rode windjack had vervangen door een nieuwe, grijze winterjas.

Banks hing op en pakte onmiddellijk een plattegrond. In plaats van naar Londen of Liverpool te reizen was Paul naar het noorden gegaan. Dat was een slimme zet geweest; hij had er tijd mee gewonnen. Nu zijn foto op de voorpagina van alle dagbladen stond, raakte hij die voorsprong echter ook weer in sneltreinvaart kwijt. Banks had er niet alleen voor gezorgd dat de foto zo snel mogelijk in alle kranten verscheen, maar ook Boyds signalement naar de politie van alle grote steden, havens en vliegvelden gestuurd. Dat was de gebruikelijke procedure, het beste wat ze met hun beperkte informatie konden doen, maar nu hadden ze iets concreets om op af te gaan.

Omdat hij ervan uitging dat Paul ongetwijfeld van plan was te zijner tijd het land te verlaten, pakte Banks de kaart van Engeland en liet hij zijn vinger langs de Schotse kust glijden op zoek naar manieren om daar weg te komen. Hij vond twee veerbootroutes die ten noorden van Edinburgh vanaf de oostkust vertrokken. De eerste, die van Aberdeen naar Lerwick op de Shetlandeilanden voer, zou Boyd uiteindelijk naar Bergen en Thorshavn in Noorwegen brengen, of naar Seydhisfjördhur op IJsland. Turend naar de kleine lettertjes las Banks echter dat deze veerboten alleen 's zomers in gebruik waren, en getuige de loodgrijze lucht en de motregen buiten was het beslist geen zomer.

De tweede veerboot voer vanaf het verder naar het noorden gelegen Scrabster naar Stromness op Orkney, maar dat was niet echt een geschikte plek om je te verstoppen. Boyd zou daar net zo opvallen als een Eskimo in de tropen. Toen hij zijn aandacht vervolgens op de westkust richtte, zag Banks tientallen rode stippellijnen lopen naar plaatsen als Brodick op Arran, Port Ellen op Islay, en Stornoway op Lewis van de Hebriden. De kaart was een doolhof van kleine eilandjes en veerbootroutes. Maar, zo redeneerde Banks, die geisoleerd liggende plekken waren niet wat Boyd zocht. Op al die Schotse eilanden zou hij niet alleen enorm opvallen, maar ook nog eens geen kant op kunnen, zeker rond deze tijd van het jaar.

De enige route in dat gebied waar hij iets aan zou kunnen hebben, was die van Stranraer naar Larne. Dan zou Boyd in Noord-Ierland terechtkomen. Daarvandaan kon hij zonder paspoort de grens naar Ierland oversteken. Boyd kwam uit Liverpool, herinnerde Banks zich, en had waarschijnlijk Ierse vrienden. Hij droeg Richmond en Hatchley op om de andere Schotse veerdiensten voor alle zekerheid ook op de hoogte te stellen en belde daarna zelf de politie van Stranraer. Die kon hem vertellen dat er de vorige dag geen boten waren uitgevaren, omdat er een felle storm had gewoed op zee, maar deze ochtend waren de weersomstandigheden goed. Er vertrokken boten om halftwaalf 's ochtends, halfvier 's middags, zeven uur 's avonds en drie uur 's nachts, die allemaal gemakkelijk te halen waren vanuit Edinburgh en Glasgow. Banks gaf Boyds signalement door en vroeg of de veerbootmedewerkers goed naar hem wilden uitkijken, vooral wanneer de nieuwe reizigers aan boord kwamen. Vervolgens gaf hij het gewijzigde signalement door aan de politie van Edinburgh, Glasgow, Inverness, Aberdeen en Dundee, en overhandigde hij een lijst met kleinere plaatsen aan Craig en Tolliver om hetzelfde te doen. Toen belde hij Burgess, die sinds de avond in de pub in zijn hotelkamer onderdoken had gezeten, om hem op de hoogte te stellen van het nieuws.

Banks wist uit ervaring dat aanwijzingen als deze binnen enkele minuten resultaten konden opleveren, maar dat het evengoed ook enkele dagen kon duren. Hij zat te popelen tot ze Boyd te pakken hadden en hij de waarheid uit hem had losgekregen, ook al omdat hij zijn eigen theorieën wilde toetsen, maar met ijsberen door zijn kamer schoot hij niets op. In plaats daarvan liet hij koffie boven brengen en las hij de dossiers door die Richmond had samengesteld.

Informatie is voor een politieman van levensbelang. Er bestaan diverse bronnen: verhoren, geruchten, strafbladen, informanten, werkgevers, verslaggevers van kranten, geboorteregisters, trouwaktes en overlijdensberichten. Alles moet worden verzameld, opgeslagen en naast elkaar worden gelegd in de hoop dat het op een goede dag iets nuttigs oplevert. Richmond was niet alleen de beste verzamelaar die ze in Eastvale hadden, maar hij wist zich tij-

dens observatiewerkzaamheden ook vrijwel onzichtbaar te maken en was tevens een kei in achtervolgingen. Hatchley was weliswaar keihard, vasthoudend en goed in het afnemen van verhoren, maar te lui en te chaotisch om het verband tussen de verschillende zaken te ontdekken. Hij zag kleine details snel over het hoofd en nam maar al te vaak de gemakkelijkste weg. Eenvoudig gezegd kwam het erop neer dat Richmond het geweldig vond om gegevens te verzamelen en uit te zoeken, en had Hatchley er een broertje dood aan. Een wereld van verschil.
Banks spreidde de vellen papier voor zich uit op zijn bureau. Over Seth Cotton wist hij al het nodige, maar hij wilde het grondig aanpakken. Behalve het feit dat hij in Dewsbury was geboren en zich halverwege de jaren zeventig in Hebden Bridge had gevestigd waar hij, voorzover bij de politie bekend was, een rustig leven had geleid, bevatte de map echter geen nieuwe informatie. Richmond had het politierapport over het auto-ongeluk van Alison Cotton opgediept, maar ook daar stond weinig in. Banks zou dat een andere keer wel uitzoeken.
Over Rick Trelawney was er evenmin nieuwe info, met uitzondering van de naam en het adres van de zus van zijn vrouw in Londen. Misschien was het de moeite waard om te bellen en iets meer over de echtscheiding te weten te komen.
Zoe Hardacre kwam uit de regio. Min of meer tenminste. Zoals Jenny al had gezegd, was ze afkomstig uit Whitby aan de oostkust, niet ver bij Gills woonplaats Scarborough vandaan. Toen ze van school afkwam had ze een tijdje als secretaresse gewerkt, maar daar was ze al snel mee gestopt. De klacht van haar werkgevers luidde dat ze haar aandacht niet bij de belangrijke taken hield die zij haar opdroegen en dat ze altijd in een andere wereld leek te verkeren. Die andere wereld was de wereld van het occulte: astrologie, handlijnkunde en tarotkaarten. Ze had deze onderwerpen zo grondig bestudeerd dat ze door degenen die het konden weten als een expert werd beschouwd. Nu het occulte weer in zwang was geraakt bij een grote groep newageyuppen, verdiende ze haar geld met het maken van gedetailleerde geboortehoroscopen en het leggen van tarotkaarten. Iedereen was het erover eens dat Zoe ongevaarlijk was, een echt flowerpowerkind, hoewel ze eigenlijk te jong was om de vredelievende periode in de jaren zestig zelf te hebben meegemaakt. Haar politieke interesse zat waarschijnlijk niet al te diep: ze steunde de rechten van de mens en vond dat kernbommen moesten worden verbannen, maar veel verder dan dat ging het niet.
Voorzover Banks kon zien, had ze Gill nooit ontmoet. Banks zag al voor zich

hoe Gill met geheven wapenstok haar tentje in Whitby binnenviel om haar te arresteren wegens oplichterij; of misschien had ze een keer zijn hand gelezen en hem verteld dat hij zijn homoseksualiteit onderdrukte. De absurditeit van Banks' theorieën was evenredig aan zijn enorme frustratie over het ontbreken van een motief. Ergens moest toch een verband te vinden zijn tussen een van de verdachten en de moord op Gill, maar Banks had nog niet voldoende gegevens om het te zien. Hij had het gevoel dat hij een puzzel probeerde te leggen met veel te veel stukjes.

Hoewel Banks ervan overtuigd was dat Mara Delacey ten tijde van de steekpartij bij de kinderen op de boerderij was geweest, nam hij toch snel haar dossier door. Ze was een intelligente, veelbelovende studente geweest die met uitstekende cijfers was afgestudeerd in de Engelse taal- en letterkunde, maar had zich bij het groeiende leger hippies gevoegd toen LSD, psychedelische rock, kleurige hoofddoeken en felgekleurde kaftans in de mode raakten. De politie wist indertijd dat ze drugs gebruikte, maar had haar nooit als mogelijke dealer beschouwd. Ondanks enkele invallen in de panden waar ze woonde, hadden ze haar nooit op drugsbezit kunnen betrappen.

Net als Zoe had ook Mara af en toe als secretaresse gewerkt, meestal als tijdelijke invalkracht, en ze had haar universitaire graad eigenlijk nooit echt ergens voor gebruikt. Aan het eind van de jaren zeventig had ze een jaar of wat in Amerika gewoond, voornamelijk in Californië. Eenmaal terug in Engeland had ze een tijdje rondgezworven voordat ze zich als volgeling bij een goeroe had aangesloten en een paar jaar in een van diens communes in Muswell Hill had gewoond. Daarna volgde de boerderij. Niets wees op een verband tussen Mara en Gill, tenzij hij haar pad had gekruist in de twee jaar dat ze nu in Swainsdale woonde.

Om zijn ogen wat rust te gunnen liep Banks naar het raam en hij stak een sigaret op. Buiten bleven twee toeristen op leeftijd met een gids in de hand staan om de gevel van de Normandische kerk te bewonderen voordat ze naar binnen liepen.

Banks kwam geen stap verder met wat hij zojuist had gelezen. Als er een connectie bestond tussen Gill en een van de boerderijbewoners, dan was die goed verborgen en zou hij er heel diep naar moeten graven. Hij ging met een diepe zucht weer zitten en pakte de volgende map.

Tim Fenton kwam uit Ripon en was nu tweedejaars aan de universiteit van Eastvale. Samen met Abha Sutton was hij voorzitter van de studentenvakbond. Het was maar een kleine club die zich voornamelijk bezighield met universiteitszaken, maar de studenten volgden het gezondheids- en onderwijsbeleid van de regering nauwgezet – met name wanneer dit invloed had op hun studiebeurs – en grepen elke gelegenheid aan om hun ongenoegen door middel van demonstraties te uiten. Afgezien van deelname aan het congres dat hem een dossier bij Special Branch had bezorgd, had de negentienjarige Tim, wiens vader accountant was, een lelieblank verleden.

Abha Sutton was in Bradford geboren; haar moeder was Indiase en haar vader kwam uit Yorkshire. Ook zij kwam uit de degelijke middenklasse en net als Tim had ook zij zich in haar verleden niet schuldig gemaakt aan gewelddadigheden of betrokkenheid bij extremistische politieke groeperingen. Ze woonde nu zes maanden met Tim samen en had met hem op de universiteit de Marxist Society opgericht. Veel leden had die organisatie niet; de meeste studenten waren boerenzonen uit de omgeving die landbouwkunde studeerden. De faculteit der sociale wetenschappen en de kunstacademie maakten echter een groeispurt door en daardoor waren ze erin geslaagd onder de literair aangelegde studenten enkele leden te werven.

Toen Banks bij Dennis Osmonds map was aanbeland, ging hij er eens goed voor zitten. Osmond was 35 en geboren in Newcastle-on-Tyne. Zijn vader had daar op de scheepswerf gewerkt, maar toen Osmond tien was, was het gezin wegens werkloosheid gedwongen geweest te verhuizen. Meneer Osmond had een baan gekregen bij de chocoladefabriek, waar hij bekendstond als een fanatiek vakbondslid, en was betrokken geweest bij de felle, soms zelfs hardhandige onderhandelingen die de laatste dagen ervan hadden gekenmerkt. Hoewel de jonge Osmond aanvankelijk een intellectueler doel had nagestreefd, was hij toch in zijn vaders politieke voetsporen getreden.

Tijdens zijn studietijd was hij een radicaal en in het derde jaar was hij met zijn studie gestopt omdat, zo beweerde hij, het onderwijs dat hij daar kreeg slechts een indoctrinatie was van burgerlijke normen en waarden; hij had zich in Eastvale op maatschappelijk werk gestort en werkte daar inmiddels twaalf jaar. In die periode had hij zich samen met Dorothy Wycombe opgeworpen als een van de voornaamste woordvoerders in de stad voor degenen die door de maatschappij werden onderdrukt, verwaarloosd en onrechtvaardig behandeld. Ook had hij Ellen Ventner, de vrouw met wie hij samenwoonde, mishandeld. Zijn vrienden behoorden grotendeels tot het soort mensen dat Burgess het liefst onmiddellijk zou afschieten: vakbondsvertegenwoordigers, feministen, dichters, anarchisten en intellectuelen.

Ondanks al het goede wat Osmond voor de stad had gedaan, kreeg Banks een steeds grotere hekel aan hem en hij was ervan overtuigd dat hij op een of andere manier een bedrieger was. Hij begreep niet waarom Jenny zich tot

hem aangetrokken voelde, tenzij het een puur fysieke kwestie was. Jenny wist natuurlijk nog altijd niet dat Osmond ooit een vrouw had mishandeld.
Het was al na enen en hoog tijd voor een pastei en een pint in de Queen's Arms. Banks zat echter nog geen minuut met de *Guardian* in zijn favoriete leunstoel bij de haard toen Craig de pub kwam binnengestormd.
'Ze hebben hem, inspecteur,' zei hij hijgend. 'Boyd. Opgepakt toen hij aan boord kwam van de veerboot van halftwaalf naar Larne.'
Banks keek op zijn horloge. 'Dan hadden ze wel iets eerder contact met ons mogen opnemen. Houden ze hem daar vast?'
'Nee. Ze brengen hem hiernaartoe. Arriveren waarschijnlijk aan het eind van de middag.'
'Dan hoeven wij ons dus niet te haasten.' Banks stak een sigaret op en ritselde met zijn krant. 'Blijkbaar zit het erop.'
Dat gevoel had hij echter niet; hij had eerder het gevoel alsof het nu pas ging beginnen.

Burgess beende als een aanstaande vader in het ziekenhuis door Banks' kantoor heen en weer, rookte zenuwachtig een sigaar en keek om de tien seconden op zijn horloge.
'Waar blijven ze verdomme?' vroeg hij voor de honderdste keer.
'Ze komen heus wel. Het is een lange rit en in dit weer kunnen de wegen erg slecht zijn.'
'Ze hadden er allang moeten zijn.'
De twee mannen zaten in Banks' kantoortje op Paul Boyd te wachten. Burgess rook blijkbaar succes en was erg gespannen, maar Banks voelde zich ongewoon rustig. In Market Street sloten winkeliers een voor een hun winkel en het begon al donker te worden. In het kantoortje gorgelde de radiator en de tl-buis zoemde.
Banks drukte zijn sigaret uit en zei: 'Ik ga koffie halen. Wil je ook wat?'
'Ik ben al hyper genoeg van mezelf. Ach, wat zou het ook. Zwart, drie klontjes suiker.'
In de gang kwam Banks Hatchley tegen, die op weg was naar beneden. 'Al iets gehoord?' vroeg hij.
'Nee,' zei Hatchley. 'Ik zit ook te wachten. Ik wilde Rowe net gaan vragen of er berichten voor me zijn.'
Banks liep met twee mokken koffie terug naar zijn kantoor en glimlachte toen Burgess bij het horen van de deur opsprong. 'Rustig maar,' zei hij. 'Wind je niet op. Ik ben het maar.'

'Zouden die sukkels soms zijn verdwaald?' vroeg Burgess chagrijnig. 'Of autopech hebben?'
'Ze zullen heus wel weten hoe ze hier moeten komen.'
'Je weet maar nooit met die Schotse pummels,' sputterde Burgess. Noordelijker dan Eastvale was hij nooit geweest en hij had heel duidelijk te kennen gegeven dat hij niet van plan was dat ooit te doen ook. 'Als ze die klootzak hebben laten ontsnappen...'
Hij werd onderbroken door het gerinkel van de telefoon. Het was Rowe. Boyd was gearriveerd.
'Zeg maar dat ze hem naar boven moeten brengen.' Burgess haalde een nieuw sigaartje tevoorschijn. Hij stak het op, veegde de as van zijn overhemd en pakte zijn koffie.
Enkele ogenblikken later werd er op de deur geklopt en kwamen twee mannen in uniform naar binnen met Paul Boyd tussen hen in. Hij zag bleek en afwezig, wat ook niet meer dan logisch was, dacht Banks bij zichzelf.
'Het spijt me, hoofdinspecteur,' zei de bestuurder. 'Bij het vertrek wat vertraging opgelopen. We moesten wachten tot de dokter met hem klaar was.'
'De dokter?' zei Burgess. 'Hoezo? Wat is er dan? Die eikel heeft toch zeker niemand verwond, hè?'
'Hij? Nou nee.' De agent wierp een verachtelijke blik op Paul. 'Hij viel flauw toen ze hem in de kraag grepen en toen hij bijkwam, krijste hij dat de muren op hem afkwamen. Letterlijk. De dokter moest hem een kalmeringsmiddel geven.'
'De muren kwamen op hem af, zeg je?' zei Burgess. 'Interessant. Klinkt alsof hij een beetje last heeft van claustrofobie. Doet er niet toe. Laat hem maar gaan zitten, dan kunnen jullie pleite.'
'De brigadier aan de balie regelt jullie onkostenvergoeding en accommodatie,' zei Banks tegen de twee Schotten. 'Ik neem tenminste aan dat jullie niet van plan zijn om vanavond nog terug te rijden?'
De bestuurder glimlachte. 'Nee, inspecteur. Dank u wel.'
'Jullie ook bedankt,' zei Banks. 'Aan de overkant van de straat is een uitstekende pub. De Queen's Arms. Je kunt hem niet missen.'
'Prima.'
Burgess zat te popelen tot de deur achter hen dichtviel. Paul zat tegenover Banks in een stoel van metalen buizen met een houten zitting en rugleuning. Omdat hij zich wilde kunnen bewegen en zijn lengte wilde uitbuiten, leunde Burgess tijdens het praten tegen een muur of hij liep wat rond.
'Laat de brigadier komen, wil je?' zei hij tegen Banks. 'Met zijn opschrijfboekje.'

Banks belde Hatchley, die een minuut later met een rood gezicht en buiten adem binnenkwam. 'Die kuttrap ook altijd,' mopperde hij. 'Dat ding wordt mijn dood nog eens.'
Burgess gebaarde naar een stoel in de hoek en Hatchley ging gehoorzaam zitten. Hij sloeg een schone pagina op in zijn opschrijfboekje en haalde zijn potlood tevoorschijn.
'Mooi,' zei Burgess handenwrijvend. 'Dan zullen we maar eens beginnen.'
Paul keek met een blik vol haat en angst naar hem op.
Als Burgess als politieman één manco had, bedacht Banks peinzend, dan was dat als ondervrager. Blijkbaar was de bekende opdringerige, agressieve rol de enige die hij kon spelen. Dat zou bij Boyd lang niet zo effectief zijn als de hard-zachtaanpak die Banks en Hatchley hadden ontwikkeld, maar het moest maar. Banks besefte dat hij tijdens dit verhoor de rol van vriendelijke agent en biechtvader op zich zou moeten nemen.
'Vertel ons nu maar gewoon alles,' zei Burgess. 'Dan kunnen we de pijnlijke martelpraktijken achterwege laten.'
'Er valt niets te vertellen.' Boyd keek zenuwachtig naar het raam. De luxaflex was omhooggetrokken en vanaf de straat viel er grauw licht naar binnen.
'Waarom heb je hem vermoord?'
'Ik heb helemaal niemand vermoord.'
'Was je gewoon kwaad? Of heeft iemand je ervoor betaald? Vooruit, we weten dat je het hebt gedaan.'
'Ik heb niemand vermoord, dat zeg ik toch.'
'Hoe komt het dan dat het mes met het bloed van agent Gill erop ook vol zit met jouw vingerafdrukken? Wil je soms beweren dat je het nooit hebt aangeraakt?'
'Dat heb ik niet gezegd.'
'Wat wilde je dan wel zeggen?'
Paul liet zijn tong over zijn lippen glijden. 'Mag ik een sigaret?'
'Nee, dat mag je niet, verdomme,' snauwde Burgess. 'Eerst vertellen wat er is gebeurd.'
'Ik heb niets gedaan, eerlijk waar niet. Ik heb echt nooit iemand vermoord.'
'Waarom ben je er dan tussenuit geknepen?'
'Ik was bang.'
'Waarvoor?'
'Bang dat jullie me er toch voor zouden laten opdraaien. Jullie weten dat ik al een keer heb gezeten.'

'Denk je dat het hier zo werkt, Paul?' vroeg Banks vriendelijk. 'Denk je dat echt? Dan zie je het toch verkeerd. Zolang je ons de waarheid vertelt, hoef je nergens bang voor te zijn.'
Burgess schonk geen aandacht aan hem. 'Hoe komen jouw vingerafdrukken op dat mes?'
'Ik zal hem wel hebben vastgehouden.'
'Da's beter. Wanneer heb je hem precies vastgehouden en waarom?'
Paul schokschouderde. 'Ik zal hem sinds ik hier woon best een keertje hebben gebruikt.'
'Een keertje?' Burgess schudde overdreven traag zijn hoofd. 'Nee, knulletje, die vlieger gaat niet op. Zo is het niet gegaan. Wil je ook weten waarom niet? Omdat jouw vingerafdrukken de allerbovenste waren, helemaal bovenop zaten dus, zo duidelijk als wat. Jij bent de laatste geweest die dat mes heeft aangeraakt voordat wij het vonden. Hoe verklaar je dat?'
'Goed, dan zal ik hem wel hebben vastgehad nadat hij was gebruikt. Dat wil nog niet zeggen dat ik ook iemand heb vermoord.'
'Ja zeker wel, tenzij jij er een betere verklaring voor hebt. En die heb ik nog altijd niet gehoord.'
'Hoe wist je dat we het mes hadden gevonden?' vroeg Banks.
'Ik zag die schaapherder ermee op de heide lopen, dus toen ben ik hem gesmeerd.'
Hij loog, dacht Banks bij zichzelf. Mara had het hem verteld. Hij ging er nu echter niet op in.
Paul zweeg. Burgess ijsbeerde door het kantoortje en de vloer kraakte. Banks stak een Silk Cut op, zijn laatste, en leunde achterover in zijn stoel. 'Moet je eens horen, Paul,' zei hij. 'Dit zijn de feiten. Een: agent Gills bloed zit op het mes en de patholoog heeft ons verteld dat het lemmet overeenkomt met de vorm van de wond. Twee: jouw vingerafdrukken staan op het handvat. Drie: we weten via ooggetuigen dat jij bij de demonstratie was. Vier: zodra we een en een bij elkaar optellen, ga jij er als een haas vandoor naar Schotland. Vertel mij dan maar eens wat ik van dat alles moet denken. Wat zou jij denken als je mij was?'
Paul zei nog steeds niets.
'Ik ben het spuugzat,' zei Burgess nijdig. 'Vooruit, we gooien hem in een cel. Er loopt een aanhoudingsbevel tegen hem. We hebben genoeg bewijzen. We hebben geen bekentenis nodig. We hebben niet eens een motief nodig.'
'Nee!' krijste Paul.
'Nee? Wil je niet dat we je opsluiten? Het is daar beneden wel erg donker,

hè? Zelfs een normaal mens krijgt daar in het donker het gevoel dat de muren op hem afkomen.'
Paul zag lijkwit, zweette hevig en kneep zijn mond zo hard dicht dat de spieren in zijn kaken trilden.
'Kom,' zei Banks. 'Vertel het ons nu maar gewoon. Dat bespaart ons allemaal een hoop ellende. Je zegt dat je niets hebt gedaan. Als dat echt zo is, hoef je je nergens zorgen over te maken. Waarom zou je dan iets achterhouden?'
'Hou eens op met dat halfzachte gedoe van je,' zei Burgess. 'Hij vertelt ons toch niets, dat weet je net zo goed als ik. Hij is zo schuldig als wat en dat weet hij donders goed.' Hij keek naar Hatchley. 'Brigadier, laat een paar man komen om deze eikel naar de cel te brengen.'
'Nee!' Paul boog zich voorover en greep de rand van het bureau zo stevig vast dat zijn knokkels wit werden.
Burgess gebaarde naar Hatchley dat hij weer moest gaan zitten. Het bevel was een tikje voorbarig, want de brigadier reageerde niet al te snel en had zelfs zijn opschrijfboekje nog niet eens weggestopt.
'Ik zal het iets gemakkelijker voor je maken, Paul,' zei Banks. 'Ik ga jou vertellen wat er volgens mij is gebeurd en dan zeg jij of het waar is. Goed?'
Paul haalde een keer diep adem en knikte.
'Jij hebt dat mes van de boerderij meegenomen. Het was van niemand en slingerde daar altijd ergens rond. Mara gebruikte het af en toe om er draad of wol mee af te snijden; misschien had Seth het zo nu en dan nodig om een stuk hout te bewerken. Maar op die bewuste dag heb jij het mes gepakt, het meegenomen naar de demonstratie en gebruikt om agent Gill te doden. Daarna heb je het lemmet ingeklapt, heb je je uit de menigte losgemaakt en ben je via een van die zijstraatjes ontkomen. Je bent naar de rand van de stad gerend en over de heide naar de boerderij, bijna zes kilometer. Ongeveer halverwege die route drong het tot je door wat je had gedaan, je raakte in paniek en hebt het mes weggegooid. Heb ik gelijk, Paul?'
'Ik heb niemand vermoord,' zei Paul.
'Maar wat de rest betreft heb ik wel gelijk?'
Stilte.
'Ik denk dat we de duimschroeven maar eens tevoorschijn moeten halen, knul.' Burgess boog zich naar Paul toe tot zijn gezicht slechts een paar centimeter van het zijne was verwijderd. 'Ik begin me te vervelen. Ik ben het achterlijke noorden en dit verrekte kutweer meer dan beu. Ik wil terug naar huis, naar Londen en de geciviliseerde wereld. Hoor je me? En jij staat me in de weg. Ik hou niet van mensen die me in de weg staan en als ze daar maar

lang genoeg blijven staan, worden ze vanzelf omvergekegeld. Gesnopen?'
Paul keek naar Banks. 'Wat de rest betreft hebt u gelijk,' zei hij. 'Maar ik heb het mes niet meegenomen. Ik heb die smeris niet vermoord.'
'"Politieagent" voor jou, knulletje,' snauwde Burgess.
'Hoe ben je er dan aan gekomen?' vroeg Banks.
'Ik ben gevallen,' zei Paul. 'Tijdens de demonstratie. En toen heb ik me opgerold, met mijn handen in mijn nek en mijn knieën tegen mijn borst, in de... de... hoe heet het ook alweer?'
'Foetushouding?'
'Ja, de foetushouding. Er waren overal mensen en het was echt verschrikkelijk. Ik werd steeds getrapt. En toen schopte iemand dat mes naar me toe. Ik heb het opgeraapt, precies zoals u net zei, en ben ervandoor gegaan. Ik wist natuurlijk niet dat er iemand mee was vermoord. Ik dacht gewoon dat het een mooi mes was, veel te goed om te laten liggen, dus heb ik het meegenomen. Maar toen ik eenmaal op de heide liep, zag ik dat er bloed aan zat en heb ik het weggesmeten. Zo is het gegaan en niet anders.'
'Vuile leugenaar,' zei Burgess. 'Denk je dat ik achterlijk ben of zo? Waar zie je me voor aan? Ik mag dan een stadsjongen zijn, maar zelfs ik weet dat er op die hele kneuterige heidevlakte van jullie niet één lantaarn staat. En zelfs jij bent niet stom genoeg om rustig op straat te blijven liggen terwijl je aan alle kanten wordt getrapt en er overal politie rondloopt, en dan te denken: o, wat een mooi, met bloed besmeurd mes, zeg. Dat neem ik mee naar huis! Je zit uit je nek te lullen.' Hij wendde zich tot Banks. 'Zie je nou wel. Dat krijg je ervan als je ze in de watten legt. Een of ander kulverhaal waarvan elk woord gelogen is.'
In een flits had hij Paul stevig in zijn nek vastgegrepen. Paul klemde zich aan de rand van het bureau vast en verzette zich zo fel, dat hij bijna zijn wankele stoel omvergooide. Burgess liet hem bijna even snel weer los en leunde nonchalant tegen de muur.
'Ik geef je nog één kans,' zei hij.
Paul masseerde zijn nek en keek smekend naar Banks, die hem onbeweeglijk aanstaarde.
'Het is echt waar,' zei Paul. 'Ik zweer het u. Ik heb hem echt niet vermoord. Ik heb alleen dat mes opgeraapt.'
'Stel nu eens dat we je zouden geloven,' zei Banks. 'Dan hebben we een probleem. En dat probleem is: waarom? Waarom heb je het moordwapen opgeraapt en stiekem van de plaats delict verwijderd? Begrijp je wat ik bedoel? Er klopt iets niet.'

Paul verschoof wat op zijn stoel en wierp nerveus een blik in de richting van Burgess, die nog net binnen zijn gezichtsveld stond. 'Ik wist toen natuurlijk niet dat er een misdaad was gepleegd,' zei hij.
'Wie neem je in bescherming, Paul?' vroeg Banks.
'Niemand.' Paul had echter zo snel en luid geantwoord dat zelfs de goedgelovigste persoon op aarde had doorgehad dat hij loog. Hij besefte dat hij in de fout was gegaan, bloosde diep en staarde naar zijn knieën.
'De bewoners van Maggie's Farm hebben je in huis genomen en je als een vriend behandeld,' zei Banks. 'Het was waarschijnlijk voor het eerst in je leven dat iemand dat deed. Je was eenzaam, kwam net uit de gevangenis, had geen werk, kon nergens naartoe, was ten einde raad en toen ontmoette je hen. Het is logisch dat je hen wilt beschermen, Paul, maar zie je zelf dan niet hoe doorzichtig je bent? Wie heeft het volgens jou gedaan?'
'Weet ik niet. Niemand.'
'Osmond, Tim Fenton, Abha Sutton? Zou je het voor hen ook opnemen?'
Paul zei niets.
Burgess sloeg hard op de metalen tafel. 'Geef antwoord!'
Geschrokken door het onverwachte lawaai deinsde Paul achteruit. 'Misschien wel, ja,' zei hij met een woedende blik op Burgess. 'Misschien zou ik het wel voor iedereen opnemen die een vuile smeris heeft gedood.'
Burgess sloeg hem met de rug van zijn hand in zijn gezicht. Paul klapte naar achteren en viel bijna van zijn stoel.
'Niet goed genoeg, stomme eikel.'
Banks greep Burgess bij zijn elleboog vast en trok hem mee naar het raam. 'Denk je niet,' zei hij met op elkaar geklemde kaken, 'dat het een goed idee zou zijn als je je hersens eens gebruikte in plaats van die losse handjes van je?'
'Wat mankeert je, Banks? Ben je opeens een watje geworden? Hebben ze je daarom hierheen gestuurd?'
Banks knikte naar Paul. 'Hij is gewend aan lichamelijke pijn. Het doet hem niets en dat zou je toch onderhand wel moeten weten. Je bent gewoon een sadist.'
Burgess haalde verachtelijk zijn neus op en keek weer naar Paul, die met de rug van zijn hand het bloed van zijn mond veegde en hen beiden kwaad aanstaarde. Hij had hun gesprek natuurlijk opgevangen, begreep Banks, en dacht nu waarschijnlijk dat het hele tafereeltje in scène was gezet om hem uit zijn evenwicht te brengen. 'Je geeft dus toe dat je het mes herkende toen je het op de grond zag liggen?' vroeg Banks.
'Ja.'

'En je wilde niet dat een van je vrienden op de boerderij in moeilijkheden zou komen.'
'Dat klopt.'
'Dus daarom heb je het meegenomen en weggegooid.'
'Ja. Ik ben nog een paar keer op de heide wezen kijken of ik het kon terugvinden. Ik snap nu dat het dom van me was dat ik het zomaar heb weggegooid zonder het eerst schoon te wrijven en zo, maar ik was bang. Ik had het natuurlijk gewoon mee terug moeten nemen naar de boerderij en het daar moeten schoonmaken tot het er als nieuw uitzag. Dat begrijp ik nu ook wel. Ik heb uren naar dat rotding lopen zoeken. Kon het nergens meer vinden. En toen kwam die schaapherder ermee aanzetten.'
'Wie wilde je nu precies beschermen?'
'Weet ik niet.' Paul haalde een verfrommeld papieren zakdoekje uit zijn zak en depte daarmee het dunne straaltje bloed op dat uit zijn mondhoek sijpelde. 'Ik heb u al gezegd dat ik niet heb gezien wie het mes heeft meegenomen en ik heb ook niet gezien wie het heeft gebruikt.'
'We zullen het hier voorlopig maar bij laten.' Banks keek naar Burgess. 'Wat denk jij?'
'Ik denk nog steeds dat hij liegt. Misschien is hij niet zo stom als hij eruitziet. Probeert hij op zijn eigen, niet al te subtiele wijze zijn vrienden de schuld in de schoenen te schuiven.'
'Ik weet het zo net nog niet,' zei Banks. 'Het is best mogelijk dat hij de waarheid vertelt. Het probleem is alleen dat hij het niet kan bewijzen. Hij kan ons natuurlijk van alles op de mouw spelden.'
'En dan verwachten dat wij dat geloven. Laten we hem voor alle zekerheid toch maar een tijdje in de cel zetten. Kan ie er nog eens goed over nadenken. Dan praten we later verder om te zien of alles klopt.'
Paul had met open mond van de een naar de ander zitten staren en gaf nu een harde gil. 'Nee! Ik zeg toch dat het de waarheid is. Wat wilt u dan nog meer van me?'
Burgess schokschouderde en liet zich weer tegen de muur aan zakken. Banks tastte naar een sigaret; het pakje was leeg. 'Tja, ik ben wel geneigd hem te geloven,' merkte hij op. 'Voorlopig, tenminste. Je weet heel zeker dat je niet hebt gezien wie het mes heeft meegenomen, Paul?'
'Ja. Het kan iedereen zijn geweest.'
'Dan hebben we volgens mij dus zeven verdachten.' Banks telde op zijn vingers af. 'Seth, Rick, Zoe, Mara, Osmond, Tim en Abha. Is er in de week voorafgaande aan de demonstratie nog iemand anders bij jullie geweest?

Iemand over wie we het niet hebben gehad?'
'Nee. En Mara was er niet bij.'
'Maar de anderen allemaal wel? Zoe ook?'
Hij knikte.
'Had een van hen een reden om agent Gill te vermoorden?' vroeg Banks. 'Kende iemand hem ergens van? Heeft een van hen ooit een aanvaring met hem gehad?'
Paul schudde zijn hoofd. 'Die studenten misschien. Dat weet ik niet.'
'Ik geloof alleen niet dat jij hen koste wat het kost zou beschermen, Paul, dat geloof ik echt voor geen meter. Is er die middag over Gill gesproken?'
'Voorzover ik weet niet.'
'Zie je, dat klopt volgens mij dus niet,' zei Banks. 'Iemand heeft doelbewust dat mes opgepakt en meegenomen, alsof hij van tevoren al wist wat hij zou gaan doen. "Met voorbedachten rade" noemen we dat.'
'Ik begrijp u niet.'
'Och kom, natuurlijk wel.' Banks glimlachte en stond op. 'Ik ga even sigaretten halen,' zei hij tegen Burgess. 'Ik denk niet dat we nog iets uit hem loskrijgen.'
'Waarschijnlijk niet,' zei Burgess instemmend. 'Neem ook even een blik sigaartjes voor me mee.'
'Komt voor elkaar.'
'En doe Glenys de groeten van me.'
De koele, frisse buitenlucht was een verademing, vond Banks. Hij bleef even voor het bureau staan, haalde een paar keer diep adem en stak toen Market Street over om naar de Queen's Arms te gaan.
'Twintig Silk Cut en een blikje sigaartjes graag, Cyril,' zei hij.
'Zijn deze voor die vriend van u?' vroeg Cyril. Hij legde de sigaren met een harde klap op de bar.
'Ik zou het fijn vinden als je hem niet steeds mijn "vriend" noemde. Dat is niet zo best voor mijn reputatie.'
'Het is alleen zo dat mijn Glenys zich de laatste tijd nogal vreemd gedraagt. Ze is erg beïnvloedbaar, als u begrijpt wat ik bedoel, en zo koppig als een ezel. Dat heeft ze van dat kreng van een moeder van haar. Het zijn maar kleine dingetjes, dingen die alleen een echtgenoot opvallen, maar als ik merk dat die vriend van u erachter zit, dan zal ik... nou ja, dat hoef ik natuurlijk niet voor u uit te spellen, meneer Banks.'
'Doe dat inderdaad maar niet, Cyril. Dat zou niet best zijn. Ik zal hem van jouw bezorgdheid op de hoogte stellen.'

'Als u dat zou willen doen, graag.'
Eenmaal weer buiten ontdekte Banks dat het licht in zijn kantoor uit was. Dan hadden ze Boyd zeker in een cel gestopt en zaten ze nu zelf achter een kop koffie. Toen hij de straat overstak, hoorde hij een luide schreeuw. Het kwam van boven, dat wist hij vrij zeker, maar hij kon niet zeggen waarvandaan precies. Hij holde ongerust naar boven en deed de deur van zijn kantoor open. De kamer was in duister gehuld, maar niet leeg.
Toen hij de tl-buis aandeed zag Banks dat Hatchley was weggestuurd en alleen Boyd en Burgess waren overgebleven. De luxaflex was helemaal dichtgetrokken en weerde al het licht vanaf de straat af, iets wat Banks in al die tijd dat hij in Eastvale zat niet één keer was gelukt.
Boyd zat bezweet en zachtjes jammerend op zijn stoel, en haalde hortend en stotend adem. Toen Banks binnenkwam, keek hij doodsbang op. 'Die klootzak heeft alle lampen uitgedaan,' zei hij, struikelend over zijn eigen woorden, 'en de luxaflex dichtgetrokken.'
Banks staarde woedend naar Burgess, die hem een quasi-onschuldige blik toewierp en zei: 'Ik geloof dat hij inderdaad de waarheid heeft verteld. En anders heeft hij zojuist beslist een heel overtuigende act opgevoerd.'
'Onder zware druk.' Banks gooide het blikje sigaren naar hem toe. Burgess ving het behendig op, trok het cellofaan los en bood Banks er een aan. 'Volgens mij hebben we iets te vieren.'
'Ik heb liever deze.' Banks stak een Silk Cut op.
'Als je wilt, kun je nu een peuk krijgen, jochie,' zei Burgess tegen Paul. 'Alleen zou ik met die ademhalingsproblemen van jou maar een beetje oppassen, als ik jou was.'
Paul stak er een op, moest hoesten en liep rood aan. Burgess brulde van het lachen.
'Wat doen we nu?' vroeg Banks.
'We gooien hem achter de tralies en gaan lekker naar huis.' Burgess wierp een blik op Paul. 'Over die claustrofobie van je moet je het maar eens met de gevangenispsycholoog hebben; daar heb je straks toch genoeg tijd voor,' merkte hij op. 'Je zou zelfs kunnen zeggen dat we je een dienst bewijzen. Zeggen ze niet dat de confrontatie aangaan met je fobieën de beste manier is om ervan af te komen? En de behandeling is helemaal gratis. Wat wil je nog meer? Zo'n goede service krijg je van de National Health niet, hoor.'
Pauls mond zakte open. 'Maar ik heb het niet gedaan. U zei dat u me geloofde.'
'Er is heel wat meer voor nodig om mij te overtuigen. Bovendien hebben we het nog niet eens gehad over knoeien met bewijsmateriaal, medeplichtigheid

aan moord, verspilling van kostbare politietijd en verzet bij aanhouding. We zijn dus nog lang niet met je klaar.'
Burgess belde naar beneden en er arriveerden twee agenten in uniform om Paul naar het cellenblok te begeleiden. Deze keer verzette hij zich niet; hij leek door te hebben dat het geen enkele zin had.
Toen ze alleen in het kantoor waren achtergebleven, keek Banks Burgess aan.
'Als je dat hier ooit nog eens flikt,' zei hij, 'trap ik je tot moes, hoofdinspecteur of geen hoofdinspecteur.'
Burgess wendde zijn blik niet af, maar Banks wist vrij zeker dat hij dit dreigement heel wat serieuzer nam dan dat van Rick Trelawney.
Toen duidelijk werd dat geen van beide mannen ook maar een centimeter zou toegeven, glimlachte Burgess en hij zei: 'Mooi, ik ben blij dat we wat dat betreft duidelijkheid hebben. Vooruit, kom mee, ik ben wel aan een pint toe.'
Hij sloeg joviaal een arm om Banks' schouders en loodste hem in de richting van de deur.

11

Banks werd die zaterdagochtend vroeg gewekt door het geklepper van de brievenbus en het geluid van post die op de mat in de gang viel. Zijn mond smaakte naar zaagsel en zijn tong voelde droog en plakkerig aan door veel te veel sigaretten en veel te veel bier. Burgess en hij hadden na Boyds verhoor de nodige pinten achterovergeslagen. Het werd zo langzamerhand een beetje een vaste gewoonte van hen.

Banks was er nog steeds niet aan gewend om alleen wakker te worden in het grote bed. Hij miste Sandra's warme lichaam dat zich naast hem nog eens omdraaide, en hij miste ook het gemopper en geklaag van Brian en Tracy vlak voordat ze naar school gingen of wanneer ze mee moesten om de gebruikelijke zaterdagse boodschappen te halen. Over een paar dagen zouden ze gelukkig allemaal terugkomen. Met een beetje mazzel was de zaak-Gill dan ook afgerond en konden ze samen wat leuks gaan doen.

Tijdens een ontbijt van koffie en verbrande toast – Banks begreep niet waarom het broodrooster alleen zo lastig deed wanneer híj toast maakte – nam hij de post door: twee rekeningen, een brief met een nieuw verzamelbandje met bluesmuziek van Barney Merritt, een oude vriend van hem van de Metropolitan Police, en eindelijk datgene waarop hij met smart had zitten wachten: het pakje van Tony Grant.

De informatie, die Grant met de hand had overgeschreven uit Gills personeelsdossier, vormde bijzonder interessant leesvoer. Sinds hij tijdens de mijnwerkersstaking in 1984 bij de postende stakers van de cokesfabriek in Orgreave moest surveilleren, had Gill zich vrijwillig opgegeven voor overwerk bij vrijwel elke denkbare demonstratie die in Yorkshire plaatsvond: betogingen tegen Amerikaanse raketbases, protestmarsen tegen Zuid-Afrika, bijeenkomsten van het National Front, kortom: alles wat in een grootschalige knokpartij zou kunnen ontaarden. Gill was daar beslist niet de enige in, maar hij was overduidelijk het type dat de stap had gemaakt van grootste pestkop van de school naar legale vechtjas. Het zou Banks niets verbazen als bleek dat hij zijn score bijhield op zijn wapenstok.

Er waren ook diverse klachten tegen hem ingediend, voornamelijk wegens het gebruik van excessief geweld bij het onder de duim houden van demon-

stranten. Het waren er echter verrassend weinig en afgezien van een enkele officiële waarschuwing hadden ze geen repercussies gehad. De interessantste klacht was afkomstig van Dennis Osmond, die Gill ongeveer twee jaar geleden had beschuldigd van het gebruik van onnodig geweld tijdens een demonstratie die bedoeld was als steunbetuiging aan de vrouwen van Greenham Common. Een andere bekende naam op de lijst was die van Elizabeth Dale, die Gill ervan had beschuldigd zonder enige reden naar haar en haar vrienden te hebben uitgehaald tijdens een vreedzame protestmars tegen kernenergie in Leeds. Banks kon de naam niet onmiddellijk plaatsen, aangezien hij niet in hetzelfde rijtje leek thuis te horen als Paul Boyd en Dennis Osmond, maar hij kende hem wel ergens van. Hij maakte een aantekening om dit in zijn dossiers na te kijken en las toen zorgvuldig de rest van het materiaal door. De overige namen zeiden hem echter niets.
Het belangrijkste stukje informatie uit de mappen had niets met Gills gedrag van doen; het was zo verdraaid eenvoudig dat hij zichzelf wel voor het hoofd kon slaan omdat hij het niet eerder had gezien. Hij kende al zijn collega's bij hun naam, zelfs de mannen van de uniformdienst. Dat gold eigenlijk voor de meeste politiemensen, met name degenen die in burger werkten. Voor buitenstaanders ging dat natuurlijk niet op. Een burger kon zelden de naam van een specifieke agent vermelden bij een klacht of zelfs een brief vol lovende woorden over diens optreden. Daarom waren hun dienstnummers zo belangrijk. De metalen nummerplaatjes, die ook wel als 'kraagnummer' werden aangeduid omdat ze oorspronkelijk op de kleine, rechtopstaande kraag van het oude politie-uniform zaten, werden tegenwoordig vastgemaakt aan de epauletten. En hier stond Gills dienstnummer op het papier: PC 1139.
Hij herinnerde zich hoe hij na zijn lunch met Mara in de Black Sheep was teruggereden. Hij had naar Billie Holiday zitten luisteren en zich afgevraagd wat hij in dat gesprek had gezegd dat meteen een alarmbelletje bij hem had moeten doen afgaan, maar dat niet had gedaan. Nu wist hij het. Hij had het over Gill gehad en in zijn volgende vraag over het getal. Bijna waren ze bij elkaar gekomen en was de cirkel voltooid geweest; bijna, maar niet helemaal.
Banks legde de krant weg, griste zijn jas naar zich toe en liep snel naar zijn auto.
Het was een prachtige ochtend. Er waaide nog steeds een koude wind, maar de zon stond stralend aan een wolkeloze hemel. Na het ellendige winterse weer van de afgelopen tijd was de geur van de naderende lente in de lucht – die vreemde mengeling van vochtig gras en rottende bladeren van de afgelopen herfst – bijna overweldigend. Zoals de fluiten op Keats' Griekse vaas niet tot het zintuiglijke oor zongen, maar hun klankloze wijsjes op de menselijke geest

richtten, zo prikkelde deze geur evenmin de zintuiglijke neus, maar riep hij met zijn beloftevolle aroma een bijzonder, verwachtingsvol gevoel op en een merkbare verkwikking van de levenskracht. Hij was nu graag lopend naar zijn werk gegaan met de liederen van Shakespeare in de uitvoering van het Deller Consort in zijn walkman. Hij had die dag echter de auto nog nodig om een bezoekje af te leggen. Dat was natuurlijk geen reden, bedacht hij echter, om geen gehoor te geven aan deze muzikale impuls en te zien waar deze hem, met name op een dag als vandaag, naartoe zou leiden, dus liep hij speciaal het huis weer in om de cassette op te halen die hij ook in de auto kon afspelen.

Het was al na negenen toen hij op het bureau aankwam. Richmond was druk bezig op de computer en Hatchley worstelde met de kruiswoordpuzzel in de *Daily Mirror*. Van Dirty Dick taal noch teken. Hij liet koffie boven brengen en ging bij het raam staan. Het mooie weer had heel wat mensen naar buiten gelokt. Toeristen slenterden in en om de kerk, en een enkeling zat zelfs al in een dikke trui met daaroverheen een windjack op het versleten voetstuk van het marktkruis met een reep KitKat en een thermosfles thee.

Banks stond minstens een uur lang naar het drukke plein te staren, terwijl hij in gedachten probeerde na te gaan waarom Gills dienstnummer in Seth Cottons notitieboek kon staan. Was het eigenlijk wel Cottons handschrift? Hij bestudeerde het boekje nogmaals aandachtig. Het was moeilijk te zeggen, omdat de achtergebleven indrukken erg ondiep waren. De cijfers waren ook overdreven groot, heel anders dan het kriebelige handschrift waarin de meeste aantekeningen waren genoteerd. Hij kraste nogmaals voorzichtig met een zacht potlood over de pagina, maar een betere afdruk leverde dit niet op. Hij wist nog dat Mara Delacey hem had verteld dat Paul vaak bij Seth in de schuur had zitten werken, dus het nummer kon evengoed door hem zijn opgeschreven. Als dat zo was, duidde dit op voorbedachten rade. Boyds naam kwam niet voor op Grants lijst met klagende burgers, maar dat wilde niet zeggen dat ze nooit eerder met elkaar in aanvaring waren gekomen. Een jonge knul met een strafblad zoals Paul zou niet snel het dichtstbijzijnde politiebureau binnenwandelen om een klacht in te dienen.

Het enige waar Banks na twee mokken koffie en drie sigaretten zeker van was, was dat iemand op Maggie's Farm Gill al kende voordat de demonstratie plaatsvond en erop had gerekend dat hij erbij aanwezig zou zijn. Het nummer was met zoveel kracht neergepend dat het door de pagina heen was gedrukt en dat wees op een enorme passie of opwinding. Wie had er een appeltje met Gill te schillen gehad? En wie had toegang tot Seths notitieboek? Eigenlijk iedereen, want hij sloot de schuur nooit af. Als je puur naar het bewijsmateriaal keek, was Boyd de meest voor de hand liggende kandidaat, maar Banks had het akelige vermoeden dat hij inderdaad de waarheid had verteld, vooral omdat hij ook nadat Burgess de lichten had uitgedaan en hem in het donker had laten zitten bij zijn verhaal was gebleven. Maar als Boyd de waarheid vertelde, waren Seth, Mara, Rick en Zoe dan niet degenen die hij het meest van allen zou willen beschermen?

En wat, vroeg Banks zich af, betekende dat voor Osmond, Tim en Abha? Tot nu toe waren Tim en Abha de enigen geweest die hadden toegegeven dat ze op de hoogte waren van Gills bestaan, wat er hoogstwaarschijnlijk op duidde dat ze niets te verbergen hadden. Banks betwijfelde toch al ten zeerste of zij iets met de moord te maken hadden. Afgezien van een gemeenschappelijke belangstelling voor het redden van het menselijk ras voordat het voorgoed van de aardbodem werd weggevaagd, hadden ze eigenlijk geen echte band met de bewoners van de boerderij.

Osmond daarentegen was met Rick, Seth en de anderen bevriend. Hij kwam vaak op de boerderij en kende Gills dienstnummer, want hij had het in zijn klacht gebruikt. Misschien had hij het zelf wel in het notitieboek geschreven of het daarin zien staan en herkend. Het was mogelijk dat Paul de waarheid vertelde toen hij zei dat hij Gill niet had vermoord, maar was hij misschien wel medeplichtig? Waren er soms twee mensen bij betrokken?

Zoals zo vaak riep Banks' gepeins ook nu weer meer vragen dan antwoorden op. Soms dacht hij dat hij een zaak alleen kon oplossen door een overvloed aan vragen te formuleren; op een gegeven moment bereikte hij het verzadigingspunt en leverde het overschot de juiste antwoorden op.

Voordat hij aan de slag ging, moest hij eerst iets aan zijn rammelende maag doen. Op verbrande toast kon een inspecteur duidelijk niet functioneren.

Op weg naar buiten voor een koffiepauze in de Golden Grill liep hij Mara Delacey tegen het lijf, die net het bureau in wilde.

'Ik wil Paul zien,' zei ze en ze zwaaide wild met de ochtendkrant. 'Hier staat dat jullie hem hebben opgepakt. Is dat waar?'

'Ja.'

'Waar is hij nu?'

'Beneden.'

'Is alles goed met hem?'

'Ja, natuurlijk. Waar zie je ons voor aan, de Spaanse inquisitie?'

'Burgess is volgens mij letterlijk tot alles in staat. Mag ik Paul zien?'

Banks dacht even na. Het was ongebruikelijk om een dergelijk verzoek in te willigen en Burgess zou er niet blij mee zijn als hij erachter kwam, maar er

was geen enkele reden waarom Mara Boyd niet zou mogen zien. Bovendien bood het Banks de gelegenheid om hem in Mara's bijzijn een paar vragen te stellen. In aanwezigheid van vrienden of vijanden gaven mensen met hun lichaamstaal en gezichtsuitdrukking vaak meer prijs dan hun bedoeling was.
'Vooruit dan maar,' zei hij en hij ging haar voor naar beneden. 'Maar ik zal er wel bij moeten blijven.'
'Zoals u kunt zien heb ik geen cake voor hem meegebracht waarin een vijl kan zijn verstopt.'
Banks glimlachte. 'Daar zou hij toch niet veel aan hebben. Er zitten geen tralies voor het raam. De trap is zijn enige ontsnappingsroute en dan moet hij hierlangs zien te komen.'
'Maar hij heeft last van claustrofobie,' merkte Mara geschrokken op. 'Dat moet onverdraaglijk voor hem zijn.'
'We hebben er een dokter bij gehaald.' Banks genoot nog na van zijn kleine overwinning op Burgess' hardvochtige houding. 'Hij heeft een kalmeringsmiddel gekregen en dat heeft zo te zien geholpen.'
De vier cellen vormden het modernste gedeelte van het gebouw. Hoewel ze recentelijk nog stampvol demonstranten hadden gezeten, waren ze nu op Paul Boyd na leeg. Mara reageerde verbaasd toen ze de schone witte tegels en het heldere licht zag in plaats van de donkere, vochtige muren die ze had verwacht. Het enige raam zat hoog en diep in de muur, was dertig bij dertig centimeter groot en bijna net zo dik. De cellen deden Banks aan een ziekenhuis denken, zozeer zelfs dat hij altijd meende een ontsmettingsmiddel of carbolzeep te ruiken.
Boyd zat op zijn bed en staarde door de tralies naar zijn bezoekers.
'Hallo,' zei Mara. 'Het spijt me zo, Paul.'
Boyd knikte.
Banks voelde de spanning die tussen hen hing. Die werd deels veroorzaakt door zijn aanwezigheid, wist hij, maar er was duidelijk meer aan de hand en het was net alsof ze niet goed wisten wat ze tegen elkaar moesten zeggen.
'Alles goed met je?' vroeg ze.
'Gaat wel.'
'Kom je bij ons terug?'
Paul keek woedend naar Banks. 'Weet ik niet. Ze willen me niet laten gaan.'
Banks legde de procedure uit.
'Dus hij kan nog steeds worden aangehouden wegens moord?' vroeg Mara.
'Inderdaad.'
Er stonden tranen in haar ogen. Paul keek haar achterdochtig aan, alsof hij

niet zeker wist of haar emoties gemeend waren of niet.
Banks doorbrak de gespannen stilte. 'Zegt het getal 1139 je iets?' vroeg hij aan Boyd.
Paul dacht even over de vraag na, maar zijn antwoord was een ondubbelzinnig nee. Banks wist vrij zeker dat hij de waarheid sprak.
'Wat weet je over dat oude notitieboekje dat Seth in zijn werkplaats heeft liggen?'
Paul haalde zijn schouders op. 'Niets. Dat is om adressen en maten en zo in op te schrijven.'
'Heb jij het wel eens ergens voor gebruikt?'
'Nee. Ik was maar een hulpje, een manusje-van-alles.'
'Zo moet je het niet zien, Paul,' zei Mara. 'Dat weet je best.'
'Het doet er nu toch niets meer toe. Behalve dan dat het me straks misschien een leuk baantje oplevert in de werkplaats van de gevangenis.'
'Wordt dat boekje behalve door Seth ook wel eens door iemand anders gebruikt?' vroeg Banks.
'Waarom zouden ze?' Paul had overduidelijk geen flauw idee waar deze vragen toe dienden. 'Het is maar een oud ding, niets bijzonders.'
'Weet je wie het mes heeft meegenomen?'
Het was Banks die de vraag stelde, maar Paul keek naar Mara terwijl hij antwoordde: 'Ik heb u toch al gezegd dat ik dat niet weet?'
'Ik geef je nog een kans. Als je echt niet verantwoordelijk bent voor de dood van agent Gill, telt alle medewerking die je ons nu verleent straks in je eigen voordeel.'
'Ja, hoor, tuurlijk!' Paul stond op en beende door de smalle cel heen en weer. 'Rot toch op en laat me met rust. Ik heb u niets meer te vertellen. En zeg tegen die kwakzalver dat hij me nog zo'n pil moet geven.'
'Kunnen wij iets doen, Paul?' vroeg Mara.
'Ja, me ook met rust laten. Had ik jou en de anderen maar nooit ontmoet. Jullie met die verrekte protestmarsen en demonstraties. Dat ik nu hier zit, komt allemaal door jullie.'
Mara slikte iets weg en zei toen zachtjes: 'We staan nog steeds aan jouw kant, hoor. De anderen en ik kunnen er echt niets aan doen dat ze je hebben opgepakt. Als je wilt, kun je altijd weer op de boerderij komen wonen.'
Paul wierp haar een nijdige blik toe en Banks kon de vragen die ze elkaar eigenlijk wilden stellen en de antwoorden waarop ze hoopten zo van hun gezicht aflezen. Ze konden echter niet vrijuit praten, omdat hij erbij was. Mara kon zichzelf in moeilijkheden brengen als ze Paul nu verzekerde dat ze

de politie niets had verteld over de waarschuwing, het geld en de kleding die ze hem had gegeven. Paul zou haar in de problemen brengen als hij haar bedankte of haar naar deze zaken vroeg.
'Kom.' Banks pakte Mara voorzichtig bij haar arm. Ze trok zich los, maar liep met hem mee naar boven. 'Je hebt gezien dat hij niets mankeert. Geen blauwe plekken.'
'Voorzover je dat zo kunt zien, tenminste.'
'Hoe ben je hier gekomen?' vroeg Banks toen ze het bureau verlieten en de heerlijke buitenlucht in liepen.
'Ik ben over de heide komen lopen.'
'Dan geef ik je wel een lift terug.'
'Nee, bedankt. Ik vind het niet erg om te lopen.'
'Ik verwacht heus geen tegenprestatie van je. Ik moet toch die kant op.'
'Waarom?'
'Ik heb een paar vragen voor Seth.'
'Nog meer vragen, verdorie.'
'Kom maar mee.'
Mara stapte in de Cortina en zat zwijgend met haar handen in haar schoot naast hem. Banks reed het parkeerterrein af en volgde North Market Street in de richting van Swainsdale Road. Ze kwamen langs de trap van het wijkcentrum waar Gill was neergestoken. De plek lag er net zo onschuldig bij als zijn omgeving; op de grijze steen waren geen sporen van geweld of bloed zichtbaar. Banks stopte het cassettebandje in de recorder en het Deller Consort zong: *It Was a Lover and His Lass.* Bij de *hey-noni-no's* verscheen er een mager glimlachje op Mara's gezicht en ze tuurde peinzend naar Banks, alsof het haar moeite kostte de man en de muziek die hij draaide met elkaar in verband te brengen.
Onder de bomen in de weides langs de rivier zaten een paar vissers en er liepen meer wandelaars op de weg dan Banks sinds de afgelopen oktobermaand bij elkaar had gezien. Zelfs het windklokkenspel van Maggie's Farm leek ondanks de ellende die over de bewoners was uitgestort een vrolijker deuntje te spelen. De natuur laat zich niet beïnvloeden door menselijke beslommeringen, bedacht Banks. Zij volgt haar vaste, natuurlijke cycli, terwijl wij ten prooi vallen aan willekeurige, irrationele krachten, gedachten en daden. We vinden het logisch dat we ons identificeren met de regen en de wolken wanneer we ons depressief voelen, maar als de zon fel schijnt en we nog steeds depressief zijn, doen we geen enkele moeite meer om een verband te leggen met het weer.

Banks trof Seth in zijn werkplaats aan. Gekleed in een overall stond hij over zijn werkbank gebogen te schaven aan een lang stuk hout. Schaafsel viel in krullen op de grond en de zuivere geur van dennen hing in de ruimte. Toen hij zag dat hij een bezoeker had, hield hij even op met werken en zette hij de schaaf neer.

'Wat nu weer?' vroeg Seth. 'Ik dacht dat jullie de dader hadden opgepakt?'

'Daar heeft het inderdaad veel van weg. Maar ik ben iemand die graag de puntjes op de i zet.'

'In tegenstelling tot uw vriend.'

'Hoofdinspecteur Burgess vindt kleine details inderdaad niet zo belangrijk,' zei Banks. 'Maar hij woont dan ook niet hier.'

'Hoe gaat het met Paul?'

Banks bracht hem op de hoogte.

'Wat voor puntjes bedoelde u zo-even?'

'Dat nummer in dat notitieboekje van je.' Banks fronste zijn wenkbrauwen en wreef over het litteken bij zijn rechteroog. 'Ik ben erachter gekomen wat het is.'

'O, ja?'

'Het was agent Gills dienstnummer. PC 1139.'

Seth pakte de schaaf weer op en duwde hem langzaam over het hout.

'Waarom stond dat in jouw notitieboek?'

'Het is inderdaad heel toevallig, dat geef ik toe,' zei Seth zonder op te kijken. 'Maar ik heb u al gezegd dat ik geen flauw idee had wat het was.'

'Heb je het er zelf in opgeschreven?'

'Dat kan ik me niet herinneren. Maar dat geldt voor de meeste gegevens op elke willekeurige pagina in het boek; de kans dat ze allemaal helder in mijn geheugen staan gegrift is niet zo heel groot.'

'Kende je agent Gill?'

'Dat genoegen heb ik helaas nooit mogen smaken.'

'Kan iemand anders zijn nummer in jouw boekje hebben gezet?'

'Natuurlijk. De schuur is nooit op slot. Maar waarom zouden ze?'

Banks wist het ook niet. 'Waarom heb je die pagina er uitgescheurd?'

'Ik weet niet eens of ik dat wel zelf heb gedaan. Ik kan het me in elk geval niet herinneren. Moet u eens horen, inspecteur...' Seth zette de schaaf weer neer, leunde tegen de werkbank en keek Banks aan '... u jaagt op hersenschimmen. Iedereen kan dat getal hebben genoteerd en het kan echt van alles betekenen.'

'Wat dan bijvoorbeeld?'

'Het kan een telefoonnummer zijn. Hier in de regio zijn nog heel veel viercij-

ferige nummers in gebruik. Of misschien is het een deel van een afmeting, een geldbedrag, wat dan ook.'
'Het is geen telefoonnummer,' zei Banks. 'Dacht je soms dat ik dat niet allang had gecontroleerd? En het is wél agent Gills dienstnummer.'
'Toeval.'
'Zou kunnen. Maar ik ben niet overtuigd.'
'Dat is uw probleem.' Seth pakte de schaaf op en zette zich weer aan het werk, ditmaal iets krachtiger.
'Het kan ook jouw probleem zijn, Seth.'
'Is dat een dreigement?'
'Nee. Dat laat ik wel aan hoofdinspecteur Burgess over. Wat ik eigenlijk bedoelde is dat het wel heel goed zou uitkomen als iemand anders – jij, bijvoorbeeld – agent Gill had vermoord en dat Paul Boyd er nu voor opdraait. Hij heeft namelijk geen poot om op te staan.'
'Wat wilt u daarmee zeggen?' Seth was weer opgehouden met werken.
'Dat de kans groot is dat hij ervoor wordt veroordeeld.'
'Bedoelt u dat hij heeft bekend?'
'Daar mag ik helaas niets over zeggen. Ik wilde alleen maar duidelijk maken dat het er slecht voor hem uitziet, dus als jij iets weet wat hem kan helpen, kun je me dat maar beter zo snel mogelijk vertellen. Tenzij jij er natuurlijk bij gebaat bent dat Boyd voor de moord wordt aangehouden.'
'Ik weet niets.' Seth boog zich over het hout en streelde het gladde oppervlak. Zijn stem klonk strak en hij had zijn gezicht afgewend.
'Als je iemand wilt beschermen, heb ik daar alle begrip voor,' ging Banks verder. 'Dat deed Mara ook bij Paul. Bedenk echter goed wat je doet. Als je iemand anders buiten schot probeert te houden, draait Paul vrijwel zeker de bak in. Geef je werkelijk zo weinig om hem?'
Seth zette de schaaf met een harde klap neer. Hij draaide zich met een vuurrood gezicht om en keek Banks fel aan. Bij zijn slaap trilde een ader. 'Hoe durft u dat te zeggen?' zei hij met een trillende stem. 'Natuurlijk geven we veel om Paul. Zijn schuld zal wel eerst moeten worden bewezen, hoor. Alleen heeft de politie blijkbaar haar oordeel al klaar. Stelletje hufters. Als hij het niet heeft gedaan, komt hij heus wel vrij.'
Banks stak een Silk Cut op. 'Ik kijk ervan op dat je zoveel vertrouwen in onze rechtspraak hebt, Seth. Dat kan ik van mezelf helaas niet zeggen. In de huidige situatie zouden ze hem wel eens als voorbeeld kunnen gebruiken.'
Seth snoof verachtelijk. 'En hoe wilt u dat dan aanpakken? Door de jury te manipuleren?'

'Dat is niet eens nodig. De jury bestaat uit heel gewone mannen en vrouwen, voornamelijk gezagsgetrouwe burgers uit de middenklasse. Eén blik op Boyd en ze sluiten hem op en gooien de sleutel weg.'
'Hij redt zich wel. En wij staan achter hem. We zullen hem niet laten vallen.'
'Een loffelijk streven. Maar of dat genoeg is, is maar de vraag. Waar woonde je eigenlijk voordat je deze boerderij kocht?'
Seth werd zo door de vraag overvallen dat hij even moest nadenken. 'Hebden Bridge. Hoezo?'
'Hoe kwam je aan het geld voor de boerderij?'
'Eigenlijk gaat dat u geen zak aan, maar ik had wat spaargeld en geld dat ik van een demente tante had geërfd. We... ik had daar een bedrijfje en dat heb ik verkocht, een winkel in tweedehands boeken.'
'Wat voor werk deed je daar?'
'Hetzelfde als hier.' Seth gebaarde om zich heen naar de werkplaats. 'Ik was een manusje-van-alles met het ware, door Thatcher zo aanbeden ondernemerschap. Ik leverde prima werk af en verdiende er goed mee. Nog steeds, trouwens.'
'Wie runde de boekwinkel dan?'
'Mijn vrouw.' Seth zei dit met op elkaar geklemde kaken en draaide zich weer om naar de werkbank.
'Is er niet een of ander ongeluk gebeurd?' vroeg Banks. 'Met je vrouw?' Hij kende de bijzonderheden van het verhaal, maar wilde zien hoe Seth zou reageren.
Seth haalde diep adem. 'Ja, dat klopt. Maar ook dat gaat u helemaal niets aan.'
'Wat is er precies gebeurd?'
'Precies wat u zelf al zei. Ik had een vrouw. Ze heeft een ongeluk gehad.'
'Wat voor ongeluk?'
'Ze is aangereden door een auto.'
'Erg hoor.'
Seth draaide zich wild om. 'Waarom? Waarom zou u het verdorie erg vinden? U hebt Alison nooit gekend. Rot toch op en laat me rustig verdergaan met mijn werk. Ik heb u niets meer te zeggen.'
Op de drempel bleef Banks nog even staan. 'Nog één ding: Elizabeth Dale. Zegt die naam je iets?'
'Ik ken iemand die Liz Dale heet, ja.'
'Is zij niet degene die uit de psychiatrische inrichting was weggelopen en toen hiernaartoe is gekomen?'
'Als u het toch al weet, waarom vraagt u het dan?'

'Ik wist het niet zeker, maar ik had zo'n vermoeden. Is jou iets bekend over een aanklacht die zij ooit heeft ingediend tegen agent Gill?'
'Nee. Hoezo?'
'Ze heeft daarvoor zijn dienstnummer gebruikt: 1139.'
'Nou en?'
'Wel een beetje toevallig: haar klacht, zijn dienstnummer in jouw notitieboek. Kan zij het daarin hebben genoteerd?'
'Dat zou best kunnen. Maar dat geldt voor een heleboel mensen. Ik weet er werkelijk helemaal niets van.' Seth klonk vermoeid.
'Heb je haar recentelijk nog gezien? Is ze in de afgelopen weken hier langs geweest?'
'Nee.'
'Weet je dan waar ze is?'
'We zijn elkaar uit het oog verloren. Dat gebeurt nu eenmaal.'
Seth boog zich weer over het hout en Banks vertrok via het poortje aan de zijkant, zodat hij niet door het huis hoefde. In de auto overwoog hij even om in de stal met Rick en Zoe te gaan praten. Dat kon echter een andere keer ook wel. Hij had even de buik vol van Maggie's Farm.

Burgess knipoogde naar Glenys, die blozend glimlachte. Banks was de enige die zag dat Cyrils gezicht op onweer stond. Ze namen hun drankje en ploughman's lunch mee naar een tafeltje.
'Hoe maakt Boyd het?' vroeg Burgess.
'Gaat wel. Ik wist niet dat het je iets kon schelen.'
Burgess spuugde de resten van een ingelegde ui in zijn servet: 'Wat een gore troep. Daar krijg ik nou maagpijn van.'
'Gezien de levensstijl die jij er op na houdt, zou het me niets verbazen als bleek dat je een maagzweer aan het kweken bent,' merkte Banks op.
Burgess grinnikte. 'Je leeft maar één keer.'
'Blijf je hier om te zien hoe het afloopt?'
'Ik blijf hier nog een paar dagen, ja.' Hij keek naar Glenys. 'Ik ben nog niet helemaal klaar met wat ik hier wilde doen.'
'Je gaat me toch niet vertellen dat je het hier in het noorden leuk begint te vinden, hè?'
'Nu ja, dat pokkenweer is tenminste een heel stuk verbeterd, al kan ik dat van de mensen nog niet zeggen.'
'Het vriendelijkste volk van het land, wanneer je hen eenmaal beter hebt leren kennen.'

'Maak dat de kat wijs.' Burgess propte een homp Wensleydale in zijn mond en spoelde hem weg met Double Diamond.
Banks trok een gezicht. 'Geen wonder dat je last van je maag hebt.'
Burgess schoof zijn bord weg en stak een sigaar op. 'Zeg nou eens eerlijk, Banks. Wat denk jij van die Boyd? Schuldig of niet?'
'Hij heeft er iets mee te maken. Daar ben ik vrij zeker van. Maar als je wilt weten of ik denk dat hij Gill heeft vermoord, is het antwoord nee.'
'Je zou best eens gelijk kunnen hebben. Hij heeft in elk geval zijn verhaal onder druk niet gewijzigd en zo sterk is hij volgens mij niet.' Burgess priemde met zijn sigaar in de lucht. 'Persoonlijk kan het me werkelijk niets schelen wat er met Boyd gebeurt. Ik heb liever dat hij hiervoor de bak in draait dan helemaal niemand. Je zou echter wel wat meer vertrouwen in me mogen hebben. Ik ben ook niet op mijn achterhoofd gevallen en als ik er niet van overtuigd ben dat de zaak volledig is afgehandeld, wil ik wel graag weten hoe en waarom. Net als iedere politieman twijfel ik ook wel eens.'
'En dat laatste is bij Boyd het geval?'
'Een beetje wel.'
'Wat ben je van plan eraan te gaan doen?'
'De alternatieven nog eens bekijken. Je hebt gehoord wat hij gisteravond zei over de mensen die vrijdagmiddag op de boerderij zijn geweest. Ze zijn vrijwel allemaal al eens eerder tijdens het onderzoek opgedoken. Wat denk jij?'
Banks nam een slokje bier om zijn lunch weg te spoelen. 'Dat hangt ervan af,' zei hij. 'De mensen over wie Boyd het had, hadden allemaal toegang tot het mes en hetzelfde geldt voor iedereen die er in de dagen voorafgaand aan de demonstratie is geweest. Niemand heeft opgemerkt wanneer het mes was verdwenen, dat beweren ze tenminste. Als jij ervan overtuigd bent dat het om een terroristische aanslag gaat, zul je moeten beginnen bij degenen onder hen die echt actief zijn op politiek gebied: Osmond, Trelawney en de studenten. Als je daarentegen gelooft dat er ook een ander motief aan ten grondslag kan liggen, zul je de hele kwestie in menselijker termen moeten herzien: wraak, haat, dat soort dingen. Of misschien probeert iemand de bewoners van de boerderij met de schuld op te zadelen, iemand die een reden heeft om hen te haten of hen van hun land te verjagen.'
Burgess slaakte een diepe zucht. 'Zo wordt het wel verrekte ingewikkeld. Denk je echt dat we het antwoord in die hoek moeten zoeken?'
'We kunnen het nog niet uitsluiten.' Banks haalde diep adem. 'Gill was een schoft,' zei hij. 'Hij vond het leuk om mensen in elkaar te slaan. Hij werkte vaker vrijwillig over tijdens grote evenementen dan ik thuis achter een war-

me maaltijd zit. En er is nog iets: Osmond heeft een paar jaar geleden een officiële klacht tegen hem ingediend wegens het gebruik van onnodig geweld tijdens een andere demonstratie. Hetzelfde geldt voor een zekere Elizabeth Dale bij een andere betoging. En de bewoners van de boerderij en zij zijn bekenden van elkaar.'

Burgess nam een slok bier en likte zijn lippen af. 'Hoe weet je dat?' vroeg hij toen rustig.

Banks had de vraag zien aankomen. Hij was niet vergeten dat Burgess hem had verboden Gills personeelsdossier in te zien. 'Een anonieme tip,' zei hij daarom.

Burgess staarde met samengeknepen ogen naar Banks, die een sigaret tevoorschijn haalde en deze opstak.

'Ik weet niet of ik dat geloof,' zei hij ten slotte.

'Wat doet dat er verdorie toe? Het gaat nu om wat ik je net heb verteld. Wil je dit tot op de bodem uitzoeken of niet?'

'Ga verder.'

'Volgens mij zijn er dus twee mogelijkheden: terrorisme of een persoonlijker motief. Misschien zelfs wel allebei, dat weet ik niet.'

'En wat is de rol van Boyd in het geheel?'

'Of hij heeft precies gedaan wat hij ons heeft verteld, of hij is medeplichtig. Dus graven we verder in zijn politieke verleden. Richmond plukt zo veel mogelijk uit de computer, trekt de mensen na met wie Boyd in de gevangenis heeft gezeten en andere kennissen met wie hij omging toen hij door de plaatselijke politie in de gaten werd gehouden. Hij heeft een tijdje in Ierland gezeten – daar wilde hij trouwens ook naartoe toen we hem oppakten – en heeft een paar vrienden met IRA-connecties. We kunnen het weliswaar niet bewijzen, maar we weten het heel zeker. Ook moeten we rekening houden met een persoonlijk motief. Gill had door zijn gedrag veel vijanden en daar was Osmond er blijkbaar een van.'

'Dan zullen we Boyd dus voorlopig maar hier houden,' zei Burgess.

Banks schudde zijn hoofd. 'Dat ben ik niet met je eens.'

'Moeten we hem laten gaan?'

'Ja. Waarom niet?'

'De vorige keer is hij ervandoor gegaan. Wat weerhoudt hem ervan om dat nog een keer te doen?'

'Ik denk dat hij er inmiddels wel achter is gekomen dat hij nergens naartoe kan. Als je hem nu vrijlaat, gaat hij zeker terug naar de boerderij.'

'Maar waarom moeten we hem dan vrijlaten?'

'Om de boel een beetje op te schudden. Misschien is hij onschuldig, maar weet hij wel wie het heeft gedaan. Er bestaat een kansje dat hij zijn mond voorbijpraat en zo iets in beweging zet.'
Burgess speelde met het bier in zijn glas. 'Dus we maken proces-verbaal op wegens het achterhouden van bewijsmateriaal en het verspillen van politietijd, en laten hem dan gaan. Is dat wat je wilt?'
'Ja, voorlopig tenminste. Heb jij een beter idee?'
'Ik ben niet helemaal overtuigd,' zei Burgess langzaam, 'maar ik doe mee. En,' zo voegde hij eraan toe, 'het is jouw verantwoordelijkheid. Als hij er weer tussenuit piept, krijg jij het op je brood.'
'Dat is goed.'
'We laten hem nog één nachtje zitten, zodat de boodschap luid en duidelijk overkomt. En voor zijn vertrek ga ik nog wel een keer een babbeltje met hem maken.'
Het was een compromis. Burgess was er het type niet naar om zich volledig naar het voorstel van een ander te schikken. Meer zat er niet in, dus stemde Banks erin toe.
Burgess keek met een brede glimlach naar Glenys. Aan de andere kant van de bar klonk het gerinkel van gebroken glas. 'Zal ik nog een paar pinten halen?'
'Ik ga wel.' Banks stond snel op. 'Het is mijn beurt.' Dat was niet waar, maar het laatste waar ze nu behoefte aan hadden was een knokpartij tussen de pubbaas van de Queen's Arms en een hoofdinspecteur van Scotland Yard.
'Ik ga ook nog een keer naar Osmond,' zei Burgess toen Banks terugkwam. 'Ik vertrouw jou niet wanneer die griet van hem erbij is. Dan zit je alleen maar naar haar te staren.'
Banks ging er niet op in.
'Kan ik Richmond meenemen?' vroeg Burgess.
'Wat is er mis met Hatchley?'
'Dan is zo'n luie donder,' zei Burgess. 'Hoe hij ooit brigadier heeft kunnen worden, is mij een raadsel. Hij zit er altijd als een zoutzak bij.'
'Och, hij heeft ook zijn goede kanten,' zei Banks, zich verbazend over het feit dat hij Hatchley verdedigde. Hij vroeg zich af of de brigadier echt hoopte dat Burgess hem zou vragen voor een of ander eliteteam van de Yard, puur en alleen omdat ze er beiden een voorstander van waren dat alles werd geprivatiseerd en heilig geloofden in een Engeland dat stijf stond van de kernraketten. Als dat zo was, jammer dan.
Het verschil tussen hen beiden, dacht Banks bij zichzelf, was dat Hatchley zijn ideeën gewoon van zijn ouders had overgenomen; hij dacht er nooit ver-

der over na. Burgess daarentegen geloofde echt dat de politie er was om de opmars van het rode leger te stuiten en immigranten in bedwang te houden, zodat de regering ongestoord verder kon met het grootmaken van hun geweldige land. Ook vond hij dat mensen als Paul Boyd van de straat dienden te worden gehouden, zodat fatsoenlijke burgers 's nachts rustig konden slapen. Het kwam nooit bij hem op dat hij zelf wellicht ook niet zo fatsoenlijk was.

Banks wandelde achter Burgess aan terug naar het bureau en liep naar zijn kantoor. Hij moest even iemand bellen.

12

Ten zuiden van Skipton vindt een drastische verandering plaats in het landschap. De kalkstenen valleien maken plaats voor een gebied van grove zandsteen en woeste heidevlakten, die veel somberder en ruiger zijn dan die in Swainsdale. Zelfs de stapelmuren zijn van de donkerpaarse steensoort gemaakt. Het landschap is een weerspiegeling van de mensen die het voortbrengt: koppig, op hun hoede, weinig vergevingsgezind.

Banks reed via Keighley en Haworth naar het vlakke gebied, met rechts van hem Haworth Moor en links Oxenhope Moor. Zelfs in de stralende zon lag het landschap er op deze lenteachtige dag onheilspellend en grauw bij. Sandra verfoeide dit gebied; ze vond het er griezelig en kaal. Voor Banks had de omgeving met haar legenden over heksen en gekke methodistische predikanten, en de verhalen van de gezusters Brönte echter iets magisch.

Banks liet een cassette in de recorder glijden en Robert Johnson zong *Hellhound on My Trail.* Hoewel West-Yorkshire bepaald niet aan de monding van de Mississippi lag, beeldden de duistere, rauwe klanken van Johnsons gitaar het landschap perfect uit en was zijn gekwelde, door het noodlot ingegeven tekst een treffende weergave van de sfeer.

De streek is het product van de industriële revolutie, met talloze fabrieksstadjes in de dalen en weverijgemeenschappen op de heuvels. Majestueuze oude fabrieken met hoge schoorstenen van ruwe, donkere zandsteen staan nog steeds her en der door het gebied verspreid. De meeste zijn inmiddels van hun tweehonderd jaar oude laag roet ontdaan en tegenwoordig in gebruik als overdekte markten voor kunstnijverheid en antiek.

Hebden Bridge is een voormalig fabrieksstadje dat tegenwoordig een toeristische trekpleister vol boekwinkels en antiekzaakjes vormt. Nog niet zo heel lang geleden werden in het stadje broeken en corduroy producten gefabriceerd, maar sinds de invasie van hippies uit Leeds en Manchester in de jaren zeventig is het veranderd in een plek waar kunstfestivals, poëzievoordrachten en andere culturele activiteiten worden georganiseerd.

Banks reed vanaf de heide langs een steile heuvelhelling omlaag het stadje in. Lange rijen hoge huizen stonden diagonaal tegen de helling aan gebouwd en keken uit op de fabrieken in het dal. Het leek net alsof de huizen vier verdie-

pingen telden, maar in wezen waren het twee woningen van elk twee verdiepingen die op elkaar waren gebouwd. De toegang tot het onderste huis bevond zich in een straat of steegje op het laagste niveau en de toegang tot de bovenste woning in een hoger gelegen straat aan de achterkant. Dit alles bemoeilijkte Banks' zoektocht naar Reginald Lee's huis aanzienlijk.
Lee, zo had Banks telefonisch vernomen van agent Brooks van de politie van Hebden Bridge, was een gepensioneerde winkeleigenaar die in een van deze tweelagige gebouwen woonde. Iets meer dan drie jaar geleden was hij in de drukke hoofdstraat van de stad – een doorgaande weg die van oost naar west door de Caldervallei liep – betrokken geweest bij een ongeluk waarbij Alison, Seth Cottons vrouw, was omgekomen.
Banks had ook van de politie gehoord dat er niets verdachts aan haar dood was geweest en dat meneer Lee er niets aan kon doen. Hij wilde echter meer over Seth Cottons verleden weten en hij vond het overlijden van zijn vrouw wel geschikt om mee te beginnen. Hij was er nog altijd van overtuigd dat het getal dat zo nadrukkelijk in het oude notitieboekje had gestaan het dienstnummer van Gill was en niet simpelweg een deel van een berekening die daarmee toevallig overeenkomsten vertoonde. Of Seth het nummer er zelf in had opgeschreven, was een heel ander verhaal.
Lee, een kleine man in een slobberige, versleten trui, deed de deur open en keek Banks met een diepe rimpel in zijn voorhoofd aan. Blijkbaar kreeg hij niet vaak bezoek. Zijn dunner wordende haar was ongekamd en stond hier en daar rechtop op zijn hoofd alsof hij een elektrische schok had gehad; de kamer waarin hij Banks uiteindelijk binnenliet, was rommelig, maar schoon. Het was er ook kil. Banks hield zijn jas aan.
'Sorry voor de troep,' zei Lee met een hoge, zeurderige stem. 'Mijn vrouw is twee jaar geleden overleden en ik heb de slag van huishoudelijk werk nog niet te pakken.'
'Ik begrijp wat u bedoelt.' Banks tilde een stapeltje kranten van een stoel met een rechte rugleuning. 'Mijn vrouw is sinds een week of twee bij haar moeder en het lijkt net of het hele huis op instorten staat. Vindt u het goed als ik rook?'
'Ja hoor.' Lee schuifelde naar een dressoir om een asbak te halen. 'Waar kan ik u mee van dienst zijn?'
'Ik vind het erg vervelend dat ik het weer ter sprake moet brengen,' zei Banks. 'Ik besef dat het pijnlijk voor u moet zijn, maar het gaat over het ongeluk waarbij u een jaar of drie geleden betrokken was.'
Bij het horen van Banks' woorden staarde Lee met doffe ogen voor zich uit.

'Ach, ja,' zei hij. 'Dat was volgens mij een van de oorzaken van Elsies dood, weet u. Ze was er indertijd bij en ze is er nooit helemaal overheen gekomen. Zelf ben ik vervroegd met pensioen gegaan. Ik kon me niet meer...' Hij raakte de draad van zijn verhaal kwijt en tuurde naar de lege haard.

'Meneer Lee?'

'Wat? Och, sorry hoor, inspecteur. U bent toch inspecteur?'

'Dat klopt,' zei Banks. 'Het ongeluk?'

'O, ja. Wat wilt u daarover weten?'

'Wat er precies is gebeurd, voorzover u zich dat nog kunt herinneren.'

'O, ik herinner het me nog uitstekend.' Hij tikte tegen zijn voorhoofd. 'Het zit hier allemaal in, in slow motion. Wacht, ik pak even mijn pijp. Dan kan ik me beter concentreren. Het kost me tegenwoordig moeite om mijn gedachten erbij te houden.' Hij pakte een pijp uit een rekje op de schoorsteenmantel, stopte deze met een pluk tabak en hield er een lucifer bij. De tabak vatte vlam en blauwe rook kringelde uit de kop omhoog. Vanaf de straat drong een kinderrijmpje tot hen door: *'Georgie Porgie, pudding and pie, Kiss the girls and make them cry.'*

'Waar was ik gebleven?'

'Het ongeluk.'

'O, ja. Welnu, het gebeurde op een prachtige zomerdag. Op 16 juli. Zo'n dag waarop je de heide en de wilde bloemen helemaal hier in de stad kunt ruiken. Geen wolkje aan de hemel en iedereen in die ontspannen, lome stemming die je 's zomers zo vaak ziet. Elsie en ik wilden een ritje maken naar Hardcastle Crags. Daar waren we tijdens onze verkering heel vaak geweest. Dus wanneer het weer goed was gingen we daar altijd naartoe. Ik reed niet harder dan vijftig kilometer – en ik had geen druppel gedronken, ik raak dat spul met geen vinger aan – en toen kwam ik voorbij dat meisje dat aan de kant van de weg fietste.' Hij haperde even, trok aan zijn pijp alsof het een zuurstofmasker was en ging toen verder. 'Ze wiebelde een beetje, maar dat doen een heleboel fietsers. Ik lette altijd heel goed op wanneer er fietsers in de buurt waren. En toen gebeurde het. Mijn voorwielen waren ongeveer een halve meter bij haar achterwiel vandaan. Ze fietste vlak naast de stoeprand opzij van de auto en toen viel ze plotseling om.'

'Zomaar?'

'Aye.' Hij klonk verbaasd, ook al had hij het verhaal al tientallen keren aan de politie verteld. 'Alsof ze over een steentje was gereden. Maar er lag helemaal geen steentje. Misschien was ze tegen de stoeprand aangekomen. Ze viel zo voor mijn auto. Ik had geen tijd meer om te remmen. Zelfs als ik maar tien

kilometer per uur had gereden, had ik niet genoeg tijd gehad om nog te remmen. Ze kwam meteen onder de wielen. Viel zomaar om.'
Banks liet een stilte vallen. De tabak in de kop van de pijp knisperde en het hinkelrijmpje werd buiten steeds opnieuw gezongen. 'U zei dat ze een beetje wiebelde,' zei hij ten slotte. 'Alsof ze dronken was of iets dergelijks?'
'Niet echt. Eerder alsof ze niet goed kon fietsen, alsof ze het nog aan het leren was.'
'Bent u wel eens een politieagent tegengekomen die Edwin Gill heette? PC 1139?'
'Wat? Neemt u me niet kwalijk. Nee, die naam en dat dienstnummer zeggen me niets. Ik heb toen in eerste instantie met agent Brooks gesproken. En daarna met inspecteur Cummings. Ik kan me geen Gill herinneren. Komt hij hier uit de buurt?'
'Hebt u Seth Cotton wel eens ontmoet?'
'Ja,' zei Lee en hij stak zijn pijp opnieuw aan. 'Ik heb al mijn moed bij elkaar geraapt en ben hem in het ziekenhuis gaan opzoeken. Hij was van de details op de hoogte en zei dat hij het me niet kwalijk nam. Heel vergevingsgezind was hij. Hij was er natuurlijk slecht aan toe en buiten zichzelf van verdriet en woede. Maar hij was niet kwaad op mij. Ik heb hem alleen die ene keer gesproken.'
'In het ziekenhuis? Wat deed hij daar?'
Lee keek hem verbaasd aan. 'Ik dacht dat u dat wel wist. Een paar dagen nadat het ziekenhuis hem had gebeld over het ongeluk heeft hij geprobeerd zelfmoord te plegen. De aders in zijn enkels doorgesneden. En ze zeggen dat hij de telefoon helemaal aan gruzelementen had geslagen. Alleen vond iemand hem voordat het te laat was. Hebt u hem recentelijk gezien?'
'Ja.'
'Hoe gaat het nu met hem?'
'Hij maakt het goed.' Banks vertelde hem over de boerderij en Seths meubelmakerij.
'Aye,' zei Lee. 'Hij vertelde me toen al dat hij meubelmaker was.' Hij schudde langzaam zijn hoofd. 'Hij was er verschrikkelijk aan toe. Het was al erg genoeg dat hij zijn vrouw had verloren, maar ook nog de baby...'
'Baby?'
'Aye. Wist u dat niet? Ze was in verwachting. Vijf maanden. De politie dacht dat ze misschien was flauwgevallen of zo, misselijk was geworden vanwege haar toestand...'
Lee's gedachten dwaalden weer af en hij liet zijn pijp uitgaan. Banks had geen

vragen meer en stond op om te vertrekken. Lee merkte het en schudde zijn sufheid van zich af.
'Gaat u alweer?' zei hij. 'Zeker weten dat u niet even een kopje thee wilt blijven drinken?'
'Nee, dank u wel, meneer Lee. U bent heel behulpzaam geweest. Het spijt me dat ik het allemaal weer moest oprakelen.'
'Er gaat zelden een dag voorbij dat ik er niet aan denk,' zei Lee.
'U moet uzelf niet zo kwellen,' merkte Banks op. 'Van welke kant je de zaak ook bekijkt, u treft beslist geen enkele blaam.'
'Aye, geen enkele blaam,' zei Lee. Zijn indringende, naar binnen gerichte blik deed Banks denken aan de acteur Trevor Howard in zijn beste, door gewetensnood verteerde rollen. Er viel niets meer te zeggen. Neerslachtig liep Banks naar buiten, het kille lentezonnetje in. De kinderen waren stil en staarden hem na toen hij voorbijliep.
Het was na vijven en de mensen in het stadje gingen gehaast vanuit hun werk op huis aan. Banks wachtte slechts een blik ravioli met toast – die hij ongetwijfeld zou verbranden – en de zoveelste avond alleen thuis.
Hij tuurde naar de heuvelhelling aan de westkant van de stad en dacht plotseling aan Heptonstall, een dorpje helemaal bovenop. Hij had gehoord dat de pub daar Timothy Taylors bitter serveerde, iets wat hij nog nooit had geproefd. Wat informatie betreft was het een verspilde, teleurstellende middag geweest, maar het kon geen kwaad om te proberen nog iets van zijn dag te redden.
Alison Cottons dood was duidelijk een tragisch ongeval geweest. Of ze was met haar wiel tegen de stoeprand aangekomen en had daardoor haar evenwicht verloren, of ze was, mogelijk als gevolg van haar zwangerschap, flauwgevallen. Banks kon het Seth beslist niet kwalijk nemen dat hij er niet over wilde praten.
Hij stapte in zijn auto en reed de steile heuvel op naar Heptonstall. Het was op dat tijdstip erg stil in het dorpje: smalle, kronkelende straatjes met rijen kleine, donkere cottages die vaak vele ramen telden op de bovenverdieping, een duidelijk teken dat het oorspronkelijk een werkplaats voor wevers was geweest.
Gezeten aan een tafeltje bij het raam in de Cross Inn nam hij rustig de tijd voor zijn maaltijd en bier, en zat hij te bedenken wat hij nu zou gaan doen. De pint Timothy Taylors bitter smaakte uitstekend en was zo zacht als vloeibaar goud. Buiten werden de schaduwen langer en de gevels van de zandstenen huizen in het smalle straatje nog donkerder.

Het was al laat toen hij eindelijk thuiskwam – bijna tien uur – en hij had amper tijd gehad om zijn pantoffels aan te trekken en te gaan zitten toen de telefoon ging.
'Alan, godzijdank, je bent terug. Ik probeer je al de hele avond te bereiken.' Het was Jenny.
'Hoezo? Wat is er?'
'Het gaat om Dennis. Er is ingebroken in zijn flat.'
'Heeft hij het aangegeven?'
'Nee. Hij wil jou spreken.'
'Hij moet het op het bureau aangeven.'
'Weet ik, maar dat vertikt hij. Wil je met hem gaan praten? Alsjeblieft?'
'Is hij gewond?'
'Nee, hij was niet thuis toen het gebeurde. Het moet eerder op de avond zijn geweest.'
'Is er iets gestolen?'
'Dat is me niet helemaal duidelijk. In elk geval niets belangrijks, zou ik zeggen. Ga je naar hem toe? Alsjeblieft?'
Banks kon moeilijk nee zeggen. Niet alleen omdat Jenny overstuur was, maar ook omdat het betrekking kon hebben op de zaak. Als Osmond niet naar hem toe wilde komen, moest hij wel naar hem toe. Zuchtend zei hij: 'Zeg maar dat ik eraan kom.'

'U mag me niet echt, is het wel, inspecteur Banks?' zei Osmond toen Banks had plaatsgenomen op een stoel.
'Ik kan niet zeggen dat ik overloop van enthousiasme, nee.'
Osmond leunde achterover in zijn stoel en glimlachte. 'U bent toch hoop ik niet jaloers? Jenny heeft me verteld dat jullie elkaar tijdens de zaak van die gluurder heel vaak zagen.'
O, is dat zo, dacht Banks kwaad. Hoeveel had ze hem precies verteld? 'Kun je misschien ter zake komen?' vroeg hij kortaf. 'Ik ben hier op Jenny's verzoek om een inbraak te onderzoeken waarvan jij niet officieel aangifte hebt gedaan. Het minste wat je zou kunnen doen is dat bijdehante gedrag van je achterwege laten.'
De glimlach verdween als sneeuw voor de zon. 'Ja, natuurlijk. Alsof dat iets uitmaakt.'
'Waarom wil je er eigenlijk geen aangifte van doen?'
'Omdat ik de politie niet vertrouw, zeker niet na de manier waarop ik sinds de demonstratie door jullie word behandeld. Burgess heeft hier vanmiddag

weer allerlei beledigende en beschuldigende opmerkingen naar mijn hoofd geslingerd. Bovendien wil ik niet dat mijn appartement door een groepje dienders overhoop wordt gehaald.'
'Waarom niet? Wat heb je te verbergen?'
'Ik heb niets te verbergen, niet op de manier die u bedoelt. Ik ben gewoon erg op mijn privacy gesteld.'
'Waarom ben ik hier dan?'
Osmond sloeg zijn benen over elkaar en zweeg even voordat hij antwoord gaf. 'Jenny heeft me overgehaald.'
'Maar je wilt er eigenlijk helemaal niet over praten?'
'Wat heeft dat nu voor zin? Wat kunnen jullie nu helemaal doen?'
'Ons werk, als je ons daar de kans voor geeft. Zoeken naar vingerafdrukken, met de buren praten, een signalement zien te krijgen. Is er iets gestolen?'
'Een boek.'
'Wat?'
'Een boek. De meeste van mijn boeken waren van de planken getrokken en op de vloer gesmeten, en toen ik ze wilde terugzetten merkte ik dat er eentje ontbrak.'
'Eentje maar?'
'Inderdaad. Marcuses *De eendimensionale mens*. Zegt dat u iets?'
'Nee.'
Osmond grijnsde zelfingenomen. 'Dat dacht ik al. Het doet er ook niet toe. Dat was het enige.'
'Dat is het enige wat is ontvreemd?'
'Ja.'
'Hoe zijn ze binnengekomen? Het slot is zo te zien niet vernield.'
'Het is vrij gemakkelijk open te krijgen. Waarschijnlijk hebben ze een creditcard of iets dergelijks gebruikt. Dat heb ik zelf ook meer dan eens gedaan.'
'En dat werkt?'
'Ja. Tenzij aan de binnenkant de knip erop zit. Aangezien ik op dat moment niet thuis was, was dat dus niet het geval.'
'Dan stel ik voor dat je zo snel mogelijk een nieuw slot op de deur laat zetten. Bij voorkeur een met een nachtslot.'
'Ik heb al een slotenmaker gebeld. Hij komt maandag.'
'Denk je dat ze naar iets speciaals op zoek waren? Of was het puur vandalisme?' Banks haalde gedachteloos zijn pakje sigaretten tevoorschijn, maar toen schoot het hem te binnen dat Osmond een fervent antiroker was.

'O, steekt u er gerust een op, inspecteur.' Osmond glimlachte nogmaals zijn superieure lachje. 'Vervuilt u de lucht maar als u echt niet zonder kunt. U bewijst me een dienst door hier te zijn; het is wel het minste wat ik kan terugdoen.'
'Bedankt. Dat zal ik zeker doen.' Banks stak er een op. 'Waar kan het hun om te doen zijn geweest? Geld?'
'Dat denk ik niet. Er lag wat contant geld in de lade van het dressoir, maar dat hebben ze laten liggen. Ook zijn er diverse vrij waardevolle sieraden – nog van mijn moeder geweest – en ook die hebben ze niet meegenomen. Ze hebben alleen aan de boeken en wat paperassen gezeten – niets belangrijks overigens – maar er is geen schade aangericht. Ik denk niet dat het vandalisme was.'
'Hebben ze dat geld en die sieraden wel gezien?'
'Ja zeker. De lade stond open en de inhoud van het juwelenkistje lag op het bed.'
'Wat denk jij dan dat ze zochten?'
Osmond wreef over zijn kin en fronste zijn wenkbrauwen. Toen hij zag dat er minstens een centimeter as aan Banks' sigaret hing, haalde hij vanuit de keuken een asbak. 'Voor noodgevallen,' zei hij. 'Gestolen waar, vrees ik. Met dank aan de Bridge in Helmthorpe.'
Banks glimlachte. Nu zijn aanvankelijke nervositeit, die zoals bij zoveel mensen tot uiting was gekomen in zijn onbeleefde gedrag, was verdwenen, probeerde Osmond zich enigszins te gedragen. Hij voelde zich nog steeds niet op zijn gemak in het gezelschap van de politie, maar hij deed tenminste zijn best.
'Wilt u misschien iets drinken?'
'Whisky graag, als je dat hebt.' Osmond wilde blijkbaar tijdrekken, zodat hij even kon nadenken. Dat hield in dat zijn antwoord op zijn best een mengeling van waarheid en leugens zou zijn, en dat het verdomde lastig zou worden voor Banks om uit te pluizen wat waar was en wat niet. Het had echter geen zin om hem op te jagen. Osmond had graag de touwtjes in handen en hem op dit punt uitdagen zou slechts tot gevolg hebben dat hij zijn mond hield. Het beste was om af te wachten tot zich een zwakke plek in zijn pantser aandiende en daar dan op te duiken. Voorlopig zou hij hem alle tijd gunnen die hij nodig had.
Toen Banks eindelijk een drankje in zijn hand had, herhaalde hij de vraag.
'Ik wil niet dat u denkt dat ik paranoïde ben, inspecteur,' stak Osmond behoedzaam van wal, 'maar ik ben nu al een aantal jaren betrokken bij de CND en verschillende andere organisaties, dus ik spreek uit ervaring. Ik neem

aan dat u inmiddels wel weet dat ik ooit een klacht heb ingediend tegen de politieagent die is vermoord?'
Banks knikte. 'Je zou ons heel wat moeite hebben bespaard als je ons dat meteen had verteld.'
'Dat is gemakkelijker gezegd dan gedaan. Hoe dan ook, die allervriendelijkste hoofdinspecteur van u wist het dus. Hij liet het onderwerp maar niet met rust. Ik neem dus maar aan dat u het ook weet. Tja, we zijn inmiddels niet anders gewend. De CND staat aan niemands kant, inspecteur. Misschien vindt u het moeilijk te geloven, maar het enige wat wij willen is een wereld zonder kernenergie. Ik kan echter niet ontkennen dat sommige leden er een sterke politieke mening op na houden. Ik ben inderdaad een socialist, ja, maar dat heeft niets van doen met de CND of haar doelstellingen.'
Hij zweeg even en frunnikte aan het kleine, gouden kruisje om zijn nek. Zoals hij daar op de bank hing met over elkaar geslagen benen en zijn armen over de rugleuning uitgestrekt, was het woord 'loom' nog het meest op hem van toepassing, vond Banks.
'Is het u wel eens opgevallen dat dit soort dingen nooit op zichzelf staat?' ging Osmond verder. 'Wanneer je tegen kernenergie bent, verwachten mensen meteen dat je ook voor abortus, de vakbond en homoseksualiteit bent, tegen Amerika en apartheid, en over de hele linie een linkse rakker. De meeste mensen beseffen niet dat het heel goed mogelijk is dat iemand bijvoorbeeld tegen kernenergie en apartheid is, zonder dat hij ook direct homoseksualiteit en abortus steunt, vooral wanneer hij katholiek is. O, de combinaties verschillen onderling nog wel eens – sommige zijn extremer en gevaarlijker dan andere – maar je kunt vrij nauwkeurig voorspellen welke zaken onze leden hoog in het vaandel hebben staan. Het punt is dat onze thema's vaak een heet hangijzer zijn in de politiek, waardoor we van alle kanten de aandacht op ons vestigen. De regering denkt dat we samenzweren met de Russen, dus vallen ze regelmatig ons kantoor binnen om onze dossiers door te nemen. De communisten zien ons als bondgenoten die hen zullen helpen een decadente, kapitalistische regering omver te gooien, dus komen ze bij ons slijmen en laten ze hun eigen mensen bij ons infiltreren. Het is een zootje, maar we houden ondanks alles vast aan onze doelstellingen.'
'Wil je daarmee zeggen dat er volgens jou een politieke drijfveer achter deze inbraak zit?'
'Daar komt het wel ongeveer op neer ja.' Osmond hield de fles whisky omhoog en keek hem vragend aan. Banks hield zijn glas bij. 'De diefstal van het boek is in dat geval een soort visitekaartje of waarschuwing. Begrijpt u nu wat ik

bedoel wanneer ik zeg dat ik niet echt veel hulp verwacht van de politie? Als bijvoorbeeld Special Branch of MI5 hierbij betrokken is, wordt u straks teruggefloten, en als het de andere kant is, krijgen jullie hen toch nooit te pakken.'
'Maar waarnaar zijn ze dan op zoek?'
'Geen idee. Ik bewaar mijn mappen in elk geval niet hier. De belangrijkste liggen op het kantoor van de CND en verder ligt er wat materiaal op mijn werk.'
'Het bureau voor maatschappelijk werk?'
'Inderdaad. Ik heb daar een eigen kantoor. Bijzonder handig.'
'Ze hebben dus niet gevonden wat ze zochten, omdat ze niet op de juiste plek keken?'
'Dat vermoed ik wel, ja. De enige lopende zaak momenteel is het onderzoek dat ik heb ingesteld naar de demonstratie. Dat had ik u al verteld, en hoofdinspecteur Burgess ook. Ik heb vrij veel van de aanwezigen gesproken, en probeer vast te stellen wat er precies is gebeurd en hoe het voorkomen had kunnen worden. Tim en Abha helpen me daarbij. De meeste gegevens liggen bij hen thuis. We komen morgen op de boerderij bij elkaar om te bespreken wat we ermee gaan doen. Sinds uw baas van de zaak is gehaald, proberen we het namens hem voort te zetten en onze resultaten zullen heel wat minder bevooroordeeld zijn.'
'Je zit er echt helemaal naast,' zei Banks en hij stak weer een sigaret op. 'De ellende met mensen als jullie is dat jullie ondanks dat gezever over combinaties zelf ook iedereen over één kam scheren. Volgens jullie zijn alle politiemensen corrupte ellendelingen. Hoofdinspecteur Gristhorpe zou uitstekend werk hebben afgeleverd. Hij zou het heus niet allemaal onder het vloerkleed hebben geveegd.'
'Misschien is dat dan wel de reden waarom hij van de zaak is gehaald,' zei Osmond. 'Ik las in de krant dat ze een onafhankelijke onderzoekscommissie gaan instellen – wat slechts een andere benaming is voor een groepje hoge omes van de politie buiten Eastvale – maar wij zijn ervan overtuigd dat ze die hele gênante affaire het liefst zo snel mogelijk willen vergeten. Zodra de moordenaar eenmaal veroordeeld is – en blijkbaar zijn jullie hard op weg om dat voor elkaar te krijgen – worden al die linkse gasten die tegen kernenergie zijn als een bende moordzuchtige anarchisten afgeschilderd – want dat zijn we volgens jullie – en heeft de politie weer eens een broodnodig wit voetje bij de burgerij gehaald.'
Banks zette zijn lege glas neer en liep naar het raam. 'Vertel me eens over Ellen Ventner.'

Osmond trok wit weg. 'U hebt wel uw huiswerk gedaan, zeg.'
'Ellen Ventner.'
'Als u werkelijk denkt dat ik nu ga toegeven dat die belachelijke aanklacht waar was, hebt u het goed mis.'
'Hoe jammer ik het ook vind, ik ben hier helaas niet vanwege die oude aanklacht. Je slaat graag vrouwen. Nou en? Dat is jouw voorrecht.'
'Schoft. U gaat het zeker ook aan Jenny vertellen, hè?'
'Dat weet ik nog niet. Ellen Ventner heeft de aanklacht ingetrokken. God mag weten waarom, maar dat doen een heleboel vrouwen blijkbaar. Misschien dacht ze wel dat je diep vanbinnen nog steeds een aardige gozer was. Dat verandert echter niets aan wat er is gebeurd. Je denkt misschien dat je in het geheel der politieke zaken een belangrijk man bent, maar persoonlijk waag ik dat te betwijfelen. Aan de andere kant is het natuurlijk ook mogelijk dat de vrouw die je ooit hebt mishandeld wrok is blijven koesteren.'
'Vier jaar lang?'
'Het kan.'
'Zet dat maar uit uw hoofd. Dat zou ze nooit doen. Bovendien is ze vlak nadat wij uit elkaar zijn gegaan geëmigreerd.'
'Ik kan me voorstellen dat ze na alles wat er is voorgevallen zo ver mogelijk bij jou uit de buurt wilde zijn. Maar goed, ik wil gewoon geen enkele aanwijzing onbenut laten.'
Osmond keek hem woest aan, staarde vervolgens in zijn glas en begon weer met het kruisje te spelen. 'Moet u horen, het is maar één keer geweest... Ze... Ik was dronken. Het was niet mijn bedoeling om...'
Banks ging tegenover hem zitten en boog zich naar hem toe. 'Toen je die aanklacht tegen agent Gill indiende,' zei hij, 'hoe heb je dat toen precies aangepakt?'
Osmond was van zijn stuk gebracht. Het was zo gemakkelijk, dacht Banks bij zichzelf. Maak de nodige emoties bij iemand los, stap vervolgens over op een ander onderwerp en voilà: je hebt de touwtjes weer in handen. Hij had het helemaal gehad met Osmonds preken en arrogantie.
'Hoe ik dat heb aangepakt? Ik heb gewoon een brief geschreven.'
'Hoe heb je daarin aangegeven dat het om hem ging?'
'Zijn dienstnummer. Hoe had ik dat anders moeten doen?'
'1139?'
'Inderdaad, dat is het dienstnummer.'
'Dat heb je al die tijd onthouden?'
'Blijkbaar wel.'

‘Maar hoe wist je zijn naam dan?’
‘Hoor eens, ik zie niet in...’
‘Toen ik je de eerste keer vroeg of je Gill kende, zei je nee. Ik gebruikte toen niet zijn dienstnummer, maar zijn naam en die herkende je direct, ook al loog je daarover tegen me.’
‘Hij heeft het me zelf verteld,’ zei Osmond. ‘Toen ik tijdens een demonstratie probeerde te voorkomen dat hij een vrouw sloeg, trok hij me weg om me te vertellen dat ik me erbuiten moest houden. Ik zei dat ik hem zou aangeven en toen zei hij dat ik dat vooral moest doen. Toen hij zag dat ik naar zijn dienstnummer keek, gaf hij me ook zijn naam. Hij spelde hem zelfs voor me. Die klootzak was trots op wat hij deed.’
Dus Osmond verdedigde vrouwen in het openbaar en sloeg hen alleen in de privacy van zijn eigen huis. Leuke vent, dacht Banks bij zichzelf, maar hij hield zijn vragen concreet en zakelijk. ‘Toen je die middag voor de demonstratie op Maggie’s Farm was, heb je toen dat dienstnummer vermeld?’
‘Geen idee. Dat kan ik me niet herinneren.’
‘Denk goed na. Heb je het in een notitieboekje genoteerd of ergens in zien staan?’
‘Nee, dat zou ik echt nog wel weten. Maar het is best mogelijk dat ik de naam heb laten vallen. Ik zou het u niet kunnen zeggen.’
‘Waarom zou je zijn naam daar hebben laten vallen? In welke context?’
‘Ik kan best iets hebben gezegd als: “Ik ben benieuwd of die zak van een PC 1139 er vanavond bij is.” Ik vermoed dat ik in dat geval iedereen wilde waarschuwen. Jezus, iedereen die in dit deel van het land regelmatig deelneemt aan demonstraties kent die klerelijer.’
‘Dat had ik al gehoord.’ Banks dacht terug aan wat Tim en Abha hem hadden verteld.
Hij had verder geen vragen meer. Banks nam afscheid en Osmond gooide de deur met een harde knal achter hem in het slot. In de gang besloot Banks in een opwelling bij de andere flats op de verdieping aan te bellen om te vragen of iemand de inbreker had gezien. Het waren er tien, vijf aan elke kant.
Bij de derde deur vertelde een man die rond kwart voor acht even naar de slijterij was geweest, dat hij op de terugweg twee mannen door de gang had zien lopen. Ze hadden hem ook gezien, maar geen aanstalten gemaakt om weg te rennen of zich om te draaien. De beschrijving was vaag – de meeste mensen zijn ongeveer net zo oplettend als een stenen muur, had Banks door de jaren heen geleerd – maar hij had er wel degelijk iets aan.
Ze waren allebei lang en stevig gebouwd, droegen beiden een donkerblauwe

broek die licht glansde en waarschijnlijk bij een pak hoorde; een man had een zwarte jas van nepleer aangehad en de ander een lichtkleurige trenchcoat; de een had zwart haar en de ander was helemaal kaal; ze hadden geen van beiden een hoed of bril op gehad. Van hun gezicht kon de man zich niets herinneren, behalve dan dat beide mannen twee ogen, een neus, een mond en twee ogen hadden. Ze hadden een zelfverzekerde, doelbewuste indruk gemaakt, alsof ze precies wisten waar ze naartoe gingen en wat ze daar gingen doen, en niet stiekem, zoals misdadigers zich volgens hem zouden hebben gedragen. Dus nee, hij had geen enkele reden gehad om de politie te bellen. Nu had hij daar uiteraard spijt van. Hij sprak onduidelijk, alsof hij de meeste aankopen in de slijterij alweer soldaat had gemaakt. Banks bedankte hem en vertrok.

De volgende vier deuren leverden slechts een schrijver op die door Banks in zijn concentratie was gestoord en hem verzocht op te hoepelen, en een eenzaam militair type dat hem binnen vroeg voor een kop thee en hem zijn medailles wilde laten zien. Geen verleidelijke dames in negligé, helaas.

Pas bij de negende deur trof hij weer iemand aan die hem ook iets kon vertellen. Beth Cameron droeg een strakke, geruite broek die haar mollige heupen en dijen niet direct flatteerde, en een glimmende witte bloes met daaroverheen een kastanjebruin vest. Haar krullende bruine haar was recentelijk gepermanent en ze had het beweeglijkste gezicht dat Banks ooit had gezien. Elke opmerking, elk woord ging vergezeld van getuite lippen, een opgetrokken wenkbrauw, een diepe rimpel of een pruillip. Ze was net zo'n sponzen handpop die hij zich nog uit zijn jeugd herinnerde. Wanneer je er een hand in stak, kon je het gezichtje in de opmerkelijkste grimassen vertrekken.

'Hebt u vanavond iemand meneer Osmonds flat zien binnengaan of uit komen?' vroeg Banks.

'Nee, sorry. Maar wacht eens eventjes, er is me wel iets heel raars opgevallen. Niet hier boven, maar beneden in de garage. Ik vond het toen al een beetje vreemd, weet u, maar ik heb er verder niet bij stilgestaan. Ik had wel andere dingen aan mijn hoofd.'

'Wat zag u daar dan?'

'Een blauwe Escort. Op meneer Handleys parkeerplaats. Hij is 's avonds vaak weg – hij is verslaggever voor de sectie kunst en cultuur van de *Gazette* in Eastvale – maar dat is nog geen reden om zijn parkeerplek in te pikken, vind ik. Er zijn buiten namelijk genoeg plekken voor bezoekers. We hebben liever niet dat mensen van buitenaf onder het gebouw parkeren. Dat kan immers tot allerlei ellende leiden.'

'Hoe laat was dat?' vroeg Banks.
'O, een uur of acht. Ik had net Lesley – dat is mijn dochter – van pianoles opgehaald.'
'Hebt u ook gezien of er iemand in de auto zat?'
'Twee mannen. Ze zaten voorin.'
'Hebt u hen goed kunnen zien?'
'Nee, het spijt me. Ze leken me erg groot, maar ja, ik let nu eenmaal niet zo goed op mensen. Vooral niet op zo'n plek. Het is niet zo verstandig om oogcontact te maken met onbekenden in een ondergrondse garage.'
'Nee,' zei Banks. 'Daar hebt u helemaal gelijk in. U hebt geen van beide mannen herkend, neem ik aan?'
'Nee. Wat is er eigenlijk gebeurd?' Mevrouw Cameron fronste opeens haar wenkbrauwen. 'Er is toch niemand overvallen, hè? Ik roep al zo lang dat het daar veel te donker is. Dat is gewoon vragen om moeilijkheden.'
'Er is niemand gewond geraakt,' stelde Banks haar gerust. 'Het gaat me alleen om die Escort. Hebt u die auto al eens eerder hier gezien?'
'Nee, nog nooit. Ik heb heel even overwogen de politie te bellen, hoor. Maar je wilt die mensen liever niet met zoiets onbenulligs lastigvallen. Als later blijkt dat er helemaal niets aan de hand is, sta je natuurlijk enorm voor schut. Maar ik zou het mezelf nooit vergeven als er iemand gewond was geraakt.'
'Maakt u zich maar geen zorgen, dat is niet gebeurd. U hebt zeker niet toevallig het nummerbord onthouden?'
'Nee.' Ze lachte, maar sloeg toen een hand voor haar mond. Haar vingernagels waren lichtgroen gelakt. 'Het spijt me, meneer Banks, maar ik vind het altijd zo grappig wanneer de politie dat op televisie aan mensen vraagt. Wie verzamelt er tegenwoordig nu nog nummerborden? Ik geloof dat ik dat van mezelf niet eens uit mijn hoofd weet.'
'Kunt u zich verder nog iets herinneren?' vroeg Banks zonder al te veel hoop. Beth Cameron beet op haar lip en dacht even geconcentreerd na, maar schudde toen haar hoofd. 'Nee. Helemaal niets. Ik heb gewoon niet echt opgelet. Ze deden niets. Ze zaten daar alleen maar alsof ze elk moment konden vertrekken... Maar wacht eens even!' Haar wenkbrauwen schoten omhoog. 'Ik geloof dat een van hen kaal was. Er hing een lamp aan de pilaar naast de auto, ziet u. Ontzettend slecht licht, maar ik zou toch durven zweren dat ik in het schijnsel ervan een kaal hoofd zag.' Ze trok haar mondhoeken omlaag. 'Daar hebt u zeker niet veel aan, of wel?'
'Alle kleine beetjes helpen.' Banks klapte zijn opschrijfboekje dicht en stopte het in zijn binnenzak. Hij wist nu in elk geval zeker dat de twee mannen in de

blauwe Escort ook degenen waren die door de gang vlak bij Osmonds flat hadden gelopen. 'Als u de auto weer ziet,' zei hij, terwijl hij haar zijn kaartje overhandigde, 'zou u me dat dan willen laten weten?'

'Ja, natuurlijk, meneer Banks,' zei ze. 'Ik ben blij dat ik me nuttig kan maken. Goedenavond.'

De laatste deur leverde Banks niets nieuws op. Het was lang geleden dat hij zelf huis-aan-huisonderzoek had gedaan en hij had ervan genoten, maar het was inmiddels al bijna halftwaalf en hij was moe. De heldere, kille buitenlucht verfriste hem enigszins. Hij bleef even naast zijn auto staan om een sigaret te roken en over de gebeurtenissen van die avond na te denken.

Hoewel hij flink de draak had gestoken met het aanmatigende gedrag van Osmond moest hij toegeven dat de man een geduchte luis in de pels van de politiek was. Banks was het grotendeels eens met de CND en haar doelstellingen, maar wist dat een organisatie als deze, hoe vredelievend en goedbedoelend ook, soms gevaarlijke opportunisten aantrok. Zodra er sprake was van een georganiseerde groep werden er politieke spelletjes gespeeld en lieten mensen zich verleiden door de verlokkingen van de macht. Misschien was Osmond inderdaad betrokken bij een plan waarvoor de demonstratie als dekmantel moest fungeren. Wellicht hadden zijn bazen er weinig vertrouwen in dat hij zijn klep zou houden en waren de gebeurtenissen van vanavond bedoeld als een soort waarschuwing.

Banks vond het moeilijk om het idee van zo'n geheimzinnige samenzwering serieus te nemen, maar alleen al het feit dat het niet geheel onmogelijk was joeg een onheilspellende rilling over zijn rug. Als er werkelijk iets van waarheid school in deze theorie, dan had het er veel van weg dat die mensen – Russische spionnen, agents-provocateurs of wie het ook waren – er heel veel voor overhadden om hun doel te bereiken.

Als dit klopte, was Osmond mogelijk in gevaar. Niet dat dit Banks iets kon schelen, maar hij maakte zich wél zorgen om Jenny. Het was al erg genoeg dat ze een relatie had met een man die een vorige vriendin had afgetuigd, maar nog erger was dat er nu een reële mogelijkheid bestond dat enkele bijzonder gevaarlijke, meedogenloze types het op hem gemunt hadden. Jenny was er natuurlijk niet rechtstreeks bij betrokken; ze was slechts een onschuldige omstander. Maar sinds wanneer trokken regeringen of terroristen zich ook maar iets van onschuldige omstanders aan?

13

Misschien kwam het door het lenteweer, maar het warme krentenbrood van de Golden Grill smaakte Banks die zondagochtend bijzonder goed. Burgess had een donut met frambozenvulling en poedersuiker genomen, die hij in zijn koffie doopte. 'Een gewoonte die ik in Amerika heb opgepikt,' legde hij uit toen hij zag dat Banks hem vol afschuw aanstaarde. 'Ze hebben daar zelfs een keten van restaurantjes waar je alleen donuts kunt krijgen. Echt fantastisch.'

'Wat gaat er nu met Boyd gebeuren?' vroeg Banks.

'Ik heb nog eens met hem gepraat. Niets bereikt. Ik heb jouw voorstel opgevolgd en hem vanochtend laten gaan, dus nu is het afwachten of het iets oplevert.'

'Wat heb je gedaan? Hem weer gemarteld?'

'Tja, er zijn nu eenmaal weinig mensen die hun leugens kunnen volhouden wanneer ze worden geconfronteerd met hun grootste angst. Zoals de zaken er nu voor staan ligt een veroordeling voor Boyd volgens mij binnen handbereik, maar zou de rechter ons zo op straat zetten als we probeerden een van de anderen – Osmond, bijvoorbeeld – te laten berechten. Ik stel voor dat we, als we niet binnen een paar dagen iets nieuws ontdekken, Boyd gewoon laten voorkomen wegens moord; in dat geval ga ik als een zeer tevreden man terug naar Londen.'

'En de waarheid?'

Burgess keek Banks met samengeknepen ogen aan. 'We weten toch helemaal niet zeker dat Boyd het níét heeft gedaan? Ondanks de Burgess-test. Die is ook niet onfeilbaar, hoor. En trouwens, ik heb het een beetje gehad met dat voortdurende gemoraliseer van jou over de waarheid. De waarheid is maar relatief. Het hangt helemaal af van je perspectief. Je moet wel bedenken dat wij geen rechter en jury zijn. Dat zijn de mensen die beslissen wie schuldig is en wie niet. Wij leggen slechts het bewijsmateriaal aan hen voor.'

'Dat is zo, maar het is wel onze taak ervoor te zorgen dat het bewijs steekhoudend is, al was het maar om te voorkomen dat we totaal voor schut staan bij de rechter.'

'Mocht het zover komen, dan staat de aanklacht tegen Boyd volgens mij zo

vast als een huis. Zoals ik al zei: we geven het een paar dagen. Nog iets gevonden over die luitjes van de boerderij?'
'Nee.'
'Die studenten blijven een raadsel voor me. Het zijn nog maar kinderen – verduveld brutale opdonders, dat wel – maar alles draait bij hen om Marx, Trotski, Marcuse en nog meer van die types. Ze hebben zelfs een poster van Che Guevara aan de muur hangen. Nou vraag ik je, Che Guevara, godsamme! Die gewelddadige, moordlustige, schofterige huurmoordenaar hangt daar aan de muur alsof het Jezus Christus zelf is. Ik begrijp niet wat hen beweegt, eerlijk niet. En volgens mij weten ze het zelf ook niet. Stelletje schijterds. Als je het mij vraagt kunnen die nooit het lef hebben gehad om Gill een mes tussen zijn ribben te steken. Die meid is trouwens een lekker ding. Beetje mollig, maar prachtige tieten.'
'Er is gisteravond ingebroken in de flat van Osmond,' zei Banks.
'O, ja?'
'Hij heeft geen aangifte gedaan, niet officieel tenminste.'
'Dat had hij wel moeten doen. Jij hebt hem dus gesproken?'
'Ja.'
'Dan had je dat op het bureau moeten melden. Je kent de regels.' Hij grinnikte. 'Tenzij je natuurlijk vindt dat de regels alleen bedoeld zijn voor mensen als ik en dat stoere knapen zoals jij ze rustig naast zich neer kunnen leggen.'
'Hoor eens,' zei Banks en hij leunde op de tafel, 'ik vind jouw aanpak helemaal niets. Ik heb niets met geweld. Als het moet, zal ik het heus wel gebruiken, maar er zijn veel subtielere, effectievere manieren om antwoorden uit mensen los te krijgen.' Hij liet zich achteroverzakken en pakte een sigaret. 'Wat overigens niet wil zeggen dat ik minder meedogenloos ben dan jij.'
Burgess lachte en verslikte zich in een flinke hap in koffie gedoopte donut.
'Hoe dan ook,' ging Banks verder, 'het kon Osmond blijkbaar geen moer schelen. Nu ja, dat is misschien iets te sterk uitgedrukt. Hij had alleen niet het idee dat wij iets zouden ondernemen.'
'Daar heeft hij waarschijnlijk nog gelijk in ook. Of heb je wel iets gedaan?'
'Ik heb hem verteld dat hij zijn slot moest laten vervangen. Er was niets gestolen.'
'Helemaal niets?'
'Alleen een boek. Ze hebben het hele appartement overhoopgehaald, maar blijkbaar niet gevonden wat ze zochten.'
'En wat was dat dan?'

'Osmond dacht dat het hen misschien om zijn paperassen te doen was, mappen met CND-gegevens. Hij is in dat opzicht een tikje paranoïde. De meeste dossiers liggen overigens op het kantoor van de plaatselijke CND en het materiaal van de demonstratie ligt bij Tim en Abha. Blijkbaar is er vanmiddag een bespreking op de boerderij om hun strategie door te nemen. Het heeft er veel van weg dat de onbekende dieven hun tijd hebben verspild.'
'Wie zat er volgens hem achter? De KGB? MI5? CIA?'
Banks lachte. 'Iets in die geest, ja. Onze meneer Osmond vindt zichzelf een uiterst belangrijke man.'
'Hij is een lastpak,' zei Burgess terwijl hij opstond. 'Maar ik zal dat ettertje nog wel een toontje lager laten zingen voordat ik vertrek. En nu ga ik wat van dat verrekte papierwerk wegwerken. De Yard wil alles zo'n beetje in viervoud hebben.'
Banks dronk langzaam zijn koffie op en vroeg zich intussen af waarom zoveel mensen die naar Amerika waren geweest – zoals Burgess, die er een congres had bijgewoond – terugkwamen met zulke bizarre eetgewoonten.
Buiten op Market Street bekeken toeristen de glimmend gepoetste stukken antiek en gebreide wollen spullen in de winkeletalages. Het deurbelletje van de Golden Grill klingelde wanneer er weer mensen binnenkwamen voor een kop thee.
Banks had met Jenny afgesproken om samen in de Queen's Arms te lunchen, maar dat was pas over een uur. Hij dronk zijn koffie op en wandelde snel naar het bureau. Hij had Richmonds hulp nodig bij een bijzonder delicate kwestie.

Toen Paul de keuken in kwam gelopen, was Mara bezig scones te maken voor de bijeenkomst van die middag. Haar handen zaten onder de bloem en ze wapperde ermee ten teken dat ze hem zou hebben omhelsd als het had gekund. Seth sloeg zijn armen direct om Paul heen en drukte hem stevig tegen zich aan. Mara kon zijn gezicht nog net boven Pauls schouder uit zien komen en zag dat de tranen in zijn ogen stonden. Rick gaf Paul vrolijk een klap op zijn rug en Zoe zoende hem op zijn wang. 'Ik heb in de kaarten gekeken,' zei ze tegen hem. 'Ik wist dat je onschuldig was en dat ze je moesten laten gaan.' Julian en Luna werden meegesleept door de opgetogenheid van de volwassenen en dansten juichend om hem heen.
'Ga zitten,' zei Seth. 'Vertel wat er is gebeurd.'
'Hé! Wacht even tot ik hiermee klaar ben.' Mara gebaarde naar de scones, die half af waren. 'Een minuutje nog. Het was nog wel jouw idee.'

'Ik zal jullie eens wat zeggen,' zei Paul. 'Ik zou wel een kop thee lusten. Dat spul in de gevangenis is echt niet te zuipen.'
'Ik zet wel een pot.' Seth pakte de ketel. 'En dan gaan we allemaal in de woonkamer zitten.'
Mara ging verder met de scones en Seth zette water op. De anderen slenterden alvast naar de woonkamer, behalve Paul, die zenuwachtig achter Mara bleef staan.
'Het spijt me,' zei hij. 'Je weet wel...'
Ze draaide zich om en keek hem glimlachend aan. 'Laat maar zitten. Ik ben blij dat je weer terug bent. Ik had nooit aan je mogen twijfelen.'
'Ik was niet helemaal... nou ja, ik heb wel gelogen. Evengoed nog bedankt voor de waarschuwing. Zo had ik tenminste nog een kans.'
Het water kookte en Seth kwam haastig de keuken weer in om thee te zetten. Mara schoof de bakvorm in de oven en waste haar handen.
'Goed,' zei ze, nadat ze ze aan haar schort had afgedroogd. 'Ik ben zover.'
Ze namen plaats in de woonkamer en Seth schonk thee in.
'Vooruit,' spoorde hij Paul aan.
'Vooruit wat?'
'Vertel ons eens wat er is gebeurd.'
'Waar zal ik beginnen?'
'Waar ben je naartoe gegaan?'
Paul stak een Players op en blies een los tabaksblaadje van zijn bovenlip. 'Edinburgh,' zei hij. 'Daar woont een oud maatje van me.'
'Heeft hij je geholpen?' vroeg Mara.
Paul snoof minachtend. 'Niet dus. Wat was die zak veranderd, zeg. Ik wist nog waar hij woonde. Vroeger was het zo'n smerig, vervallen flatgebouw, maar het was nu helemaal opgeknapt. Potplanten in het trappenhuis en noem maar op. Maar goed, Ray opent de deur en herkent me niet eens, zo doet hij tenminste. Ik herkende hem trouwens ook bijna niet. Had verdomme een pak aan en alles. We begroeten elkaar en dan komt er zo'n wicht aan, opgestoken haar en een zwarte jurk met een decolleté tot aan d'r navel. Ze heeft zo'n chic wijnglas in d'r hand met witte wijn, puur voor het effect. "Wie is dat, Raymond?" zegt ze met zo'n kouwekakstem en ik peer hem meteen naar de trap.'
'Je bent daar dus niet gebleven?' vroeg Mara.
'Ben je nou helemaal?'
'Dus je vrienden van vroeger wilden je niet eens binnenlaten?'
'Raymond is een stukje opgeklommen in de wereld. Had blijkbaar zijn baas

met zijn vrouw op bezoek – hij zit in de computerwereld – en hij wilde niet aan zijn verleden worden herinnerd. Vroeger was ie echt een wilde, maar nu... Nou ja, ik ben dus weggegaan. O, als ik hard genoeg had aangedrongen, had ie me waarschijnlijk wel binnengelaten, hoor, en me in een of ander kamertje weggestopt zodat niemand me zou zien. Maar zo hoefde het van mij niet.'
'Waar ben je toen naartoe gegaan?' vroeg Seth.
'Ik heb wat rondgelopen en ben een pub ingelopen.'
'Je hebt toch niet op straat geslapen, hè?' zei Mara.
'Ben jij gek. Het was daar hartstikke koud. We hebben het wel over Schotland, hoor. Ik heb de volgende ochtend meteen een dikke winterjas gekocht zodat ik niet zou doodvriezen.'
'Wat deed je dan toen de pub dichtging?'
'Ik heb daar een gozer ontmoet,' zei Paul met een vuurrood gezicht. 'Die zei dat ik wel met hem mee naar huis kon. Hoor eens, ik weet heus wel wat jullie nu denken. Ik ben verdomme geen homo. Maar als je op straat staat en moet zien te overleven, pak je alles aan. Het was een goeie vent en hij stelde geen lastige vragen. Was ook heel voorzichtig, als je snapt wat ik bedoel. De dag erop zou ik naar Glasgow gaan om een andere maat van me op te zoeken, maar toen dacht ik opeens: waarom zou ik, ik kan beter direct doorreizen naar Ierland. Ik heb daar ook vrienden en die zijn volgens mij geen steek veranderd. Als ik het tot Belfast had gered, had niemand me gevonden.'
'Wat is er misgegaan?' vroeg Seth.
Paul lachte verbitterd. 'Ik was bij de aanlegsteiger van die verrekte veerboot zo'n winkeltje ingegaan om peuken te kopen. Toen ik wegliep, schreeuwde die vent me iets achterna. Ik verstond natuurlijk geen woord van wat ie zei want hij praatte met zo'n achterlijk accent, maar toen zag een smeris me lopen en die bekeek me eens goed. Dus ik werd zenuwachtig en ging ervandoor, en toen pakten die hufters me dus op.'
'Had de winkeleigenaar je dan herkend?' vroeg Mara. 'Je foto heeft in de kranten gestaan.'
'Nee. Ik had hem te veel geld gegeven. Hij riep verdomme alleen maar dat ik nog wisselgeld van hem kreeg.' Paul lachte en de anderen lachten met hem mee. 'Op het moment zelf vond ik het lang zo grappig niet,' voegde hij eraan toe.
'Wat gebeurde er toen?' vroeg Rick.
'De politie heeft me aangeklaagd wegens medeplichtigheid. Ik moet voor de rechter verschijnen.'
'En dan?' vroeg Mara.

Paul haalde zijn schouders op. 'Met mijn strafblad zal ik wel weer in de bak belanden. Die kerel met dat litteken gelooft dat ik er misschien wel zonder straf van afkom als de jury een beetje meezit. Sommige mensen vinden juist dat je respect verdient als je je vrienden niet afvalt. Hij zegt dat hij de aanklacht misschien kan terugbrengen tot het geven van misleidende informatie en belemmering van de rechtsgang. In dat geval moet ik hooguit zes maanden brommen. Die andere vent beweert dat ik tien jaar lang de bak in draai. Wie heeft er volgens jullie gelijk?'
'Als je geluk hebt,' zei Mara, 'is Burgess tegen die tijd alweer vertrokken en Banks zal je niet zo hard aanpakken.'
'Wat is er mis met die gozer? Is ie een watje of zo?'
Seth schudde zijn hoofd. 'Dat geloof ik niet. Hij heeft gewoon een andere aanpak.'
'Uiteindelijk komt het erop neer dat het allemaal schoften zijn,' voegde Rick eraan toe.
Paul knikte instemmend. 'Wat is er hier allemaal gebeurd?' vroeg hij toen.
Seth vertelde hem dat de politie verschillende keren was langsgekomen. 'Afgezien daarvan eigenlijk niet veel. We maakten ons vooral veel zorgen om jou.' Hij woelde met een hand door Pauls haar. 'Ik ben blij dat je er weer bent, knul. Leuk kapsel, trouwens.'
Paul bloosde. 'Rot op. Maar goed, er is dus eigenlijk niets veranderd.'
'Hoe bedoel je?' vroeg Mara.
'Nou ja, ze hebben de moordenaar nog steeds niet te pakken en ze geven de moed heus niet op. Als ze niet snel iemand anders vinden, maken ze met mij nog steeds de meeste kans. Dat zei die klootzak van een Burgess tenminste.'
'Maak je maar niet druk,' zei Seth. 'We staan echt niet toe dat ze jou de schuld in de schoenen schuiven.'
Paul wierp een blik op zijn horloge. 'De pub gaat zo open,' zei hij. 'Ik lust wel een pint en wat te bikken.'
'We zullen allemaal in de pub moeten eten,' zei Mara. 'Ik heb niet gekookt. Vanwege die bespreking straks en zo...'
'Wat voor bespreking?' vroeg Paul.
'We gaan vanmiddag de demonstratie bespreken,' zei Rick. 'Dennis komt met Tim en Abha om een uur of drie bij ons. We willen alle verklaringen doornemen om te zien hoe we kunnen bewijzen dat de politie haar boekje te buiten is gegaan.'
'Nou, reken maar niet op mij,' zei Paul. 'Ik ben de hele demonstratie en die verrekte wereldverbeteraars spuugzat. Ze kunnen allemaal de boom in.'

'Je hoeft er ook niet bij te blijven,' zei Mara tegen hem. 'Als je dat echt niet wilt.'
'Ik denk dat ik een stuk ga lopen,' zei Paul iets rustiger. 'De hele tijd in zo'n cel hangen gaat je niet in de koude kleren zitten.'
'En ik moet werken,' zei Seth. 'Ik moet dat bureau vandaag afmaken. Ik ben er al te laat mee.'
'Wat krijgen we nu?' zei Rick. 'Laat iedereen ons stikken?'
'Wind je maar niet op; ik zal eerst mijn steentje bijdragen,' zei Seth. 'Maar daarna moet ik echt aan het werk. Ik ben het trouwens met Paul eens. De zondagslunch in de Black Sheep is niet slecht en ik verga van de honger.'
Seth sloeg een arm om Paul heen. De anderen stonden op om hun jas te halen. In de frisse lentelucht liepen ze met zijn zevenen over het pad naar Relton, de laatste keer dat ze zo gelukkig met zijn allen bij elkaar waren.
Behalve Mara dan. Misschien beseften de anderen het ook, dacht ze bij zichzelf, maar zeiden ze het alleen niet. Als Paul het niet had gedaan, dan moest het een van de anderen zijn.

Toen Banks rond lunchtijd bij de Queen's Arms aankwam, zat Jenny al op hem te wachten. Hij had trek en bestelde snel een paar plakken gegrilde lamsbout bij Cyril. Glenys was nergens te bekennen en hoewel Cyril er niets van zei, maakte hij een afwezige indruk.
'Is er nog nieuws?' vroeg Jenny, die met haar ellebogen op de tafel leunde. 'Dennis vertelde me dat je bent langs geweest. Nog bedankt.'
'Hij heeft me er zelf niet voor bedankt.'
Jenny glimlachte. 'Nu ja, dat is ook niets voor hem, hè?'
'Je had me niet verteld dat je hem hebt moeten overhalen om met me te praten.'
De rimpeltjes om haar ogen verdiepten zich. 'Echt niet? Sorry. Heb je nog iets ontdekt?'
'Niet echt.'
'Wat betekent dat?'
'"Nee", zou ik zo zeggen. Heb jij wel eens twee stevig gebouwde mannen in een blauwe Escort in de buurt van Osmonds appartement zien rondhangen?'
'Nee Heb je werkelijk geen enkel idee, Alan?'
'Misschien wel. Het is een beetje vergezocht, maar als blijkt dat ik gelijk heb...'
'Wat dan?'
'Het is maar een ideetje.'

'Kun je het me vertellen?'
'Liever niet. Het lijkt me beter om even af te wachten hoe het loopt. Richmond is ermee bezig.'
'Wanneer weet je meer?'
'Morgen, hoop ik.'
Het eten werd gebracht. 'Ik verga van de honger,' zei Jenny en ze aten in stilte. Toen hij klaar was, haalde Banks weer drankjes. Daarna stak hij een sigaret op en vertelde hij haar over zijn twijfels omtrent Paul Boyd.
'Heb je dan enig idee wie de moordenaar wel is?' vroeg Jenny.
'Eigenlijk niet. Boyd is nog steeds de meest voor de hand liggende verdachte die we hebben.'
'Ik kan echt niet geloven dat Dennis een moordenaar is.'
'Zeg je dit als psycholoog?'
'Nee. Als vrouw.'
'Ik geloof dat ik meer vertrouwen in die uitspraak zou hebben als hij uit de mond van een deskundige kwam.'
Jenny trok haar wenkbrauwen op. 'Wat bedoel je daarmee?'
'Niet meteen zo stekelig reageren, dat past totaal niet bij je. Wat ik daarmee bedoel is dat mensen – mannen zowel als vrouwen – de neiging hebben om het automatisch op te nemen voor de persoon met wie ze een relatie hebben. Dat is ook niet meer dan logisch, dat weet jij net zo goed als ik. Sommigen gaan echter nog verder; die hebben bewust oogkleppen voor en liegen zelfs. Kijk maar naar Boyd. Als hij echt onschuldig is, heeft hij verdomd veel risico genomen. En denk ook maar aan Mara's gedrag. Van welke kant je het nu ook bekijkt, het komt neer op Seth, Rick of Zoe, met Mara, Tim en Abha, en jouw Dennis daar direct achter.'
'Goed dan. Als deskundige denk ik niet dat Dennis het heeft gedaan.'
'Hoe goed ken je hem eigenlijk?'
'Wat bedoel je?'
'Ach, laat ook maar.'
'Hoezo? Vooruit. Vertel op. Als er iets is wat ik moet weten, moet je het me zeggen.'
Banks haalde diep adem. 'Vind jij Osmond het type dat vrouwen slaat?'
'Wat?'
Aarzelend vertelde Banks haar over Ellen Ventner. Hoe meer hij zei, des te bleker zij werd. Tijdens het praten wist Banks nog altijd niet wat zijn achterliggende motieven waren. Deed hij dit omdat hij bezorgd was over haar band met Osmond of was het puur uit haatdragende jaloezie?

'Dat geloof ik niet,' fluisterde ze.
'Neem maar van mij aan dat het echt waar is.'
'Waarom vertel je me dit?'
'Dat wilde ik helemaal niet. Je hebt me ertoe gedwongen.'
'Omdat jij me geen keus liet. Je wist best dat ik me hierdoor enorm vernederd zou voelen.'
Banks schokschouderde. Hij voelde dat ze haar kwaadheid nu tegen hem richtte. 'Het spijt me, dat was niet mijn bedoeling. Hij kan gevaarlijk zijn, Jenny. En ik weet niet hoe jij erover denkt, maar ik heb er moeite mee begrip op te brengen voor iemand die in het openbaar weerloze vrouwen verdedigt tegen gewelddadig gedrag van de politie en hen thuis in elkaar slaat.'
'Je zei dat het maar één keer is voorgekomen. Je hoeft echt niet meteen te doen of hij een monster is. Wat verwacht je nu van me? Dat ik hem dump, omdat hij één keertje in de fout is gegaan?'
'Ik verwacht van je dat je voorzichtig bent. Osmond heeft ooit een vrouw het ziekenhuis in geslagen en is verdachte in een moordzaak. Daarnaast gelooft hij blijkbaar dat de CIA, KGB en MI5 allemaal achter hem aan zitten. Enige voorzichtigheid is dus wel op zijn plek, vind je ook niet?'
Jenny's ogen glinsterden. 'Je hebt Dennis nooit gemogen, al vanaf het begin niet. Je hebt hem nooit een kans gegeven. En nu je iets akeligs over hem hebt opgedoken, weet je niet hoe snel je het aan mij moet doorbrieven. Wat dacht je daar precies mee te bereiken, Alan? Je bent mijn beschermer niet. Ik kan heel goed op mezelf passen. Ik heb geen grote broer nodig die op me let.'
Ze griste haar jas naar zich toe en rende de pub uit, in haar haast haar glas omvergooiend. Mensen draaiden zich om en staarden naar hen, en Banks merkte dat hij bloosde. Goede zet, Alan, zei hij tegen zichzelf, dat heb je echt uitstekend gedaan.
Hij liep achter haar aan naar buiten, maar ze was nergens meer te bekennen. Inwendig vloekend liep hij terug naar het bureau, waar hij afleiding zocht in zijn werk.
Na een paar pogingen kreeg hij eindelijk de zus van Ricks vrouw thuis in Camden Town te pakken. Ze klonk argwanend en Banks moest haar er eerst van overtuigen dat zijn telefoontje niets van doen had met de voogdijkwestie. En zelfs toen leek ze hem niet echt te geloven.
'Ik heb alleen wat informatie over Ricks vrouw nodig,' zei hij. 'Hebben jullie altijd zo'n goede band met elkaar gehad?'
'Ja,' antwoordde de zus. 'We schelen maar heel weinig in leeftijd en we zijn er altijd voor elkaar geweest, zelfs nadat ze met Rick was getrouwd. U moet trou-

wens niet denken dat ik iets tegen hem heb. Hij is een zelfzuchtige egoïst die zichzelf erg belangrijk vindt, maar dat geldt voor de meeste mannen. En al helemaal voor kunstenaars. Maar ik weet zeker dat hij een goede vader is. Toen ze uit elkaar gingen, was Pam echt niet in staat om voor Julian te zorgen.'
'En nu?'
'Ze is een heel eind op de goede weg. Maar van alcoholisme genees je niet een-twee-drie.'
'Kent Pam hier in het noorden mensen?'
'In het noorden? Grote god, nee. Volgens mij is ze nooit noordelijker geweest dan Hendon.'
'Zelfs niet voor een dagje?'
'Nee. Wat valt er trouwens te zien? Er zijn daar toch alleen maar kanalen en mijnen?'
'Ze heeft bijna haar hele leven dus in Londen of Cornwall doorgebracht?'
'Inderdaad. Ze zijn enkele jaren geleden een paar maanden in Frankrijk geweest. Alle schilders trekken op een bepaald moment in hun leven blijkbaar naar Frankrijk. Maar dat is alles.'
'Hebt u haar ooit horen praten over een politieagent die Gill heet, agent Edwin Gill, dienstnummer 1139?'
'Ik heb haar nog nooit over politiemensen gehoord. Nee, dat lieg ik. Ze heeft me eens verteld dat de pub in haar woonplaats in Cornwall na sluitingstijd altijd open bleef zolang de wijkagent er zat. Maar ik denk niet dat dit die agent Gill van u is.'
'Nee,' zei Banks. 'Dat klopt. Gaat ze wel eens naar politieke betogingen, Greenham Common, de protestmars bij Aldermaston, dat soort dingen?'
'Pam is nooit echt in politiek geïnteresseerd geweest. Heel verstandig, als u het mij vraagt. Wat heeft het voor zin? Al die kliekjes zijn zo onbetrouwbaar als de pest. Was dat alles, inspecteur?'
'Is ze daar? Zou ik haar even mogen spreken?'
Er viel een korte stilte en Banks ving onderdrukte geluiden op aan de andere kant van de lijn. Ten slotte nam iemand anders de hoorn over en hij hoorde nu een andere stem, hees en vermoeid, alsof ze onder de medicijnen zat of ziek was.
'Hallo?'
Banks stelde haar dezelfde vragen die hij ook aan haar zus had gesteld, maar haar antwoorden bevatten niets nieuws. Ze sprak aarzelend, met lange stiltes tussen elke zin.
'Is de politie bij de strijd om de voogdij betrokken?' vroeg Banks.

'Eh, nee,' antwoordde ze. 'Alleen... u weet wel... advocaten.'
Uiteraard, dacht Banks bij zichzelf. 'En u hebt nooit van een zekere agent Gill gehoord?'
'Nooit.'
'Is uw zus recentelijk in Yorkshire geweest?' Deze vraag was zojuist bij Banks opgekomen. Tenslotte was het best mogelijk dat die zus hier een rol in speelde.
'Nee. Hier... om op mij te passen. Mag ik nu gaan? Ik moet... ik weet verder niets.'
'Ja,' zei Banks. 'Dat was alles. Hartelijk dank voor uw medewerking.'
Hij hing op en maakte aantekeningen van het gesprek nu het nog vers in zijn geheugen lag. Hij vond het erg vreemd dat geen van beide vrouwen naar Julian had gevraagd. Waarom, vroeg hij zich af, wilde Ricks vrouw de voogdij eigenlijk hebben als ze niets om het kind gaf? Haat? Wraak? Waarschijnlijk was Julian waar hij nu zat beter af.
Vervolgens belde hij de politie van Hebden Bridge en hij vroeg naar agent Brooks.
'Het spijt me dat ik je weer moet storen,' zei hij. 'Ik had je dit natuurlijk allemaal eerder moeten vragen, maar ik heb een beetje veel aan mijn hoofd. Kun je me iets vertellen over Alison Cotton, de vrouw die is omgekomen bij dat auto-ongeluk?'
'Ik kan me haar nog heel goed herinneren, inspecteur,' zei Brooks. 'Het was mijn eerste aanrijding en ik... nu ja... ik, eh...'
'Ik begrijp het. Dat overkomt ons allemaal. Kende je haar al voor het ongeluk?'
'O, aye. Ze woonde hier al een paar jaar, ziet u; sinds we door die kunstzinnige types waren ontdekt, zal ik maar zeggen.'
'Was Alison ook een kunstzinnig type?'
'Aye. Ze hielp mee met de organisatie van het festival en poëzievoordrachten, dat soort dingen. Ze had een boekwinkel. Ik neem aan dat u dat allemaal al wist.'
'Wat was ze voor iemand?'
'Ze was heel energiek. En ook erg knap om te zien. Ze schreef. Gedichten en korte verhalen en zo. Ik heb wel eens geprobeerd ze te lezen, in de plaatselijke krant, maar ik kon er geen soep van maken. Geef mij maar *Miami Vice* of *Dynasty*.'
'Was ze ooit bij politieke kwesties betrokken, protestmarsen, demonstraties of iets dergelijks?'

'Nou,' zei Brooks, 'dat soort dingen hebben we hier niet zo vaak. Een paar keer misschien, maar niet vaak. Voornamelijk "Red de walvis" en "Weg met kernenergie". Ik weet niet of zij daaraan meedeed, maar ze schreef wel af en toe stukjes in de krant: dat we geen dieren mogen doden vanwege hun vacht en muizen in proeflaboratoria niet vijfhonderd sigaretten per dag mogen laten roken. En over die vrouwen bij de luchtmachtbasis.'
'Greenham Common, bedoel je?'
'Inderdaad. Uiteindelijk was ze, denk ik, niet anders dan anderen. Als er weer eens iets werd georganiseerd voor een goed doel, deden ze allemaal als makke schapen mee.'
'Heb je wel eens van agent Gill, PC 1139, uit Scarborough gehoord?'
'Alleen wat ik in de krant heb gelezen, inspecteur. Ik hoop dat jullie de klootzak die dat heeft gedaan gauw oppakken.'
'Ik ook. Ken je dan misschien ene Elizabeth Dale, een vriendin van de Cottons?'
'O, aye. Liz Dale hoorde inderdaad bij de vriendengroep van de Cottons. Beste maatjes. Ik heb haar altijd een beetje zielig gevonden. Het is natuurlijk een ziekte, hè, wanneer het zo erg is dat je niet meer buiten iets kunt.'
'Nam ze deel aan het methadonprogramma van de gemeente?'
'Aye. Ze is ons nooit echt tot last geweest. We houden wel altijd een oogje in het zeil en letten erop dat ze niet de helft van het spul dat ze krijgen stiekem doorverkopen.'
'Wat is ze voor iemand?'
'Humeurig,' zei Brooks. 'Ze is weliswaar afgekickt, maar het is daarna nooit meer helemaal goed gekomen. De ene dag vrolijk, de volgende depressief. Net een jojo. Maar ze hield er wel een stevige politieke mening op na.'
'Was Liz Dale politiek actief?'
'Aye. Een hele tijd, in elk geval. Totdat ze er opeens genoeg van kreeg. Makke schapen, zoals ik al zei.'
'Was ze fanatieker dan de rest?'
'Ik zou zo zeggen van wel, ja. Seth was er altijd een beetje halfslachtig in. Die schaafde liever aan een stuk hout. En Alison, nu ja ik zei het net al: ze had enorm veel energie die ze kwijt moest, maar ze was eerder een kunstzinnig type, meer iemand voor achter de schermen. Liz Dale deed op een bepaald moment echter werkelijk aan van alles en nog wat mee.'
'Hadden Liz Dale en Alison Cotton een goede band met elkaar?'
'Het waren net zussen.'
Banks dacht aan de klacht die Dale tegen Gill had ingediend. Daardoor wist

hij al dat ze aan minstens één betoging had deelgenomen en hem had ontmoet. Misschien waren ze elkaar wel vaker tegen het lijf gelopen. En misschien had ze Alison Cotton wel bij zich gehad. Zou dit het verband zijn waarnaar hij op zoek was? Maar wat dan nog? Alison was dood; Reginald Hill had haar per ongeluk aangereden. Hij kwam hierdoor nog steeds geen stap vooruit, tenzij iedereen had gelogen en Liz Dale wel degelijk op Maggie's Farm was geweest en de demonstratie in Eastvale had bijgewoond. Banks kende haar niet, maar met haar verleden als drugsverslaafde bestond er natuurlijk een kansje dat ze geestelijk niet helemaal in balans was.

'Heel hartelijk bedankt,' zei Banks. 'Je hebt me enorm geholpen.'

'Echt? Tja...'

'Nog één dingetje. Weet je waar Liz Dale nu woont?'

'Het spijt me, maar daar kan ik u niet mee helpen, inspecteur. Ze is al een paar jaar weg uit de omgeving. Ik heb echt geen flauw idee waar ze nu is.'

'Geeft niet. Toch bedankt.'

Banks verbrak de verbinding en liep naar het raam. Aan de overkant van het plein was vlak voor de National Westminster-bank een roestige, blauwe Mini achter op een BMW geknald en nu stonden de twee bestuurders luidkeels met elkaar te bekvechten. Banks belde naar de balie en verzocht Rowe om er iemand naartoe te sturen. Toen stak hij een sigaret op en dacht hij even diep na.

Hij moest echt meer te weten zien te komen over Liz Dale. Als hij kon bewijzen dat ze ten tijde van de demonstratie in de omgeving was geweest, had hij nog iemand met een reden om Gill iets aan te doen. Mevrouw Dale kon best die week op de boerderij zijn langs geweest en daar het mes hebben ontvreemd, Mara had gezegd dat niemand er ooit op lette of het er nog lag of niet. Als niemand haar had gezien, was ze wellicht onopgemerkt naar binnen gewandeld toen er niemand thuis was en had ze het toen meegenomen. Maar was ze ook bij de demonstratie geweest? En waarom had ze dan Seths mes gebruikt? Had ze naast wraak nog een andere reden om Gill naar het leven te staan? De beste manier om daarachter te komen was natuurlijk Dale zelf opsporen. Dan zou toch niet zo moeilijk moeten zijn.

Banks wachtte even tot hij Craig naar de twee bestuurders op het marktplein zag gaan en liep toen naar zijn dossierkast.

Mara stond met Rick en Zoe in het portiek en wuifde Dennis Osmond en de anderen uit die net wegreden. In het westen werd de lucht al donkerder en de vroegeavondgloed die ze zo prachtig vond hield de hele Dale in zijn betove-

rende greep en bedekte het landschap met een deken van stilte. Zwermen vogels vlogen over en in de cottages in Relton en Lyndgarth helemaal aan de andere kant van het dal gingen de lampen een voor een aan.
'Wat denk jij?' vroeg ze aan Rick toen ze weer naar binnen liepen. Het was een koele avond. Ze sloeg haar armen om zichzelf heen, trok toen een dikke trui aan en ging in de schommelstoel zitten.
Rick knielde met krakende knieën voor de haard om het vuur aan te steken. 'Ik denk dat het wel gaat lukken,' zei hij. 'De kranten hebben hier beslist belangstelling voor en misschien de televisie ook wel. De politie zal ongetwijfeld proberen om ons in diskrediet te brengen, maar de meeste mensen zullen daar wel doorheen kijken.'
Mara draaide een sigaret. 'Ik zal blij zijn wanneer het allemaal achter de rug is,' zei ze. 'Deze hele toestand heeft ons alleen maar ellende opgeleverd.'
'Je moet het eens zo bekijken,' zei Rick en hij draaide zich naar haar om. 'Het is een flinke klap voor de politie en hun hardvochtige werkwijze. Zelfs die dame van de Church for Peace-groep noemt hen nu "smerige juten".'
'En toch,' zei Mara ferm, 'zou het voor ieder van ons beter zijn als dit allemaal niet was gebeurd.'
'Maar alles is toch in orde?' zei Zoe. 'Paul is terug en we zijn weer allemaal bij elkaar.'
'Dat weet ik ook wel, maar...'
Mara kon het onbestemde gevoel niet van zich afschudden. Goed, Pauls terugkeer had hen allemaal enorm opgevrolijkt, vooral Seth, die tijdens zijn afwezigheid voortdurend met een lang gezicht had rondgelopen. Het was echter nog lang niet voorbij. De politie zou niet rusten totdat ze iemand voor de moord had opgepakt en bekeek de bewoners van de boerderij met de nodige achterdocht. Paul kon nog steeds achter de tralies belanden als medeplichtige, een zeer ernstige beschuldiging, begreep Mara nu. Ze vroeg zich af of Banks haar ook zou laten oppakken. Hij was niet op zijn achterhoofd gevallen; hij moest doorhebben dat ze Paul had gewaarschuwd toen Crocker dat mes had gevonden. De huidige situatie was zo broos. Het was heel goed mogelijk dat ze alles zou kwijtraken, de rust en stabiliteit waarnaar ze zo lang had gezocht. En de kinderen. Die gedachte was bijna niet te verdragen.
'Kop op.' Rick kroop naar haar toe en tilde haar kin op. 'Weet je wat? We geven een feestje om te vieren dat Paul terug is. We nodigen iedereen uit die we maar kunnen bedenken en vullen de boerderij met muziek en gelach, wat zeg je daarvan?'
Mara glimlachte. 'Dat zou fijn zijn.'

'Waar is Paul trouwens?' vroeg Zoe.
'Hij is een stuk gaan lopen op de hei,' zei Mara. 'Ik denk dat hij zo veel mogelijk van zijn vrijheid wil genieten.' Ze had er bijna aan toegevoegd: 'zolang het nog kan', maar bedacht dat Rick waarschijnlijk gelijk had; nu alles goed ging, moest ze proberen ervan te genieten.
'Seth wilde vanmiddag ook al niets met ons te maken hebben,' beklaagde Rick zich nu.
'Dat moet je niet zeggen, Rick,' zei Mara. 'Hij loopt enorm achter met zijn werk. Dat gedoe met de politie heeft ook zijn weerslag op hem. Heb je dan niet gemerkt hoe overstuur hij daarvan is geweest? En je weet hoe perfectionistisch hij is en hoe hij over deadlines denkt. Bovendien is hij volgens mij gewoon enorm opgelucht dat Paul weer terug is. Hij is de hele nasleep van die verrekte demonstratie net zo zat als ik.'
'We moeten proberen ervoor te zorgen dat er iets goeds uit voortkomt,' zei Rick fel en hij legde kolen boven op de laag krantenpapier en houtsnippers. 'Begrijp je dat dan niet?'
'Jawel. Ik denk alleen dat we wel een kleine rustpauze kunnen gebruiken.'
'De strijd gaat door. Uitrusten kan altijd nog.' Rick stak de stapel op verschillende plekken aan en zette het stuk triplex voor de haard om deze goed te laten trekken. Achter de houten plaat loeiden de vlammen als een orkaan en aan de rand zag Mara het rood oplichten.
'Voorzichtig,' zei ze. 'Je weet hoe woest de vlammen kunnen zijn met die wind.'
'We kunnen nu echt niet ophouden,' zei Rick, terwijl hij uit een ooghoek de triplexplaat in de gaten hield. 'Ik kan me jouw gebrek aan enthousiasme wel voorstellen, maar je moet jezelf even vermannen. En Seth en Paul ook. Je bereikt niets tegen de onderdrukkers door het op te geven omdat je het zat bent.'
'Soms vraag ik me af of we überhaupt wel iets bereiken,' mompelde Mara binnensmonds.
Het drong tot haar door dat ze zich, nu ze eenmaal haar plekje had gevonden hier op Maggie's Farm, iets minder opwond over de ellende in de rest van de wereld. Het was niet dat het haar niets kon schelen – ze zou zo brieven voor Amnesty International willen schrijven en petities ondertekenen – maar ze wilde niet dat haar hele leven in beslag werd genomen door vergaderingen, bijeenkomsten en demonstraties. Vergeleken met de boerderij, de kinderen en haar pottenbakkerswerk leek al het andere zo ver weg en zo zinloos. Mensen zouden elkaar toch altijd wreed blijven behandelen. Hier was echter een

plek waar ruimte was voor liefde. Waarom moest het nu worden verpest door de smerige wereld van politiek en geweld?
'Waar zit je helemaal?'
'Hè? O, sorry, Zoe. Ik zat een beetje te dagdromen.'
'Dromen is niet erg.'
'Zolang je maar niet verwacht dat ze uitkomen als je er niet hard voor werkt,' voegde Rick eraan toe.
'Ach, hou toch op!' zei Mara. 'Hou er alsjeblieft over op, Rick. Laten we even doen of er niets aan de hand is, al is het maar voor een paar uur.'
Ricks mond zakte open. 'Dat zei ik daarnet toch al?' Hij schudde zijn hoofd en mompelde iets over vrouwen. Mara kon zich er niet toe zetten om hem erop aan te spreken.
Op dat moment vloog de keukendeur met een harde klap open en verscheen Paul bleek en bevend op de drempel. Mara sprong overeind. 'Paul! Wat is er? Is er iets?'
Hij deed zijn mond open, maar er kwam geen geluid uit. Hij liet zich tegen de deurpost zakken en probeerde de woorden uit zijn mond te persen. Rick stond al naast hem en Zoe had zijn hand vastgepakt.
'Wat is er, Paul?' vroeg ze zachtjes. 'Haal even diep adem. Probeer het ons te vertellen.'
Paul deed wat ze zei en liet zich toen op een van de zitzakken vallen. 'Het is Seth,' zei hij ten slotte en hij gebaarde naar de achtertuin. 'Volgens mij is hij dood.'

14

Banks en Burgess renden door de donkere achtertuin naar Seths werkplaats, waar achter de half openstaande deur een kaal peertje oplichtte. Normaal gesproken zouden ze veel omslachtiger te werk gaan bij het naderen van een plaats delict, maar het was droog en er liep een stenen pad tussen de groentebedden door naar het schuurtje, dus de kans op voetafdrukken was toch al minimaal.

Burgess duwde de deur langzaam open en ze gingen naar binnen. De geur van geschaafd hout en beits was nu vermengd met de weeïge, metaalachtige lucht van bloed. Beide mannen hadden deze al zo vaak geroken dat ze hem onmiddellijk herkenden.

Ze bleven in de deuropening staan om het tafereel in zich op te nemen. Seth bevond zich vlak voor hen en hing gekleed in zijn beige werkjas over zijn werkbank. Zijn hoofd lag in een plasje bloed op het werkblad en zijn armen bungelden langs zijn zij. Vanaf de plek waar Banks stond zag het eruit alsof hij met zijn hoofd op de bankschroef was gevallen die een stukje links van hem aan de tafel zat vastgeschroefd. In de hoek rechts van hem stond op de betonnen vloer een bureautje in Queen Annestijl waarvan de diepbruine, glanzende lak nog nat was. Aan de andere kant van de werkplaats verlichtte een ander kaal peertje het gedeelte dat Seth als kantoor gebruikte.

Banks deed een stap naar voren en merkte toen pas dat hij in iets plakkerigs en glibberigs stond. Het licht was slecht en bijna de hele vloer rondom Seth was in halfduister gehuld. Banks knielde en zag dat wat hij aanvankelijk voor schaduw had aangezien in werkelijkheid ook bloed was. Seths voeten stonden midden in een enorme plas. Dit bloed was niet afkomstig van de hoofdwond zag Banks toen hij de werkbank nogmaals goed bekeek. Daar was amper bloed bij vrijgekomen en het was zo te zien niet over de rand gedruppeld. Toen hij zich weer bukte, ontwaarde hij een dun, buisvormig voorwerp, een pen of potlood wellicht, dat half in het bloed was weggezonken. Hij zou het maar laten liggen voor de technische recherche. Die was onderweg vanuit Wetherby en zou ongeveer tegelijkertijd moeten arriveren met dokter Glendenning en Peter Darby, de jonge fotograaf, die beiden niet zo heel ver hoefden te reizen.

Banks liep voorzichtig om het lichaam heen naar de andere kant van de werkplaats, waar de oude Remmington op het bureautje naast de archiefkast stond. Er zat een velletje papier in de typemachine. Banks boog zich voorover en kon zo lezen wat er stond: *Ik heb het gedaan. Ik heb agent Gill vermoord. Het was slecht van me. Ik weet niet wat me bezielde. Het spijt me dat ik zoveel ellende heb veroorzaakt. Dit is echt het beste. Seth.*

Hij riep Burgess erbij en wees hem op het briefje.

Burgess trok zijn wenkbrauwen op en floot zachtjes tussen zijn tanden. 'Zelfmoord?'

'Zo te zien wel. Glendenning zou ons er zo meteen iets meer zekerheid over moeten kunnen geven.'

'Waar blijft die dokter, verdorie?' mopperde Burgess met een blik op zijn horloge. 'Zo lang heeft hij er toch niet voor nodig om hier te komen? In dit deel van het land ligt alles toch heel dicht bij elkaar?'

Burgess en Glendenning hadden elkaar nog niet ontmoet, en Banks keek met veel genoegen uit naar het moment waarop Dirty Dick zijn agressieve arrogantie op de dokter losliet. 'Kom,' zei hij, 'hier kunnen we toch niets doen totdat de anderen er zijn. We verpesten de plaats delict alleen maar. We gaan buiten wat roken.'

De twee mannen verlieten de werkplaats en bleven in de kille avondlucht staan. Glendenning rookte waar hij maar wilde, wist Banks, en niemand had er ooit iets van tegen hem durven zeggen, maar hij was dan ook een van de beste pathologen in het land en geen onbeduidende inspecteur of hoofdinspecteur.

Vanuit de deuropening van de schuur konden ze het licht van de keukenlamp zien. Iemand – zo te zien Zoe – liet een ketel vollopen met water. Voor Mara was het nieuws een harde klap geweest en Rick had de huisarts erbij gehaald. Ook had hij het politiebureau van Eastvale gebeld, wat Banks gezien Ricks gebruikelijke vijandige houding nogal had verbaasd. Maar ja, Seth Cotton was dood, dat leed geen enkele twijfel, en Rick begreep natuurlijk ook wel dat een onderzoek hiernaar met geen enkele mogelijkheid kon worden voorkomen. Het was verstandiger om maar gewoon mee te werken, zodat er later geen weggelaten zaken of ontwijkende antwoorden hoefden te worden uitgelegd. Banks vroeg zich af of ze naar binnen zouden gaan om even met hen te praten, maar vond het beter hun iets langer de tijd te geven. Waarschijnlijk waren ze tegen de tijd dat Glendenning en de technische recherche klaar waren wel wat over de schok heen.

Eindelijk ging de achterdeur open en kwam de lange, grijsharige dokter door

de tuin op hen afgelopen met een halfopgerookte sigaret in een mondhoek. Hij werd op de voet gevolgd door een jonge knul met een tas vol fotoapparatuur aan zijn schouder.
'Dat werd wel tijd, zeg,' zei Burgess.
Glendenning wierp hem een laatdunkende blik toe en bleef in de deuropening staan tot Darby zijn werk daar had gedaan. Banks en Burgess liepen terug naar de werkplaats om ervoor te zorgen dat hij werkelijk alles fotografeerde, inclusief het bloed op de vloer, de pen of het potlood, het Queen Annebureau en de typemachine. Toen Darby klaar was, ging Glendenning naar binnen. Hij was zo lang dat hij zich moest bukken om door de deur te kunnen.
'Pas op voor het bloed,' waarschuwde Banks hem.
'En er wordt op de plaats delict niet gerookt,' voegde Burgess eraan toe. Hij kreeg geen reactie.
Banks glimlachte in zichzelf. 'Rustig aan,' zei hij. 'Voor de dokter gelden andere regels.'
Burgess gromde verachtelijk, maar zei niets. Glendenning controleerde of hij nog een hartslag kon vinden en ging toen in de weer met een stethoscoop en thermometer.
Glendenning stond nog steeds druk berekeningen te maken in zijn kleine, rode opschrijfboekje toen een kwartier later het team van de technische recherche arriveerde onder leiding van Vic Manson, de vingerafdrukkenexpert. Manson was een tengere, geleerd uitziende man van begin veertig. Hij was bijna kaal, maar kamde de spaarzame haren die hij nog had over zijn schedel waardoor het geheel eruitzag als een gestreept ei. Hij begroette de twee politiemannen en ging met zijn team naar binnen. Zodra hij de werkplaats in het oog kreeg, keek hij Banks aan. 'Verduveld lastige plek voor vingerafdrukken,' merkte hij op. 'Allemaal ruwe oppervlaktes. En gereedschap. Weet je wel hoe moeilijk het is om een afdruk te krijgen van een intensief gebruikt stuk gereedschap?'
'Ik weet dat je je uiterste best zult doen, Vic,' zei Banks. Hij vermoedde dat Manson zo geïrriteerd was omdat zijn zondagavond was verknald.
Manson bromde wat en voegde zich bij zijn team, dat monsters nam van het bloed en verder alles verzamelde wat er te vinden was.
Banks en Burgess gingen weer naar buiten om een sigaret te roken. Enkele minuten later kwam Glendenning bij hen staan.
'Wat hebt u voor ons, dokter?' vroeg Burgess.
Glendenning negeerde hem volkomen en richtte zich tot Banks. 'Hij is dood

en dat is zo ongeveer het enige vaststaande feit dat ik je momenteel kan meedelen.'

'Kom op, beste man!' zei Burgess. 'U kunt ons toch zeker wel iets meer vertellen?'

'Kun je die opdringerige vriend van je misschien vragen om even een seconde zijn kop te houden?' zei Glendenning met zijn rustige, door nicotine aangetaste stem in het onmiskenbare Edinburghse accent tegen Banks. 'En zeg hem dat hij me geen "beste man" moet noemen.'

'Jezus nog aan toe.' Burgess gooide de peuk van zijn sigaar tussen de groenten en stak zijn handen diep in zijn zakken. Zoals gewoonlijk droeg hij zijn leren jack met daaronder een bij de hals openstaand overhemd. De enige concessie die hij aan de kou had gedaan, was een trui met een V-hals. Nu het donker was, vormde hun adem lange pluimen in de lucht die in de spookachtige gloed van het kale peertje in de werkplaats goed zichtbaar waren.

Glendenning stak weer een sigaret op en richtte zich opnieuw tot Banks, die wist dat hij vooral niet moest proberen hem op te jagen. 'Ik geloof niet,' zei de dokter bedachtzaam, 'dat de hoofdwond ernstig genoeg is om de dood te kunnen hebben veroorzaakt. Officieus kan ik je meedelen dat hij volgens mij geen schedelbasisfractuur heeft opgelopen.'

Banks knikte. 'Wat is volgens u dan wel de doodsoorzaak?' vroeg hij.

'Bloedverlies. Via zijn enkels.'

'Zijn enkels?'

'Aye,' vervolgde Glendenning. 'De ader aan de binnenkant van beide enkels is doorgesneden. Ik heb in het bloed een mesje gevonden – hoogstwaarschijnlijk van een schaaf – en het ziet ernaar uit dat dit er wellicht voor is gebruikt. Ik moet het natuurlijk nog wel controleren.'

'Zelfmoord dus?' vroeg Burgess.

Glendenning negeerde hem en zei tegen Banks: 'De meeste zelfmoordenaars die voor een bloederige dood kiezen,' ging hij verder, 'snijden hun polsen door. De enkels zijn echter net zo effectief, zo niet effectiever. Of hij de verwondingen zelf heeft aangebracht, dat kan ik je echter niet zeggen.'

'Hij heeft het al eerder op die manier geprobeerd,' merkte Banks op. 'Bovendien was er een briefje.'

'Aye, daar mogen jullie je over ontfermen.'

'Welke verwonding is het eerst toegebracht?' vroeg Banks nu. 'De hoofdwond of de enkelwonden?'

'Dat kan ik je ook niet zeggen. Het is mogelijk dat hij zijn hoofd heeft gestoten toen hij bewusteloos raakte, maar het kan ook zijn dat iemand hem op zijn hoofd heeft geslagen en daarna zijn enkels heeft doorgesneden. Als die twee dingen vlak na elkaar zijn gebeurd, is het onmogelijk te zeggen welke verwonding het eerst is toegebracht. De hoofdwond is zo te zien veroorzaakt door de bankschroef. Daar zitten tenminste bloedvlekken op. Uiteraard moet wel worden onderzocht of het bloed ook daadwerkelijk van de dode is en zal de bankschroef moeten worden vergeleken met de vorm van de wond.'

'Hoe lang is hij dood?' vroeg Banks. 'Een ruwe schatting.'

Glendenning glimlachte. 'Aye, je begint het te leren, knul,' zei hij. 'Het is altijd slechts een ruwe schatting.' Hij keek in zijn opschrijfboekje. 'Tja, de rigor mortis reikt nog niet veel verder dan de nek en de lichaamstemperatuur is ongeveer tweeënhalve graad gedaald. Ik vermoed dat hij twee, hooguit drie uur dood is.'

Banks keek op zijn horloge. Het was nu zes uur. Dan was Cotton waarschijnlijk tussen drie en vier uur die middag overleden.

'De ambulance kan elk moment hier zijn,' zei Glendenning. 'Ik heb hen gebeld voordat ik hiernaartoe ging. Ik moet het hoofd en de handen even in plastic verpakken voordat ze arriveren. We willen natuurlijk niet dat een of andere onnozele ambulancebestuurder het bewijsmateriaal verpest, hè?'

'Kunt u de lijkschouwing vanavond nog uitvoeren?' vroeg Banks.

'Sorry, knul. Mijn dochter en schoonzoon zijn dit weekend bij ons. Morgenochtend vroeg?'

Banks knikte. Hij besefte dat ze de laatste tijd enorm hadden geboft met Glendennings bereidwilligheid om onmiddellijk aan het werk te gaan. Het was heel normaal dat ze tot de volgende dag moesten wachten. En als Glendenning 'morgenochtend vroeg' zei, dan bedoelde hij ook echt vroeg.

De dokter liep weer naar binnen, waar Manson en zijn team hun werkzaamheden net afrondden. Even later arriveerde de ambulance en kwamen twee mannen in witte jassen met een brancard naar de werkplaats gelopen. Seth zag er nu bizar uit met zijn hoofd in een plastic zak. Net een of ander wezen uit een horrorfilm uit de jaren vijftig, vond Banks. De ambulancemedewerkers bonden een label aan hem vast, ritsten hem in een lijkzak en legden hem op de brancard.

'Kunnen jullie via de zij-ingang teruglopen?' vroeg Banks en hij wees naar het poortje in de tuinmuur. 'De mensen in het huis zijn al enorm van streek en hoeven dit niet te zien.'

De mannen knikten en vertrokken.

Vijf minuten later kwam Manson naar buiten. 'Nogal wat vingerafdrukken,'

bromde hij, 'maar de meeste zijn vaag, zoals ik al had verwacht. Op het eerste gezicht zou ik echter zo zeggen dat ze niet van enkele tientallen, maar slechts van twee of drie mensen afkomstig zijn.'
'Die van Seth natuurlijk,' zei Banks, 'en waarschijnlijk die van Boyd en van een paar van de anderen. Heb je op het mesje iets gevonden?'
Manson schudde zijn hoofd. 'Het spijt me. Het ding zat helemaal onder het bloed. En dat bloed had zich samen met het zaagsel op de vloer tot een dikke pap vermengd. Ontzettend plakkerig. Om het mesje zelf te bereiken, moet je dat er helemaal afvegen en als je dat doet...' Hij haalde zijn schouders op. 'De dokter heeft het nu meegenomen om het met de wonden te vergelijken.'
'En de typemachine?'
'Allemaal nogal vlekkerig, maar misschien hebben we geluk. Dat geldt trouwens ook voor het vel papier. Dat kunnen we met grafiet behandelen.'
'Zeg, zit er bij jullie op het lab niet een handschriftenexpert?'
'Ja zeker. Geoff Tingley. Hij is goed.'
'Doet hij ook typemachines?'
'Uiteraard.'
Banks ging Manson voor naar de oude Remmington. Het afscheidsbriefje lag er nu naast. Op het bureau lag ook een zakelijke brief die Seth onlangs had geschreven, maar nog niet op de post had gedaan. *Geachte meneer Spelling,* stond er, *ik ben u zeer erkentelijk voor uw complimenten aangaande de kwaliteit van mijn werk en heb er beslist geen enkel bezwaar tegen dat u dit in de omgeving van Wharfedale rondvertelt. Daar het leveren van uitstekende kwaliteit en het behalen van deadlines bij mij te allen tijde hoog in het vaandel staan, zult u naar ik aanneem echter wel begrijpen dat ik, gezien het feit dat dit een eenmansbedrijf is, de hoeveelheid werk die ik kan aanvaarden helaas moet beperken.* De rest van de brief bevatte een verzoek aan de heer Spelling om alleen de interessantste klussen voor Seth uit te zoeken en hem niet lastig te vallen met kleine reparatiewerkzaamheden of opdrachten voor luciferhouders en lampenvoeten.
'Kun je meneer Tingley vragen om deze te vergelijken en ons te laten weten of ze door dezelfde persoon zijn getypt?'
'Natuurlijk.' Manson hield de brieven naast elkaar en bestudeerde ze aandachtig. 'Als ik moest gokken, zou ik zeggen dat dit niet het geval is. Die oude typemachines hebben inderdaad allerlei individuele kenmerken, maar dat geldt ook voor degenen die erop typen. Kijk bijvoorbeeld maar eens naar de e's.'
Banks deed wat hij zei. De e's in Seths zakelijk brief stonden aanmerkelijk dieper in het papier gedrukt dan die in zijn afscheidsbrief.

'Maar goed,' ging Manson verder, 'dat kunnen we beter aan de expert overlaten. Als hij zelfmoord heeft gepleegd, kun je natuurlijk niet verwachten dat zijn geestelijke staat normaal was.' Hij stopte elk vel papier in een aparte envelop. 'Ik zal ervoor zorgen dat Geoff deze morgenochtend heeft.'

'Bedankt, Vic.' Banks liep met hem mee naar buiten.

Burgess stond nog altijd met zijn handen in zijn zakken in de deuropening naast Peter Darby, die hem de polaroids liet zien die hij als eerste had gemaakt. Toen Banks en Manson bij hen kwamen staan, trok hij zijn wenkbrauwen op. 'Klaar?'

'Voorlopig wel,' zei Banks.

'Dan wordt het tijd om met de bewoners te gaan praten.' Burgess knikte in de richting van het huis.

'We moeten hen maar niet al te hard aanpakken,' zei Banks. 'Ze hebben net een enorme schok te verwerken gehad.'

'Als Cotton is vermoord, gaat dat voor een van hen misschien niet op. Maar maak je geen zorgen, ik zal hen niet opeten.'

In de woonkamer zaten Zoe, Rick, Paul en de kinderen thee te drinken met de dokter, een jonge, vrouwelijke huisarts uit Relton. In de haard brandde een vuur en kaarsen wierpen trillende schaduwen op de wit geverfde muren. Op de achtergrond klonk zachtjes muziek. Banks meende Bachs *Brandenburgs Concert nr. 3* te herkennen.

'Mara heeft een kalmeringsmiddel geslikt,' zei Rick. 'U kunt niet met haar praten.'

'Dat klopt,' zei de dokter instemmend en ze pakte haar tas en haar jas. 'Ik ben even gebleven om u dat te zeggen. Ze heeft een zware klap gehad, dus ik heb haar een slaapmiddel gegeven en haar naar bed gestuurd. Ik kom morgen terug om te zien hoe het gaat.'

Banks knikte en de dokter vertrok.

'Kan er misschien een kopje thee af?' vroeg Burgess en hij wreef in zijn handen. 'Het is daarbuiten werkelijk hondenweer.'

Rick keek hem kwaad aan, maar Zoe haalde twee kopjes en schonk het dampende vocht in.

Burgess keek glimlachend op haar neer. 'Drie klontjes suiker en een scheutje melk graag, liefje.'

'Wat is er precies gebeurd?' vroeg Zoe al roerend. Haar ogen waren rood en opgezet van het huilen.

'Dat kunnen we beter aan jullie vragen,' zei Burgess. Hij gedroeg zich inderdaad heel beleefd, merkte Banks op. 'Wij weten alleen dat Seth Cotton dood

is en dat het erop lijkt dat hij zelfmoord heeft gepleegd. Was hij de laatste tijd depressief?' Hij nam een slok thee en begon te proesten. 'Wat is dit verdorie?'
'Kruidenthee,' zei Zoe. 'Daar hoort eigenlijk geen suiker en melk in.'
'Dat vertel je me nu.' Burgess schoof de thee van zich af. 'Goed, terug naar mijn vorige vraag: was hij depressief?'
'Hij was overstuur toen Paul in de gevangenis zat,' antwoordde Zoe. 'Maar vanochtend leefde hij helemaal op. Hij leek vandaag zo gelukkig.'
'En hij heeft nooit gezegd dat hij er een eind aan wilde maken?'
'Nee.' Zoe schudde haar hoofd.
'Ik heb gehoord dat jullie vanmiddag een of andere bijeenkomst hadden,' zei Banks. 'Wie waren daar allemaal bij?'
Rick staarde hem achterdochtig aan, maar zei niets.
'Alleen Dennis Osmond, Tim en Abha maar,' antwoordde Zoe.
'Hoe laat was dat?'
'Ze waren er om halftwee en zijn rond een uur of vijf weer weggegaan.'
'Waren jullie er ook allemaal bij?'
Zoe schudde haar hoofd. 'Seth heeft er een paar minuten bij gezeten en is toen naar de werkplaats gegaan.'
'En ik ben een stuk gaan lopen,' zei Paul uitdagend. 'Ik had frisse lucht nodig, omdat ik zo lang in die verdomde cel van jullie heb gezeten.'
'Als je niet gauw die brutale mond van je houdt, gooi ik je er zo weer in, knul,' zei Burgess.
'Jij hebt het lichaam toch ontdekt?' vroeg Banks.
'Ja.'
'Niet zo verlegen. Vertel het ons maar,' spoorde Burgess hem aan.
'Er valt eigenlijk niets te vertellen. Ik kwam terug van de wandeling en bedacht dat ik wel even een kijkje kon nemen bij Seth om te zien of hij opschoot. Ik hielp hem vaak, ziet u. Ik was een soort leerling van hem. Toen ik de deur opendeed...'
'De deur was dus dicht?' vroeg Burgess.
'Ja. Maar hij zat niet op slot. Seth sloot de schuur nooit af.'
'Wat zag je toen?'
'U weet best wat ik toen zag. Hij lag half over de werkbank. Dood.'
'Hoe wist je dat hij dood was? Heb je gevoeld of hij nog een hartslag had?'
'Nee, natuurlijk niet. Ik zag al dat bloed. Ik heb zijn naam geroepen en hij reageerde niet. Toen wist ik het gewoon.'
'Heb je iets aangeraakt?' vroeg Banks.
'Nee. Ik ben hiernaartoe gerend om het aan de anderen te vertellen.'

'Ben je in de buurt van de typemachine geweest?'
'Waarom zou ik? Dat stomme ding is me niet eens opgevallen. Ik zag alleen Seth maar, die dood was.'
Het was moeilijk vast te stellen of hij de waarheid sprak. Omdat hij geschokt was door wat hij had gezien klonken zijn antwoorden vaag en verdedigend.
'Dus je hebt alles precies zo achtergelaten als je het hebt gevonden?' zei Banks.
'Ja.'
'Heeft iemand vanmiddag tijdens de bijeenkomst de kamer verlaten?' vroeg Burgess nu.
'Iedereen is wel een keertje de kamer uit geweest,' zei Zoe. 'Om naar de wc te gaan of de benen even te strekken en zo.'
'Is iemand misschien langer weggebleven dan de anderen?'
'Geen idee. We zaten te praten. Dat weet ik echt niet meer.'
'Dus het is best mogelijk dat iemand bijvoorbeeld tien minuten is weg geweest?'
'Dat denk ik wel, ja.'
'Nu weet ik dat jullie het allemaal erg druk hadden met jullie rol van bezorgde burger,' zei Burgess, 'maar iemand moet toch hebben opgemerkt dat een van de anderen wel heel lang wegbleef?'
'Moet u eens horen,' kwam Rick tussenbeide, 'ik dacht dat u zo-even zei dat het om zelfmoord gaat. Waar zijn al die vragen dan goed voor?'
'Ik zei dat het erop *lijkt* dat het om zelfmoord gaat,' antwoordde Burgess koeltjes. 'En ik bepaal welke vragen er worden gesteld, dus hou dat commentaar van je maar voor je, Leonardo.'
'Heeft een van jullie vanmiddag de typemachine gehoord?' vroeg Banks.
'Nee,' antwoordde Zoe. 'Maar dat kun je hier ook niet horen. De muren zijn dik en de werkplaats staat helemaal achter in de tuin. Nu ja, u hebt zelf gezien waar hij staat. We zaten allemaal in de woonkamer aan de voorkant. Je hoort daar Seth ook nooit zagen of boren.'
Banks wierp een blik op Burgess. 'Was er verder nog iets?'
'Ik kan nu even niets bedenken,' zei de hoofdinspecteur, die inmiddels alweer iets was bijgekomen na zijn aanvaring met Rick. 'Voorlopig mag niemand van jullie hier weg, begrepen?' voegde hij er zwaaiend met zijn vinger aan toe en hij keek dreigend naar Paul. 'Zodra we morgen de uitslag van de lijkschouwing binnenkrijgen, hebben we ongetwijfeld nieuwe vragen voor jullie, dus zorg allemaal dat je beschikbaar bent.'
Banks en Burgess lieten hen alleen met hun verdriet. Onder hen op de hel-

ling blonken de lichtjes van Relton uitnodigend in het kille duister.
'Pint?' stelde Burgess voor.
'Je haalt me de woorden uit de mond,' zei Banks. Ze stapten in de Cortina en hobbelden over het pad in de richting van de Black Sheep.

Het kussen was net een wolk en het bed een pluk watten. Mara lag op haar rug te soezen, maar ze sliep niet echt. Toen ze het nieuws hoorde, was ze helemaal ingestort. De tranen spoten uit haar ogen, haar hart bonkte als een bezetene in haar borst en de adem stokte in haar keel. De injectie die de dokter haar had gegeven, had dat allemaal verholpen, en de onbeheerste spiertrekkingen en paniek vervangen door wolken en watten.
Ze ving gedempte stemmen op van beneden, alsof ze van heel ver weg kwamen, en het deed haar denken aan de avonden waarop Seth en Liz Dale tot diep in de nacht hadden zitten praten. Wat was ze toen jaloers en onzeker geweest. Liz was echter allang weer weg en Seth, zo hadden ze haar verteld, Seth was dood.
Dood. De betekenis wilde maar niet door de dikke nevel van het kalmeringsmiddel tot haar doordringen. Ze vond dat ze behoorde te huilen en naar adem zou moeten snakken, maar in plaats daarvan voelde haar lichaam loodzwaar aan, als ijzer, en kon ze zich nauwelijks bewegen. Haar gedachten leken ook een geheel eigen leven te leiden en gleden langs allerlei gebeurtenissen die ze zorgvuldig uitkozen, net als zo'n kleine elektrische grijper die in de amusementshallen aan de boulevard in een berg goedkope prullen en snoepgoed graaide. Je gooide er een penny in – een echte penny, groot en zwaar – en hup, daar gleed de grijper met zijn gescharnierde klauw de glazen kast in. Je moest een knop ingedrukt houden om hem naar het midden te sturen en dan een andere indrukken om hem in de berg prijzen te laten zakken. Als je geluk had, kreeg je een chocoladereep, een aansteker of een goedkope ring; als je pech had, kwam de metalen klauw leeg boven en had je je geld verspild. Mara won nooit iets. Maar goed ook, had haar vader altijd gezegd, chocola is slecht voor je tanden, je bent te jong om te roken en van die ring slaat je vinger binnen een week groen uit.
Haar gedachten waren nu net zo'n machine, een waar ze geen macht over had. Ze cirkelden om haar leven heen, doken erin en haalden nu de herinnering naar boven aan haar eerste ontmoeting met Seth. Mara had net de commune verlaten en in haar verlangen om Londen zo snel mogelijk achter zich te laten had ze de flat van een kennis in Eastvale overgenomen toen deze naar Canada emigreerde.

Ze moest op zoek naar een baan en wilde het eerst in de kunstnijverheidsector proberen, voordat ze terugviel op haar ervaring als secretaresse, wat inmiddels al knap lang geleden was. Gelukkig vertelde iemand haar over Elspeths winkeltje in Relton en ze zocht haar daar op. Dottie was toen al zo ziek dat ze niet meer kon werken – de pottenbakkerij was van haar – en Mara kreeg een baan als winkelassistente met gebruik van de faciliteiten. Ze verdiende niet veel, maar samen met het bedrag dat ze voor haar aardewerk ontving was het genoeg. De huur was laag en ze leefde goedkoop. Ze was echter wel eenzaam.

Op een dag liep ze na haar werk de Black Sheep binnen. Ze had net haar salaris gekregen en wilde zichzelf op een glas bier en een sandwich met kaas en ui trakteren. Voordat ze echter een hap kon nemen kwam Seth binnen. Hij bleef bij de bar staan, een lange, slanke man met keurig geknipt donker haar en een grijs gespikkelde baard. Toen hij zich omdraaide viel het haar op hoe triest zijn ogen waren en hoe ernstig hij eruitzag. Er ontstond onmiddellijk een band tussen hen – Seth had later toegegeven dat hij het ook had gevoeld – en Mara voelde zich weer net zo verlegen als in haar tienerjaren. Hij had naar haar geglimlacht en ze herinnerde zich nog goed dat ze had gebloosd. Toen hij naar haar toe kwam om haar te begroeten, was er geen sprake geweest van een oppervlakkige flirt; dat soort dwaze spelletjes speelden zij niet met elkaar.

Hij was de eerste die ze in deze nieuwe omgeving leerde kennen die dezelfde achtergrond had als zij. Ze hadden dezelfde muzikale smaak, en dezelfde ideeën over een onafhankelijk bestaan en de manier waarop de wereld eigenlijk zou moeten worden gerund; ze hadden jaren geleden dezelfde rockfestivals bezocht en dezelfde boeken gelezen. Ze was die avond nog met hem meegegaan naar de boerderij – toen woonde hij daar nog alleen – en ze was eigenlijk nooit meer weggegaan, behalve om haar huurflat op te zeggen en haar schamele bezittingen te verhuizen.

Het was een heerlijke tijd geweest, een thuiskomen voor Mara's ziel, en ze dacht dat zij Seth ook gelukkig had gemaakt, hoewel ze zich er altijd van bewust was dat een deel van hem voor haar gesloten bleef.

En nu was hij dood. Ze wist niet hoe hij was gestorven of waarom, alleen maar dat zijn lichaam niet langer functioneerde. Haar spirituele overtuiging, die ze tot op zekere hoogte nog altijd aanhing, vertelde haar dat de dood slechts een begin was. Seths ziel, die onsterfelijk was, zou andere werelden vinden, andere levens misschien. Zij zouden echter nooit meer samen in bed wijn drinken nadat ze de liefde hadden bedreven, hij zou haar nooit meer op haar voorhoofd kussen zoals hij altijd had gedaan wanneer hij naar zijn werkplaats ging of op weg naar de Black Sheep haar hand vasthouden als een jonge knul op zijn eerste afspraakje. En dat deed pijn: de afwezigheid van levend vlees. Dat de ziel aanwezig bleef was een prachtige gedachte, maar veel te vaag om Mara te troosten. De grijper trok zich terug uit de berg met prijzen en zijn metalen klauw was leeg.

Beneden bromden de stemmen verder en klonken eerder als muziek dan als woorden met een betekenis. Mara had het gevoel dat haar bloed was ingedikt tot stroop en de donkere kleur van inkt had gekregen. Ze voelde zich steeds zwaarder worden en de lampjes in de glazen kast gingen langzaam uit; hij stond nu al half in de schaduw en de prijzen waren niet meer van elkaar te onderscheiden. En wat gebeurt er wanneer de lampen uitgaan? Mara droomde.

Ze was alleen op de heide. Hoog boven haar stond een enorme vollemaan, maar het landschap was donker en somber. Ze zocht iets en struikelde over heide en graspollen.

Ten slotte kwam ze bij een dorpje aan en ze ging bij de pub naar binnen. Het was de Black Sheep, maar dan helemaal gemoderniseerd, met videospelletjes, tapijt en kale, betonnen muren. Uit de jukebox klonk muziek die ze niet begreep. Ze vroeg de weg naar de boerderij, maar iedereen keek haar aan en lachte haar uit, dus rende ze snel weg.

Buiten was het dag geworden en ze bevond zich niet langer in Swainsdale. Het landschap kwam haar niet bekend voor, was zachter en groener, en ze rook de oceaan, die heel dichtbij was.

In een vallei zag ze een oude boer staan die een windklokkenspel in zijn hand hield. Het speelde dezelfde muziek als de jukebox en deze keer werd ze bang. Ze vond haar stem terug en vroeg hem waar Maggie's Farm was. 'Ben jij de trouwlustige joffer?' vroeg hij en hij glimlachte een tandeloze lach. 'De mand is leeg,' ging hij verder en hij schudde het windklokkenspel heen en weer. 'De man steekt het schaap. Er vloeit geen bloed. Ongeluk.'

Angstig rende Mara weg, en plotseling was het avond en bevond ze zich in een stad. Enkele gebouwen waren platgebrand en in de kale karkassen brandde een vuur; vlammen likten aan de kapotte ramen en laaiden hoog op door het ingestorte dak. Kleine wezens stoven weg en verstopten zich in donkere hoeken. En ze werd gevolgd, dat wist ze. Ze had niemand gezien, maar wel enkele snelle bewegingen opgemerkt en ritselende geluiden achter zich gehoord. Om een of andere reden wist ze heel zeker dat het een vrouw was, iemand die ze behoorde te kennen, maar ze wist niet wie.

Ze probeerde wakker te worden en wilde gillen om te voorkomen dat de

droom haar volledig in zijn greep kreeg en haar in een van de aaseters tussen de ruïnes veranderde, om te voorkomen dat de schaduw haar op haar schouder tikte.
Toen ze haar ogen opendeed, merkte ze dat er iemand op de rand van het bed zat en een vochtige doek tegen haar voorhoofd drukte. Even dacht ze dat het Seth was, maar toen ze zich omdraaide en beter keek, bleek het Zoe te zijn.
'Is het al ochtend?' vroeg ze zachtjes.
'Nee,' zei Zoe, 'het is pas halftien.'
'Hij is echt dood, hè, Zoe?'
Zoe knikte. 'Je hebt een nachtmerrie gehad. Ga nog maar wat slapen.' Mara deed haar ogen dicht. De koele doek maakte haar rustig en ze dommelde weer in. Deze keer strekte zich slechts een oneindige duisternis voor haar uit en het laatst wat ze voelde voordat ze in slaap viel, was Zoe's hand die de hare stevig vasthield.

'Is er iets?' vroeg Larry Grafton, terwijl hij een pint Black Sheep bitter voor Banks tapte.
Banks wierp een blik op Burgess, die knikte.
'Seth Cotton is dood,' antwoordde hij en hij voelde dat de mensen aan de tafeltjes achter hem in de bar, die grotendeels bezet waren, hun oren spitsten.
Grafton trok wit weg. 'Ach nee, niet Seth,' zei hij. 'Hij was hier tijdens de lunch nog. Is Seth dood?'
'Hoe gedroeg hij zich toen?' vroeg Banks.
'Hij was zo blij als een kind,' zei Grafton. 'Die jonge knul was terug en dat vierden ze. U wilt me toch niet vertellen dat hij zelfmoord heeft gepleegd?'
'Dat weten we nog niet,' zei Burgess en hij pakte zijn pint Watney's op. 'Is hier een rustige plek waar de inspecteur en ik onder vier ogen kunnen praten? Een werkbespreking zogezegd.'
'Aye, neemt u de kleine gelagkamer maar. Daar is toch niemand.'
'Klein' was het juiste woord. De gelagkamer bevond zich achter een scherm van donker glas en hout, en bood ruimte aan hooguit vier mensen, maar zelfs dat was al aan de krappe kant.
Banks en Burgess gingen zitten, dronken beiden hun glas vrijwel helemaal leeg en pakten iets te roken.
'Neem ook een sigaar,' zei Burgess en hij hield hem het doosje voor.
'Dank je.' Banks nam er eentje uit. Hij vond sigaren over het algemeen niet zo lekker, maar bedacht dat als hij het maar vaak genoeg probeerde, hij er misschien nog wel aan zou wennen.

'Ik denk dat ik eerst nog een rondje ga halen voordat we beginnen,' zei Burgess. 'Dit werk maakt enorm dorstig.'
Hij kwam al snel terug met een pint bitter voor Banks en deze keer een pint Guinness van de tap voor hemzelf.
'Goed,' zei hij, 'ik zie dat iets je niet lekker zit. Nu geen dingen voor me verborgen houden, Banks. Wat zit je dwars?'
'Laten we eerst eens bekijken wat we op het eerste gezicht hebben,' stelde Banks voor. 'Misschien zien we dan wat er mis is met het geheel.'
'Zelfmoord?'
'Ja.'
'Maar dat geloof jij niet?'
'Nee. Ik wil het graag van begin tot eind doornemen om te zien wat het nu precies is dat aan me blijft knagen.'
'Oké. Cotton heeft Gill vermoord, kreeg wroeging en heeft toen zijn enkels doorgesneden. Zaak gesloten. Kan ik nu terug naar Londen?'
Banks glimlachte. 'Zo eenvoudig is het natuurlijk niet. Waarom zou Cotton Gill vermoorden?'
Burgess streek met een hand over zijn grijzende, met brillantine bewerkte haar. 'Verdomme, ik dacht dat we dit allemaal al hadden besproken. We hebben te maken met een politieke misdaad; een terroristische daad, als je dat liever hebt. Het motief doet er niet meer toe.'
'Seth Cotton was echter veel minder in de politiek geïnteresseerd dan de rest,' wierp Banks tegen. 'Afgezien van Mara en Zoe Hardacre misschien. Toegegeven, hij was tegen kernenergie en ongetwijfeld ook tegen apartheid, en hij geloofde in sociale gelijkheid. Datzelfde kun je echter ook van mij zeggen.'
Burgess snoof minachtend. 'Jij mag dan hier in de omgeving voor moorddeskundige doorgaan, maar terrorisme is mijn expertise. Neem maar van mij aan dat werkelijk iedereen zich erdoor kan laten meesleuren. Terroristen spelen in op iemands idealen en vervormen die net zolang tot ze aan hun eigen doelstellingen voldoen. Vergelijk het maar met religieuze sektes die hun leden hersenspoelen.'
'Denk jij dat Gills dood van tevoren is gepland of was het een crime passionnel?' vroeg Banks.
'Allebei een beetje. Bij dit soort misdaden is het niet allemaal zo zwart-wit. Terroristen zijn heel emotioneel in hun ideeën, maar wanneer er actie moet worden ondernomen, zijn ze zo koelbloedig en dodelijk als wat.'
'Het enige waar Seth Cotton veel om gaf was zijn werk en misschien Mara. Als hij zelfmoord heeft gepleegd, betwijfel ik of dat een politieke reden had.'

'Vergeet niet dat we zijn afscheidsbrief hebben. Met een bekentenis.'
'Daar hebben we het straks nog wel over. Waarom heeft hij zelfmoord gepleegd? Als hij echt het type man is waarop jij doelt, waarom zou hij dan wroeging hebben gekregen nadat hij in zijn opzet was geslaagd? Waarom zou hij dan zelfmoord plegen?'
Burgess speelde met het schuim van zijn Guinness. 'Je wilt veel te veel weten, Banks. Vaak kan dat gewoon niet. Kun je het daar niet bij laten?'
Banks schudde zijn hoofd en drukte zijn sigaar uit. Het ding smaakte als een gebruikt theezakje van een week oud. Hij nam een teug van zijn Black Sheep bitter om de smaak te verdrijven en stak een Silk Cut op. 'Er blijven veel te veel vragen onbeantwoord,' zei hij. 'We weten nog steeds vrijwel niets van Cottons politieke achtergrond voordat hij op de boerderij kwam wonen, hoewel Special Branch het ongetwijfeld had geweten als zich in zijn verleden subversieve gebeurtenissen hebben voorgedaan. En dan zijn gedrag van de afgelopen dagen. Wat vind je daarvan?'
'Ze zeiden dat hij gelukkig was toen Boyd werd vrijgelaten. Bedoel je dat?'
'Deels.'
'Ja, natuurlijk was hij gelukkig,' zei Burgess. 'Hij wist immers dat die knul onschuldig was.'
'Waarom zou dat hem ook maar iets kunnen schelen? Voor een keiharde terrorist is het beter als iemand anders voor zijn daden wordt opgepakt. Waarom zou hij dan zelfmoord plegen?'
Burgess schokschouderde. 'Omdat hij wist dat we hem toch wel snel zouden oppakken.'
'Waarom is hij er dan niet gewoon tussenuit geknepen? Zijn opdrachtgevers in Moskou of Praag of waar dan ook zouden hem heus wel hebben opgevangen.'
'Eerder Belfast, zou ik denken. Dat weet ik ook niet. Het komt wel vaker voor dat mensen die er een eind aan willen maken gelukkig overkomen.'
'Dat weet ik. Ik ben er alleen niet van overtuigd dat hij zo gelukkig was omdat hij had besloten zichzelf van kant te maken.'
Burgess gromde iets. 'Hoe luidt jouw theorie dan?'
'Hij is vermoord en iemand heeft geprobeerd het er als zelfmoord uit te laten zien.'
'Door wie dan?'
Banks negeerde de vraag. 'We kunnen pas met enige zekerheid iets zeggen wanneer de dokter de lijkschouwing heeft gedaan,' zei hij, 'maar er zijn een paar dingen in dat afscheidsbriefje die me niet lekker zitten.'

'Ga verder.'
'Het klopt gewoon van geen kanten. Er staat in feite helemaal niets in. Cotton bekent dat hij Gill heeft vermoord, maar zegt er niet bij waarom. Hij schrijft slechts: "Ik weet niet wat me bezielde." Dat past niet bij wat we verder van hem weten.'
'En dat is?'
'Bijzonder weinig, dat geef ik toe. Hij was een gesloten boek. Volgens mij was hij echter iemand die ofwel niet de moeite zou nemen om een briefje te schrijven, ofwel alles volledig uit de doeken zou doen. Hij zou niet zo'n halfslachtig vodje achterlaten als wij hebben aangetroffen. Ik denk ook dat hij Gills dienstnummer zou hebben gebruikt en niet zijn naam. Ik weet niet of je de brief goed hebt bekeken, maar hij was totaal anders dan de zakelijke brief die op het bureau lag. De kracht waarmee de letters zijn ingetikt was bijvoorbeeld anders.'
'Jawel,' zei Burgess, 'maar je moet niet vergeten in welke mentale toestand hij moet hebben verkeerd toen hij het typte.'
'Daar heb je inderdaad wel weer gelijk in. Maar dan nog... En dan de stijl. Degene die het afscheidsbriefje heeft geschreven, kent alleen de basisvaardigheden van het schrijven. De zakelijke brief daarentegen zat inhoudelijk en grammaticaal veel beter in elkaar.'
Burgess sloeg op de tafel. 'Ach, ga toch weg, Banks! Wat is nu eigenlijk het probleem? Vind je soms dat het te gemakkelijk gaat? Zakelijke brieven zijn altijd in een andere stijl geschreven; die zijn altijd een beetje formeel en omslachtig. Een brief aan een vriend schrijf je nu eenmaal anders dan een zakelijke brief, laat staan een afscheidsbrief als deze. Een man die zijn laatste woorden neerpent, maakt zich echt niet meer druk over grammatica of hoe hard hij elke letter indrukt.'
'Dat is het hem nu juist. Die dingen gebeuren onbewust. Iemand die gewend is om netjes te schrijven, wordt echt niet nonchalant omdat hij onder druk staat. Ik zou juist hebben verwacht dat de boodschap zorgvuldiger dan normaal was opgesteld. Bovendien sta je er tijdens het typen helemaal niet bij stil hoe je vingers de toetsen raken. Dat doe je haast automatisch en er zit vrijwel nooit verschil in. En waarom heeft hij de brief in de typemachine laten zitten? Waarom heeft hij hem niet voor zich op de werkbank gelegd?'
'Ik blijf erbij,' sputterde Burgess, 'dat de verklaring voor al die bezwaren van jou in zijn mentale toestand moet worden gezocht. Hij dacht niet logisch meer na. De overweging om zelfmoord te plegen doet gekke dingen met je karakter. Je kunt er niet van uitgaan dat alles hetzelfde blijft wanneer iemand

op het punt staat om zijn enkels door te snijden. Je moet ook bedenken dat hij dat volgens jou al eens eerder had geprobeerd.'

'Dat is inderdaad een probleem,' zei Banks instemmend. 'Degene die hierachter zit, moet op de hoogte zijn geweest van die eerdere poging en dat hebben nagebootst, zodat het er als een echte zelfmoord uitzag.'

'Als je er tenminste van uitgaat dat iemand anders het heeft gedaan. Ik weet niet of ik het daarmee eens ben.'

Banks haalde zijn schouders op. 'We zullen moeten afwachten wat de technische recherche te melden heeft over die brief. Maar het zit me helemaal niet lekker.'

'En het bureau?'

'Wat is daarmee?'

'Dat had hij duidelijk net afgemaakt. De vernis was nog nat. En hij had het helemaal in de hoek van de werkplaats gezet. Wat zegt dat jou?'

'Dat hij alles netjes wilde achterlaten? Alles had geregeld?'

'Precies. Typisch het gedrag van iemand die zichzelf van kant wil maken. Hij heeft zijn laatste opdracht afgerond, het meubelstuk keurig aan de kant geschoven zodat er geen bloed op kon komen en toen pas zijn enkels doorgesneden. Toen hij zo verzwakt was dat hij het bewustzijn verloor, is hij met zijn kop tegen de bankschroef geknald, wat die hoofdwond verklaart.'

Banks staarde in zijn glas. 'Zo kan het inderdaad zijn gegaan,' gaf hij toe. 'Maar ik geloof het niet.'

'Wat ons weer terugbrengt bij de belangrijkste vraag,' zei Burgess. 'Als we jouw gedachtegang volgen, als jij inderdaad gelijk hebt, wie heeft hem dan vermoord?'

'Ze kunnen het allemaal zijn geweest. Dat zei Zoe al.'

'Jawel, maar dat heeft ze misschien alleen maar gezegd om zichzelf en haar vrienden vrij te pleiten. Ik denk daarbij aan een van hen in het bijzonder.'

'Wie dan?'

'Boyd.'

Banks slaakte een diepe zucht. 'Ik was al bang dat je dat zou zeggen.'

'Dat geloof ik graag.' Burgess boog zich zo onverwacht naar voren dat de glazen op de tafel rinkelden. Zijn adem rook naar Guinness en sigaren. 'Als we het op jouw manier spelen, hebben we wel te maken met de volgende feiten. Boyd was de hele middag pleite en kan daar geen rekenschap van afleggen. We hebben alleen zijn woord maar dat hij op de heide heeft gelopen. Ik denk niet dat iemand hem daar heeft gezien. Het zou voor hem een fluitje van een cent zijn geweest om via de poort aan de zijkant terug te komen en bij Seth langs te gaan, terwijl alle anderen in het huis hun politieke spelletjes spelen. Daar is niets vreemds aan. Hij hielp Seth wel vaker en zijn vingerafdrukken komen toch al overal in de schuur voor. Ze praten wat en hij vermoordt Seth, hij duwt zijn hoofd met kracht tegen de bankschroef, zodat hij bewusteloos raakt en snijdt zijn enkels door.' Burgess leunde tevreden achterover en sloeg zijn armen over elkaar.

'Goed,' zei Banks. 'Ik ben het met je eens. Het kan. De vraag is alleen: waarom? Waarom zou Boyd Seth Cotton hebben vermoord?'

Burgess haalde zijn schouders op. 'Omdat hij iets wist wat een verband aantoonde tussen Boyd en de moord op Gill. Dat zou logisch zijn, Banks, dat weet jij ook. Waarom je het voor die ellendige schooier blijft opnemen, is me echt een raadsel.'

'Waarom was Cotton zo depressief toen Boyd in de gevangenis zat,' vroeg Banks, 'en zo gelukkig toen hij weer vrij was?'

Burgess stak een nieuw sigaartje op. 'Loyaliteit misschien? Hij wist iets en was bang dat hij zou worden opgeroepen om te getuigen. Hij wist niet zeker of hij onder druk zijn leugens en afwijkende antwoorden kon volhouden. Boyd wordt vrijgelaten, dus Cotton voelt zich enorm opgelucht. Ze praten met elkaar. Cotton vertelt Boyd wat hij weet en hoe blij hij is dat hij niet onder ede hoeft te getuigen, maar nu begint Boyd zich zorgen te maken en hij vermoordt hem. Je moet niet vergeten dat Boyd wist dat hij nog niet buiten schot was, hoe Cotton verder ook over zijn vrijlating dacht. Je weet dat die gozer doodsbenauwd is voor kleine ruimtes. Hij zou er werkelijk alles voor overhebben om te voorkomen dat hij levenslang krijgt.'

'En de brief?'

'We zullen eens aannemen dat je gelijk hebt. Boyd typt dat ding om zichzelf vrij te pleiten en legt zo de schuld bij iemand anders neer die zichzelf niet meer kan verdedigen. Een laffe daad die kenmerkend is voor types als hij. Dat verklaart dan de afwijkende druk op de toetsen en taalvaardigheid. Boyd heeft niet zo'n goede opleiding gehad. Vanaf zijn dertiende leefde hij bijna voortdurend op straat. En hij kon natuurlijk niets over Cottons motieven zeggen, omdat hij Gill zelf had vermoord. Dus,' ging Burgess verder, 'zelfs als we het op jouw manier bekijken, heb ik nog steeds gelijk. Persoonlijk kan het me geen ruk schelen of het Boyd was of Cotton. De zaak is hoe dan ook opgelost. Voor welke mogelijkheid ga je? We kunnen er ook om tossen.'

'Ik ben nog steeds niet helemaal overtuigd.'

'Dat komt omdat je dat gewoon niet wilt zijn.'

'Wat bedoel je daarmee?'

'Je weet donders goed wat ik daarmee bedoel. Je hebt jezelf klem gepraat. Het was jouw idee om Boyd te laten gaan en te zien wat er zou gebeuren. Nou, je hebt gezien waar dat toe heeft geleid. Hij is amper vrij of er vindt weer een moord plaats. Daar ben jij verantwoordelijk voor.'

Banks haalde diep adem. Er school helaas een kern van waarheid in wat Burgess zei. Hij schudde zijn hoofd. 'Seth is inderdaad vermoord,' zei hij, 'maar ik geloof niet dat Boyd het heeft gedaan. Ondanks al zijn problemen gaf die knul volgens mij echt om Seth. De bewoners van Maggie's Farm zijn de enige mensen die ooit iets voor hem hebben gedaan toen hij er helemaal alleen voor stond.'

'Hou toch eens op! Met dat soort sentimenteel gelul ben je bij mij aan het verkeerde adres. Die gozer is een overlever, een opportunist. Een schooier en een nietsnut, niet meer en niet minder.'

'En Cotton?'

Burgess leunde achterover en pakte zijn glas. Zijn stoel kraakte. 'Uitstekende acteur, medeplichtige, onschuldige omstander, idealist in gewetensnood? Ik heb verdomme geen flauw idee. Maar dat doet er nu ook niets meer toe. Hij is dood. Het is voorbij.'

Banks vond echter dat het er wel degelijk iets toe deed. Na wat er die middag was gebeurd, leek het nu op een of andere manier zelfs belangrijker dan ooit. 'Zou je denken?' zei hij. Hij drukte zijn sigaret uit en dronk zijn glas leeg. 'Kom, we gaan.'

15

Het ziekenhuis van Eastvale stond aan King Street, ongeveer driekwart kilometer ten westen van het politiebureau en niet ver bij de middelbare school vandaan. Omdat het die dag vrij warm was, ging Banks te voet. Eenmaal buiten het bureau zette hij zijn walkman op en luisterend naar Muddy Waters die *Louisiana Blues* zong, zocht hij zijn weg door de doolhof van smalle straatjes met hun gebarsten stenen muren, cadeauwinkeltjes en veel te dure pubs.

Het ziekenhuis zelf was een grimmig, victoriaans gebouw van baksteen. In de hoge, tochtige gangen hing een sombere, fatalistische sfeer. Niet direct het ziekenhuis waar ik naartoe zou willen als ik ziek was, dacht Banks bij zichzelf en hij tastte in de zak van zijn jas naar de aan-uitknop van zijn walkman.

Het mortuarium bevond zich in de kelder, die net als de cellen van het politiebureau het modernste gedeelte van het gebouw vormde. De autopsieruimte had wit betegelde muren en in het midden stond een metalen tafel met een goot rondom de rand om het bloed te laten wegsijpelen. Een lange laboratoriumtafel, compleet met bunsenbranders en microscopen, stond tegen een lange muur waaraan planken vol potjes met organen, weefselmonsters en chemicaliën hingen.

Gelukkig was de tafel leeg toen Banks binnenkwam. Een labassistent was bezig hem schoon te schrobben, terwijl Glendenning met een sigaret in zijn mond bij de tafel stond. Iedereen rookte in het mortuarium; dat deden ze om de stank van de dood op afstand te houden.

De labassistent liet een instrument in een niervormige, metalen bak vallen. Banks trok een pijnlijk gezicht bij het horen van dat geluid.

'Kom maar mee naar mijn kantoor,' zei Glendenning. 'Je ziet een beetje bleek.'

Glendennings kantoor was klein en rommelig en paste eigenlijk niet echt bij een man van zijn kaliber en status, vond Banks. Ze waren echter niet in Amerika; ondanks particuliere verzekeringsprogramma's speelde de gezondheidszorg hier niet mee in de wereld van het grote geld. Glendenning trok zijn witte labjas uit, streek zijn overhemd glad en ging zitten. Banks haalde enkele oude medische vaktijdschriften van de enige andere stoel in het vertrek en nam tegenover de patholoog plaats.

'Koffie?'
Banks knikte. 'Graag.'
Glendenning pakte de hoorn van de haak en drukte op een knop. 'Molly, lieve schat, denk je dat je ergens twee koppen koffie voor me kunt opduikelen?' Hij legde een hand op het mondstuk en vroeg hoe Banks die van hem wilde hebben. 'Een zwart zonder suiker en voor mij het gebruikelijke. Inderdaad, drie suiker, dat klopt. Welk dieet? En niet dat smerige bocht dat ze bij de receptie drinken, graag. Wat? Ja. Ik weet dat je gisteren de laatste hebt gebruikt, maar dat is geen excuus. Heb ik al drie weken mijn koffiegeld niet betaald? Wat is dit, mens, de Spaanse inquisitie of zo?' Hij gooide de hoorn met een harde knal op het toestel, streek met een hand door zijn grijze haar en zuchtte. 'Het valt niet mee om tegenwoordig goed personeel te krijgen. Oké, Banks, laten we maar eens kijken wat we voor je hebben.' Hij bladerde door de stapel papieren op zijn bureau.
Waarschijnlijk had hij alles in zijn hoofd zitten, dacht Banks bij zichzelf, maar ontleende hij zekerheid aan de dossiers en documenten op zijn bureau, zoals Richmond altijd graag uit zijn opschrijfboekje voorlas, hoewel hij heel goed wist wat daar stond.
'Seth Cotton, aye, arme knaap.' Glendenning haalde een leesbril met halvemaanvormige glazen uit zijn borstzak en tuurde langs zijn neus naar het verslag, dat hij op een armlengte afstand van zijn gezicht vandaan hield. Toen hij klaar was met lezen, legde hij het weg en hij zette zijn bril af en leunde achterover in zijn stoel met zijn grote, tengere handen in elkaar gevouwen op zijn schoot. De koffie werd gebracht en Molly vertrok na een afkeurende blik op haar baas.
'Het laatste maal is ongeveer drie uur voordat de dood intrad genuttigd,' zei Glendenning. 'Een stevige maaltijd ook, als ik dat even mag zeggen. Roastbeef, Yorkshire pudding. Bestaat er een betere maaltijd voor een ter dood veroordeelde?'
'*Haggis*?'
Glendenning zwaaide bestraffend met zijn vinger. 'Nu moet je me niet in het ootje nemen, Banks.'
Banks nam een slokje koffie. Die was gloeiend heet en smaakte heerlijk. Blijkbaar was het niet het 'smerige bocht' van de receptie.
'Geen sporen van giftige stoffen, geen andere verwondingen naast de externe. Meneer Cotton verkeerde in een goede gezondheid, totdat het bloed uit hem wegstroomde.'
'Was dat de doodsoorzaak?'

'Aye. Het verlies van drie liter bloed heeft gewoonlijk inderdaad de dood tot gevolg.'
'En die klap op zijn hoofd? Is die toegebracht voor- of nadat zijn enkels werden doorgesneden?'
Glendenning krabde zich op zijn hoofd. 'Dat kan ik je niet zeggen. De reactie komt volledig overeen met die van een verwonding die voor het overlijden is aangebracht. Zoals je zelf ook hebt kunnen zien, lag er nogal wat bloed. De hoeveelheid leukocyten was ook hoog, witte bloedlichaampjes voor jou, de kleine reparateurs van het menselijk lichaam. Was de klap op het hoofd pas enige tijd na het overlijden toegebracht, dan zou daar natuurlijk duidelijk bewijs van zijn, maar de twee verwondingen zijn zo vlak na elkaar toegebracht dat het onmogelijk te zeggen is welke als eerste heeft plaatsgevonden. Cotton was beslist nog in leven toen hij zijn hoofd stootte, of toen iemand het voor hem stootte natuurlijk. Hoe lang hij na die klap nog heeft geleefd, kan ik je echter niet vertellen. Natuurlijk kan de hoofdwond ervoor hebben gezorgd dat hij zijn bewustzijn verloor en het is bijzonder lastig om je enkels door te snijden wanneer je bewusteloos bent, zoals jij ook vast en zeker wel zult beseffen.'
'Kan hij zijn hoofd hebben gestoten toen hij zich vooroverboog om zijn enkels door te snijden?'
Glendenning tuitte zijn lippen. 'Nee, dat denk ik niet. Je hebt zelf ook het bloed op de werkbank gezien. Daarvan was niets op de grond gelekt. Gezien de hoek waaronder de wond is toegebracht en de scherpe randen van de bankschroef zou ik zeggen dat zijn hoofd precies op de plek lag waar hij na de klap was terechtgekomen.'
'Kan iemand hem van achteren zijn genaderd en hem met zijn hoofd tegen de bankschroef hebben geslagen?'
'Dan moet ik speculeren, Banks. Het enige wat ik je kan vertellen is dat ik geen krabbels of blauwe plekken in zijn nek of op zijn achterhoofd heb aangetroffen.'
'Het antwoord is dus nee?'
'Dat hoeft niet per se. Als je iemand van achteren nadert en zijn hoofd snel een duw geeft voordat hij tijd heeft om te reageren, denk ik niet dat het te zien is.'
'Dat betekent dus dat het iemand moet zijn geweest die hij kende. Als een onbekende hem van achteren had beslopen, zou hij dat hebben gemerkt. Degene die dit heeft gedaan, moet al in de werkplaats aanwezig zijn geweest, iemand wiens aanwezigheid hem niet stoorde tijdens zijn werkzaamheden.'

'Allemaal theorieën,' zei Glendenning. 'Ik begrijp niet waarom je er geen vrede mee kunt hebben dat het zelfmoord was. Er zijn absoluut geen aanwijzingen die op het tegendeel wijzen.'
'Geen medische misschien.'
'Het spijt me,' zei Glendenning. 'Ik had je graag verder geholpen, maar dit zijn nu eenmaal de feiten. Hoewel het heel goed mogelijk is dat de klap op zijn hoofd de nodige complicaties zou hebben veroorzaakt als de heer Cotton was blijven leven, heeft hij beslist niet geleid tot zijn dood.'
'Complicaties? Wat voor complicaties?'
Er verscheen een diepe rimpel op Glendennings voorhoofd en hij pakte een sigaret uit het kistje op zijn bureau. Het zag eruit als een antiek stuk en Banks ontdekte dat er aan de bovenkant in elegante sierletters enkele woorden stonden gegraveerd: VOOR DOKTER C.W.S. GLENDENNING, VOOR HET SUCCESVOL AFRONDEN VAN... De rest kon hij niet lezen. Hij nam aan dat het een cadeau was geweest voor zijn afstuderen of iets dergelijks.
'Alles is mogelijk,' antwoordde Glendenning. 'We weten niet zo heel veel over het menselijk brein, Banks. Wel al heel wat meer dan vroeger, natuurlijk, maar nog steeds bij lange na niet voldoende. Bepaalde hoofdwonden kunnen gevolgen hebben die veel verder reiken dan slechts de kracht van de klap en de omvang van de zichtbare schade. Botschilfers kunnen zich in het weefsel nestelen en ook kneuzingen kunnen grote problemen veroorzaken.'
'Wat voor problemen?'
'Geheugenverlies – tijdelijk of blijvend – problemen met gehoor en zicht, duizeligheid, karakterveranderingen, tijdelijke aanvallen van bewusteloosheid. Moet ik verder gaan?'
Banks schudde zijn hoofd.
'In het geval van meneer Cotton is dat echter iets wat we nooit zullen weten.'
'Inderdaad.' Banks stond op. 'Heel hartelijk bedankt, dokter.'
Glendenning neigde met een koninklijk gebaar zijn hoofd.
Tijdens de wandeling terug naar het bureau hoorde Banks amper iets van Muddy Waters. Volgens Glendenning was het mogelijk dat Cotton was vermoord en dat was voldoende voor Banks. Natuurlijk wilde de dokter niet worden geciteerd – dat wilde hij nooit – maar hij had toegegeven dat de mogelijkheid bestond en dat was in zijn geval al heel wat. Als Burgess gelijk had, bestond er een gerede kans dat Boyd de dader was en dan kleefde Seths bloed aan Banks' handen.
Alsof dat al niet erg genoeg was, knaagde er nog iets anders aan hem: zo'n frustrerend gevoel dat je niet precies kunt omschrijven, zoals een naam die op

het puntje van je tong ligt of een jeukende plek waar je niet bij kunt om te krabben. Hij wilde niet voorbarig zijn, maar het voelde aan als het bekende glimpje van een nieuw idee. Los van elkaar staande feiten die bij elkaar kwamen en met het nodige denkwerk, een beetje hulp van het onderbewuste en een sprankje geluk uiteindelijk zelfs naar het juiste antwoord konden leiden. Hij had echter nog een lange weg te gaan en toen Muddy Waters *Still a Fool* inzette, gaf Banks hem groot gelijk.

Volgens de kerkklok was het na elven, wat inhield dat Burgess al weg was om Osmond en de studenten te ondervragen. In zijn kantoor belde Banks het lab van de technische recherche en vroeg naar Vic Manson. Hij moest even wachten, maar toen kwam Vic aan de lijn.

'De vingerafdrukken?' vroeg Banks.

'Ja. Vier verschillende sets. Tenminste, vier herkenbare sets. Een behoort uiteraard aan de overledene zelf toe en eentje aan die Boyd – dezelfde die we ook op het mes hebben aangetroffen – en dan zijn er nog twee andere.'

'Die zullen dan wel van Mara en een van de anderen zijn,' zei Banks. 'Hartelijk bedankt, Vic. Ik zal zien of ik de vingerafdrukken van de anderen zo snel mogelijk bij je kan krijgen als vergelijkingsmateriaal. Is Geoff Tingley in de buurt?'

'Ja zeker. Een ogenblikje, dan haal ik hem even voor je.'

Aan de andere kant van de lijn hoorde Banks in de verte stemmen en toen nam iemand de hoorn op. 'Met Tingley. Gaat het over die brieven?'

'Ja.'

'Mooi. Ik ben er vrij zeker van dat ze niet door dezelfde persoon zijn getypt. Er kunnen best kleine verschillen optreden in de kracht waarmee iemand typt, maar in dit geval waren de verschillen zo enorm dat ik zou zeggen dat dit op zich al voldoende bewijs is. Ik zou trouwens nog wel een paar voorbeelden van minimaal een van de schrijvers willen zien als dat kan. Dan heb ik iets meer variabelen en een breder palet ter vergelijking.'

'Ik zal zien wat ik kan doen,' zei Banks. Seths archiefkast bevatte ongetwijfeld wel enkele voorbeelden van door hem getypte teksten. 'Hebt u er iets aan als we een verdachte een voorbeeld laten typen?' vroeg hij.

'Hmmm. Misschien wel. Het probleem is dat als hij weet dat het voor ons is, het niet zo heel moeilijk is om de boel te bedotten. Ik vermoed wel dat deze kerel een zwoeger is. Je kunt zien dat de brief met veel kracht is getikt; elke letter is zorgvuldig uitgezocht en stevig ingedrukt. 'Hakken' is een term die daar wel voor wordt gebruikt. De tweede persoon kon veel beter typen, weliswaar ook met twee vingers, vermoed ik, maar vrij snel en accuraat. Had

waarschijnlijk veel meer ervaring. En dan is er nog iets. Wellicht is de stijl van beide brieven u opgevallen...?'
'Ja,' zei Banks. 'Dat hebben we inderdaad gezien. Toch goed dat u me er nog even op wijst.'
Tingley klonk teleurgesteld. 'Ach, het is een kleine moeite.'
'Heel hartelijk bedankt. Ik neem binnenkort contact met u op over de voorbeelden en tests. Zou u Vic nog even aan de telefoon kunnen roepen? Er is me zojuist iets te binnen geschoten.'
'Komt voor elkaar.'
'Ben je daar nog?' vroeg Manson een paar seconden later.
'Ja zeker. Hoor eens, Vic, nog een paar dingen. Om te beginnen de typemachine.'
'Geen duidelijke afdrukken, alleen vage vlekken.'
'Is hij schoongeveegd?'
'Zou kunnen.'
'Er lag toch een doek op de tafel? Zo'n gele stofdoek.'
'Dat klopt,' zei Manson. 'Wil je dat ik op zoek ga naar vezels?'
'Als je dat zou willen doen, graag. En het papier?'
'Hetzelfde, niets bruikbaars.'
'En de pen of wat het ook was dat we op de vloer zagen liggen? Heb je al tijd gehad om daarnaar te kijken?'
'Ja. Een doodgewone balpen, een Bic. Geen afdrukken, uiteraard, alleen een zweterige vlek.'
'Hmmm.'
De pen had recht onder Seths bungelende rechterarm in een plas bloed gelegen. Als hij rechtshandig was geweest, wat volgens Banks zo was, kon hij die pen hebben gebruikt om een brief te schrijven voordat hij stierf. De pen kon natuurlijk al eerder op de grond zijn gerold, maar Seth was altijd erg netjes geweest, vooral in de laatste minuten van zijn leven. Wellicht had hij zelf een brief geschreven en had degene die hem had vermoord die meegenomen en vervangen door een andere. Waarom? Omdat Seth Gill niet had vermoord en dat in zijn eigen brief heel duidelijk had gezegd? Dan hield dat in dat hij om een heel andere reden zelfmoord had gepleegd. Had hij de moordenaar misschien bij name genoemd of juist geprobeerd om diens identiteit verborgen te houden?
Ook nu weer veel te veel vragen. Misschien hadden Burgess en Glendenning wel gelijk en was het dwaas van hem om de gemakkelijke oplossing van de hand te wijzen. Hij had tenslotte een keuze: ofwel Seth Cotton was schuldig,

zoals het briefje aangaf, en hij had voor zelfdoding gekozen, ofwel Paul Boyd had hem vermoord uit vrees dat hij zou worden ontdekt en zijn brief vervalst. Banks had een voorkeur voor de tweede mogelijkheid, maar om een of andere reden kon hij zichzelf er niet van overtuigen dat Boyd het echt had gedaan, en dat kwam echt niet alleen door het feit dat hij verantwoordelijk was voor zijn vrijlating. Boyd had een strafblad en was ervandoor gegaan toen het mes opdook. Misschien was hij veel harder en slimmer dan iedereen besefte. Als zijn claustrofobie – waardoor zelfs Burgess geneigd was hem te geloven vanwege zijn angst voor een gevangenisstraf – bijvoorbeeld gespeeld was, was alles mogelijk. Tot dusver hadden ze echter alleen indirect bewijsmateriaal en Banks was nog altijd van mening dat het beeld niet compleet was. Hij stak een sigaret op en liep naar het raam om naar het marktplein te staren. Vandaag werkte het helaas niet inspirerend.

Na een tijdje vond hij dat het tijd werd om zijn bureau op te ruimen en te gaan lunchen. Vrijwel elke beschikbare vierkante centimeter werd bedekt door gele memostickertjes, maar de meeste daarvan waren allang achterhaald. Hij verfrommelde ze tot een prop en gooide ze in de prullenmand. Daarna waren de dossiers, getuigenverklaringen en rapporten aan de beurt die hij had doorgenomen om zijn geheugen op te frissen. De meeste informatie werd in het archief bewaard, maar Banks had er een gewoonte van gemaakt om voor zichzelf een dun dossier bij te houden van elke zaak waaraan hij had gewerkt. Boven op de stapel lag zijn map over Elizabeth Dale. Toen hij deze wilde oppakken, schoot het hem te binnen dat het hem enige moeite had gekost om de betreffende map op te sporen en dat hij hem net uit de dossierkast had gehaald toen Rowe belde met het nieuws dat Seth Cotton dood was.

Hij sloeg de map open en nam de feiten van de zaak opnieuw door; eigenlijk was het amper een zaak te noemen, eerder een onbeduidend incident dat een maand of achttien geleden had plaatsgehad.

Elizabeth Dale had zich vrijwillig bij een psychiatrische inrichting aan de rand van Huddersfield gemeld met klachten over depressie, apathie en een algehele onmacht om zich in de buitenwereld te handhaven. Nadat ze daar enkele dagen was geobserveerd en behandeld, was ze tot de conclusie gekomen dat ze hun hulp niet kon waarderen en weggevlucht naar Maggie's Farm, waar een oude vriend van haar uit Hebden Bridge, Seth Cotton, woonde. De directie van de inrichting liet Eastvale weten dat ze haar hadden horen praten over een vriend met een huis in de buurt van Relton en verzocht het maatschappelijk werk daar om een kijkje te gaan nemen om te zien of ze daar was.

Dat bleek inderdaad zo te zijn. Dennis Osmond was naar de boerderij gestuurd om haar ervan te overtuigen dat ze beter kon terugkeren naar de inrichting, voor haar eigen bestwil uiteraard, maar mevrouw Dale hield voet bij stuk: ze bleef op de boerderij. Osmond had zelfs toegegeven dat een verblijf in dat huis haar goed zou doen. Uit woede en wanhoop had de inrichting ten slotte twee van haar eigen medewerkers gestuurd, die Elizabeth overhaalden met hen mee terug te gaan. Volgens Seth Cotton en Osmond, die later nog een klacht hadden ingediend, hadden ze haar geïntimideerd en gedreigd met gedwongen opname.

Omdat Elizabeth Dale een verleden had als drugsverslaafde, hadden de medewerkers van de inrichting de politie erbij gehaald toen ze het vermoeden kregen dat de bewoners van de boerderij drugs gebruikten. Banks was er met Hatchley en een agent in uniform naartoe gegaan, maar ze hadden niets gevonden. Mevrouw Dale was naar de inrichting teruggegaan en voorzover Banks wist, was alles weer bij het oude teruggekeerd.

Door de recente gebeurtenissen werd het verhaal iets intrigerender. Om te beginnen had zowel Elizabeth Dale als Dennis Osmond een band met agent Gill via de klacht die ze onafhankelijk van elkaar tegen hem hadden ingediend. En nu bleek dat er nog een connectie bestond tussen Osmond en Dale. Waar was Elizabeth Dale nu? Hij zou naar Huddersfield moeten gaan om haar zelf op te sporen. Uit ervaring wist hij dat het geen enkele zin had om zo'n gesprek met een dokter via de telefoon te voeren. Het zou echter wel tot morgen moeten wachten. Hij wilde graag eerst met Mara praten, als ze daar tenminste toe in staat was. Voordat hij op pad ging, overwoog hij Jenny te bellen om te proberen de ruzie bij te leggen die ze zondag tijdens de lunch hadden gehad.

Hij stond op het punt haar te bellen toen de telefoon ging.

'Inspecteur Banks?'

'Daar spreekt u mee.'

'Lawrence Courtney, van advocatenkantoor Courtney, Courtney & Courtney.'

'Ja, ik ben bekend met uw kantoor. Wat kan ik voor u doen?'

'Het gaat erom wat ik voor u kan doen,' zei Courtney. 'Ik las vanochtend in de krant dat een zekere Seth Cotton is overleden. Is dat juist?'

'Dat klopt inderdaad, ja.'

'Welnu, inspecteur, wellicht vindt u het interessant om te weten dat wij het testament van de heer Cotton hebben opgemaakt.'

'Testament?'

'Inderdaad, zijn testament.' Hij klonk lichtelijk geïrriteerd. 'Bent u daarin geïnteresseerd?'
'Ja zeker.'
'Schikt het u om vandaag na de lunch bij ons kantoor langs te komen?'
'Ja. Maar hoort u eens, kunt u me niet gewoon...'
'Uitstekend. Dan zie ik u vanmiddag. Zullen we zeggen om halfdrie? Tot ziens, inspecteur.'
Banks gooide de hoorn op de haak. Wat een pompeuze kwal. Hij vloekte hartgrondig en graaide naar een sigaret. Een testament? Dat was onverwacht. Banks had niet gedacht dat zo'n non-conformist als Seth de moeite had genomen om een testament te laten opstellen. Hij was natuurlijk wel eigenaar van een huis en een bedrijf. Hoe had hij echter kunnen weten dat hij in de nabije toekomst zou komen te overlijden?
Banks noteerde de naam van de advocaat en het tijdstip waarop ze hadden afgesproken, en plakte het briefje op zijn bureau. Daarna haalde hij diep adem, en hij belde Jenny op haar kamer van de universiteit van York en sprong direct in het diepe. 'Het spijt me van gisteren. Ik besef hoe het moet zijn overgekomen, maar ik kon geen betere manier bedenken om het je te vertellen.'
'Mijn reactie was erg overdreven,' zei Jenny. 'Ik voel me zo stom. Je deed gewoon je werk.'
'Ik was helemaal niet van plan het je te vertellen, totdat ik doorkreeg dat een relatie met Osmond gevaarlijk zou kunnen zijn.'
'Ik had je waarschuwing niet als bemoeizucht mogen opvatten. Ik vind het alleen zo frustrerend. Kerels! Waarom kies ik toch altijd de verkeerde uit?'
'Vind je wat hij heeft gedaan erg?'
'Ja, natuurlijk vind ik het erg.'
'Blijf je met hem omgaan?'
'Dat weet ik nog niet, hoor.' Ze zei het zo verveeld mogelijk. 'Eerlijk gezegd was ik toch al een beetje op hem uitgekeken. Zijn er nog nieuwe ontwikkelingen?'
'In welk opzicht? De inbraak of de moord op Gill?'
'Allebei, nu je het vraagt. Wat is er? Zo te horen ben je een tikje gespannen.'
'Ach, niets. Ik heb gewoon een drukke ochtend gehad. En ik zag ertegen op om jou te bellen. Heb je het gelezen van Seth Cotton?'
'Nee. Ik had vanochtend geen tijd om de krant in te kijken. Hoezo? Wat is er dan gebeurd?'
Banks vertelde het haar.

'O, lieve hemel. Arme Mara. Denk je dat ik iets kan doen?'
'Dat weet ik niet. Ik heb geen flauw idee hoe ze eraan toe is. Ik ga haar later vanmiddag opzoeken. Als je wilt, kan ik je naam laten vallen.'
'Ja, heel graag. Zeg haar maar dat ik met haar meeleef. Dat ik er voor haar ben, als ze er met iemand over wil praten... Wat is er precies gebeurd of kun je dat niet zeggen?'
'Wist ik het maar.' Banks gaf haar een korte samenvatting van zijn theorie.
'En nu voel jij je zeker verantwoordelijk? Is dat niet eigenlijk de reden waarom je er niet aan wilt dat Boyd misschien de dader is?'
'Wat betreft dat schuldgevoel heb je helemaal gelijk. Als ik niet zo had aangedrongen, had Burgess hem nooit laten gaan.'
'Burgess is niet direct iemand die toegeeft onder druk. Die doet volgens mij niets wat hij zelf niet wil.'
'Dat is wel zo. Maar goed... er is nog meer. Dat denk ik tenminste. Er is iets veel ingewikkelders. En beschuldig me er nu niet van dat ik de zaken moeilijker maak dan ze zijn, dat heb ik al vaak genoeg gehoord.'
'Oei, wat zijn we prikkelbaar vandaag. Dat was ik ook helemaal niet van plan.'
'Sorry. Het grijpt me geloof ik nogal aan. Even over die inbraak. Ik ben ermee bezig en waarschijnlijk weten we vanavond of op zijn laatst morgenochtend meer.'
'Wat is er dan?'
'Dat zeg ik liever nog niet. Maak je niet druk, ik geloof niet dat Osmond gevaar loopt.'
'Zeker weten?'
'Heel zeker.'
'En je zit op het juiste spoor?'
'Zit ik er wel eens naast dan? Nu niet kwaad worden, want ik moet ophangen. Ik spreek je nog wel.'
Hij wist echter niet goed waar hij nu eigenlijk naartoe moest. Naar die advocaat, maar dat was pas om halfdrie. In een enigszins depressieve bui stak hij weer een sigaret op en ging hij bij het raam staan. De Queen's Arms, dat was het. Een pastei en een pint zouden hem goed doen. En Burgess had toegezegd dat hij zou proberen daar rond halftwee ook te zijn, zodat ze even konden bijpraten.

Het kantoor van Courtney, Courtney & Courtney stond vrij dicht bij het politiebureau aan Market Street. Zo dichtbij in feite dat het niet echt de moei-

te waard was om tijdens de korte wandeling ernaartoe de walkman aan te zetten.
De advocatenfirma was gevestigd in wat ooit een theehuis was geweest en de nieuwe naam krulde in een goudkleurige belettering in een halve cirkel op het grote raam. Banks vroeg de jonge receptioniste naar de heer Lawrence Courtney en na een kort gesprek over de intercom werd hij naar een ruim kantoor gebracht dat vol lag met juridische documenten.
Lawrence Courtney zelf zat aan een enorm directiebureau vastgeklemd en was bepaald niet de stijve hark – driedelig pak, gouden horlogeketting, lorgnet, neus in de lucht alsof hij voortdurend iets vies rook – die Banks naar aanleiding van hun telefoongesprek had verwacht, maar in plaats daarvan een ontspannen, mollige man van een jaar of vijftig met iets te lang haar, een rond, blozend gezicht en een vriendelijke blik in zijn ogen. Zijn colbertje hing achter de deur aan een haakje. Hij had een wit overhemd aan, een roodgroen gestreepte stropdas en effen zwarte bretels. Banks zag dat de bovenste knoop van zijn overhemd openstond en zijn das was losgetrokken, net als bij hem.
'Seth Cottons testament,' zei Banks, nadat hij na een stevige, wat klamme handdruk was gaan zitten.
'Juist. Ik had al zo'n vermoeden dat u daar belangstelling voor zou hebben,' zei Courtney. Er krulde een glimlachje rond de hoeken van zijn roze, rubberachtige lippen.
'Wanneer heeft hij het laten opmaken?'
'Eens even kijken... Ongeveer een jaar geleden, denk ik.' Courtney had het document gevonden en las de precieze datum voor.
'Waarom is hij daarvoor naar u gegaan? Ik weet natuurlijk niet hoe goed u hem kende, maar ik vond hem niet iemand die snel een advocaat zou inschakelen.'
'We hebben de aankoop van het huis afgehandeld,' zei Courtney, 'en toen de overdracht volledig was afgewikkeld, hebben we hem voorgesteld om een testament te maken. Dat doen we wel vaker. Niet zozeer om werk binnen te halen als wel om ons werk iets eenvoudiger te maken. Veel mensen die overlijden hebben geen testament en u hebt geen idee wat voor complicaties dat kan opleveren wanneer er geen naaste familie is. Het huis zelf, bijvoorbeeld. Voorzover mij bekend is was meneer Cotton niet getrouwd en woonde hij evenmin samen.'
'Hoe reageerde hij op uw voorstel?'
'Hij zei dat hij erover zou nadenken.'
'En daar had hij twee jaar voor nodig?'

'Blijkbaar wel. Ik hoop dat u het niet erg vindt dat ik het vraag, inspecteur, maar waarom is het voor u zo belangrijk te weten waarom hij precies een testament heeft laten opmaken? Een heleboel mensen hebben een testament, weet u.'

'Het gaat mij om de timing. Ik vroeg me af waarom hij het toen heeft laten doen en niet eerder of later.'

'Hmmm. Ik neem aan dat dit iets is waarmee jullie van de politie inderdaad rekening moeten houden. Bent u misschien ook in de inhoud geïnteresseerd?'

'Uiteraard.'

Courtney vouwde het document nu volledig open, tuurde er even naar, legde het vervolgens opzij en stak zijn duimen achter zijn bretels. 'Het stelt in feite niet zo heel veel voor,' zei hij toen. 'Hij laat het huis en het kleine beetje geld dat hij had – een pond of tweeduizend, meen ik, maar dat zult u bij de bank moeten navragen – na aan een zekere Mara Delacey.'

'Mara? Is dat alles?'

'Niet helemaal. Vreemd genoeg heeft hij een paar maanden geleden een codicil laten toevoegen. Vlak voor de kerst om precies te zijn. Het verandert in wezen niets aan het oorspronkelijke testament, maar stelt slechts dat alle materialen, geld en zakenrelaties met betrekking tot zijn meubelmakerij naar Paul Boyd gaan, in de hoop dat hij er verstandig mee omgaat.'

'Verdorie!'

'Is er iets?'

'Nee, er is niets. Het spijt me. Mag ik hier roken?'

'Als u het echt niet laten kunt.' Courtney haalde een schone asbak uit een bureaulade en schoof die met een afkeurende blik naar Banks toe. Banks liet zich er daardoor niet van weerhouden er een op te steken.

'Dus als ik het goed begrijp,' zei Banks, 'heeft hij zijn huis en geld nagelaten aan Mara, die hij op dat moment een jaar kende, en zijn bedrijf aan Paul, die pas een paar maanden op de boerderij woonde.'

'Daar zegt u zo wat, inspecteur. Het duidt erop dat meneer Cotton mensen snel vertrouwde.'

'Dat doet het zeker. Of dat er niemand anders was aan wie hij iets wilde nalaten. Ik denk niet dat hij had gewild dat zijn bezittingen naar de staat gingen. Wie kan echter zeggen waar Boyd had uitgehangen als Cotton pas veel later aan een natuurlijke doodsoorzaak was overleden? Of Mara? Is het mogelijk dat hij wist dat zijn leven gevaar liep?'

'Die vraag kan ik helaas niet beantwoorden,' zei Courtney. 'Ons contact betreft puur de juridische kant en meneer Cotton heeft zeker niet aangegeven

dat zijn verscheiden ophanden was. Als ik u verder nog ergens mee kan helpen, ben ik daartoe uiteraard bereid.'
'Dank u wel. Ik geloof dat dit alles was. U stelt Mara Delacey op de hoogte, neem ik aan?'
'We zullen te zijner tijd stappen ondernemen om de erfgenamen te benaderen, ja.'
'Is het goed als ik haar vanmiddag al op de hoogte stel?'
'Daar heb ik geen enkel bezwaar tegen. Misschien kunt u haar - of hen beiden, indien mogelijk - verzoeken om bij ons kantoor langs te komen. Dan kan ik hun de procedure uitleggen. Als de bank moeilijk doet, verwijst u hen dan door naar mij, inspecteur. Het is de National Westminster - de NatWest, zoals ze zich tegenwoordig noemen, geloof ik - het filiaal aan het marktplein. De manager is een zeer gewaardeerde cliënt van ons.'
'Ik ken de bank wel.' Wat heet kennen, voegde Banks er in gedachten aan toe, ik sta er vrijwel elke dag uren naar te staren.
'Dan neem ik nu afscheid van u, inspecteur. Het was me een waar genoegen.'
Beduusd verliet Banks het pand; hij zat nu met meer vragen dan vóór het gesprek. Voordat hij het bureau bereikte, had hij zijn wildste fantasieën echter alweer weten te beteugelen. Waarschijnlijk had het testament helemaal niets met de zaak te maken. Seth Cotton had gewoon verder vooruitgekeken dan een heleboel mensen van hem zouden hebben verwacht. Wat was daar mis mee? Aangezien zijn ouders waren overleden en hij geen naaste familie had, was het ook niet meer dan logisch dat hij het huis aan Mara had nagelaten. En Paul Boyd was tenslotte zijn leerling. Seth had puur uit vertrouwen en overtuiging gehandeld.
Zelfs als Mara en Paul hadden geweten wat hun te wachten stond, zou geen van hen Seth hebben gedood om de erfenis op te strijken, daarvan was Banks overtuigd. Voor Mara was het leven met Seth beslist beter dan zonder hem en hoewel Boyd mogelijk enige akelige karaktertrekken in zich herbergde, was hij niet dom of kleinzielig genoeg om iemand omwille van wat gereedschap te vermoorden. Dat testament kon hij dus rustig vergeten, hield Banks zichzelf voor. Hoewel het een aardig gebaar was, was het totaal niet relevant. Behalve dan misschien de datum. Waarom had hij na Courtneys voorstel twee jaar gewacht voordat hij het liet opstellen? Had hij het gewoon voor zich uit geschoven?
Het riep ook een belangrijkere vraag op: had Seth een jaar geleden het idee gehad dat zijn leven gevaar liep? Als dat zo was, waarom had het dan zo lang geduurd voordat het gevaar had toegeslagen? En had die angst de afgelopen

kerst op een of andere manier opnieuw een impuls gekregen?
Voordat hij terugging naar zijn kantoor, wipte hij even bij de National Westminster binnen, waar hij zonder al te veel moeite de details van Seths financiën loskreeg: een spaarrekening met daarop 2.343,64 pond en een betaalrekening met 421,33 pond.
Toen hij eindelijk terugkwam in zijn kantoor was het al halfvier geweest en er lag een bericht van Vic Manson op hem te wachten waarin hij meldde dat er inderdaad vezels op de toetsen van de typemachine waren aangetroffen die overeenkwamen met de vezels van de stofdoek. Maar, zo had Manson er met de zo kenmerkende forensische voorzichtigheid aan toegevoegd, het viel met geen mogelijkheid te bewijzen of de machine vóór of na het intypen van het briefje was schoongeveegd. Door de druk van de vingers op de toetsen konden de afdrukken ook smoezelig zijn geworden.
Banks' korte gesprek met Burgess tijdens de lunch had evenmin iets nieuws opgeleverd. Dirty Dick had Osmond gesproken, maar was geen meter verder gekomen. Aan het begin van de middag ging hij naar Tim en Abha, en hij had er geen enkel bezwaar tegen dat Banks Mara Delacey voor zijn rekening nam. Wat Burgess betreft was alles zo goed als afgerond en hij wilde slechts meer gegevens verzamelen die konden bewijzen dat Boyd of Cotton zich met extreme politieke zaken hadden ingelaten. Hij zat vrijwel de hele tijd naar Glenys te staren en had Banks er diverse keren aan herinnerd dat ze die avond vrij had. Gelukkig was Cyril nergens te bekennen geweest.
Banks liet een berichtje voor Burgess achter bij de balie, waarin hij in het kort meldde wat hij van Lawrence Courtney over Seths testament had gehoord. Omdat Richmond met een andere zaak bezig was, vroeg hij Hatchley om met hem mee te gaan en een kit te halen om vingerafdrukken af te nemen. Hij haalde het bandje met Muddy Waters uit zijn walkman en liep met een kreunende en steunende Hatchley op zijn hielen snel naar de auto. Het was tijd om te gaan kijken of Mara Delacey wilde praten.
'Wat vind je van hoofdinspecteur Burgess?' vroeg Banks tijdens de rit aan Hatchley. Ze hadden de afgelopen dagen geen tijd gehad om met elkaar van gedachten te wisselen.
'Onder ons?'
'Ja.'
'Tja...' Hatchley wreef met een van zijn enorme handen over zijn gezicht. 'In het begin leek hij wel oké. Iemand met lef. Iemand die van aanpakken weet. Alleen had ik eigenlijk verwacht dat een whizzkid als hij veel sneller resultaten zou boeken.'

'Niemand van ons heeft al echt resultaten geboekt,' zei Banks. 'Wat wil je daarmee precies zeggen? Die man is ook maar van vlees van bloed.'
'Dat zal het dan wel zijn. In het begin imponeert hij wel, maar...'
'Je moet hem niet onderschatten,' merkte Banks op. 'Hij is hier natuurlijk een vreemde eend in de bijt. Hij is een tikje gefrustreerd omdat we niet in elk hoekje en gaatje van de stad krijsende anarchisten hebben zitten.'
'Aye,' zei Hatchley. 'En u vond mij al zo ontzettend rechts.'
'Dat ben je ook.'
Hatchley bromde iets onverstaanbaars.
'Wanneer we bij de boerderij zijn wil ik dat je een kijkje neemt in Seths archiefkast in de werkplaats,' ging Banks verder en hij stuurde de auto de Romeinse weg op, 'om te zien of je een paar voorbeelden van zijn typekunst kunt vinden. Veder wil ik van iedereen vingerafdrukken hebben. Vraag hun om toestemming en maak hun duidelijk dat we een gerechtelijk bevel kunnen halen als ze niet willen. Zorg er ook voor dat ze weten dat de afdrukken worden vernietigd wanneer er geen aanleiding is om hen te vervolgen.' Banks zweeg even en wreef over het litteken. 'Ook wil ik dat ze allemaal een paar regels typen op Seths typemachine, maar daarmee zullen we moeten wachten tot de technische recherche hem vrijgeeft. Duidelijk?'
'Prima,' zei Hatchley.
Zoe deed met een vermoeid, bleek gezicht de deur open.
'Mara is er niet,' zei ze in antwoord op Banks' vraag en ze hield de deur slechts op een kier geopend.
'Ik dacht dat ze een slaapmiddel had gekregen.'
'Dat was gisteravond. Ze heeft lang en diep geslapen. Ze zei dat ze zin had om in de winkel een paar potten te draaien en de dokter dacht dat dit wellicht een goed idee was. Elspeth is er ook, voor het geval dat... nu ja, voor alle zekerheid.'
'Dan ga ik naar het dorp,' zei Banks tegen Hatchley. 'Je zult het hier in je eentje moeten rooien. Mag de brigadier even binnenkomen, Zoe?'
Zoe slaakte een diepe zucht en deed de deur verder open.
'Komt u hier nog terug?' vroeg Hatchley.
Banks keek op zijn horloge. 'Waarom spreken we straks niet in de Black Sheep af?'
Hatchley grijnsde verheugd bij het vooruitzicht van een pint Black Sheep bitter, maar toen betrok zijn gezicht. 'Hoe kom ik daar dan?'
'Te voet.'
'Te voet?'

'Ja. Het is maar een kilometer of anderhalf over het pad. Is goed voor je. Krijg je dorst van.'
Hatchley was niet overtuigd – het was hem tot dan toe altijd gelukt om ook zonder lichamelijke inspanning een stevige dorst te kweken – maar Banks liet hem aan zijn lot over en reed naar Relton.
Mara zat in de werkruimte achter de winkel over de pottenbakkersschijf gebogen en vormde voorzichtig een rand om een vaas. Elspeth ging hem voor en mompelde met nauwelijks verholen tegenzin: 'Iemand van de politie voor je,' waarna ze snel terugging naar de winkel.
Mara keek even op. 'Ik moet dit even afmaken,' zei ze. 'Als ik nu ophou, verpest ik hem.' Banks stond zwijgend tegen een deurpost aan. Het rook in de kamer naar natte klei. Ook was het er warm. De oven die achterin stond, gaf een enorme hitte af. Mara's lange, bruine haar zat in een paardenstaart, wat haar spitse neus en kin accentueerde. Haar witte jas zat vol kleivlekken.
Ten slotte besprenkelde ze de draaischijf met een flinke hoeveelheid water, waarna ze de vaas met een metalen draad lossneed, hem voorzichtig op haar hand liet glijden en hem op een houten plank neerzette.
'Wat gebeurt er nu?' vroeg Banks.
'Nu moet hij eerst drogen.' Ze zette hem weg in een grote kast achter in de ruimte. 'Daarna gaat hij de oven in.'
'Ik dacht hij in de oven wel zou drogen.'
'Nee. Daarin wordt hij gebakken. Hij moet eerst opdrogen tot hij de structuur van oude cheddar heeft.'
'Deze zijn erg mooi,' zei Banks en hij wees naar een paar mokken met oranje en bruine glazuur die al af waren.
'Bedankt.' Mara's ogen waren opgezet en een beetje ongeconcentreerd, en haar bewegingen traag en zombieachtig. Zelfs haar stem was vlak en levenloos, hoorde Banks.
'Ik moet je een paar vragen stellen,' zei hij.
'Dat dacht ik al.'
'Vind je het erg?'
Mara schudde haar hoofd. 'Ik wil er gewoon zo snel mogelijk vanaf zijn.'
Ze zat op het randje van haar kruk en Banks nam plaats op een krat vlak bij de deur. Hij hoorde Elspeth, die in de winkel de voorraad opnam, neuriën.
'Kun jij je nog herinneren of iemand gistermiddag tijdens de bijeenkomst een tijdje is weg geweest?' vroeg Banks.
'Was dat pas gisteren? Lieve hemel, het lijkt al maanden geleden. Nee, dat kan ik me niet meer herinneren. Mensen liepen voortdurend in en uit, maar

ik geloof niet dat iemand lang is weggebleven. Ik weet ook niet zeker of ik dat zou hebben gemerkt.'
'Heeft Seth ooit iets tegen je gezegd over zelfmoord? Heeft hij het onderwerp wel eens ter sprake gebracht?'
Mara's mond verstrakte en het bloed trok uit haar lippen weg. 'Nee. Nooit.'
'Hij heeft al eens eerder een poging gedaan. Wist je dat?'
Mara trok haar dunne wenkbrauwen op. 'Nee. Blijkbaar kende u hem beter dan ik.'
'Volgens mij kende niemand hem echt goed. Hij had een testament, Mara.'
'Dat weet ik.'
'Kun je je nog herinneren dat hij het liet opstellen?'
'Ja. Hij maakte er nog grapjes over. Zei dat hij zich nu pas echt een oude man voelde.'
'Is dat alles?'
'Dat is alles wat ik nog weet.'
'Heeft hij je indertijd verteld waarom hij het toen liet opstellen?'
'Nee. Hij zei alleen dat de advocaat die hem had geholpen bij de aankoop van het huis, die Courtney, had gezegd dat het verstandig was en dat hij er al een tijd over liep te denken.'
'Weet je ook wat er in het testament stond?'
'Ja. Hij zei dat hij het huis aan mij naliet. Ben ik nu een verdachte?'
'Wist je ook van het codicil af?'
'Codicil? Nee.'
'Hij heeft zijn gereedschap en materialen aan Paul nagelaten.'
'Nu ja, dat is ook wel logisch. Paul vindt het leuk en ik heb er toch niets aan.'
'Was Paul hiervan op de hoogte?'
'Dat zou ik niet weten.'
'Het moet rond afgelopen kerst hebben plaatsgehad.'
'Misschien vond hij het een leuk cadeautje.'
'Waarom dacht hij dat hij dood zou gaan? Hoe oud was Seth nu helemaal, veertig? Hij had minstens zeventig kunnen worden. Was er iets speciaals wat hem zorgen baarde?'
'Seth was altijd... nu ja, niet direct bezorgd, maar hij piekerde wel veel. De laatste tijd was hij zwartgalliger dan ooit. Zo was hij nu eenmaal.'
'Er was echter niet iets specifieks?'
Mara schudde haar hoofd. 'Ik geloof niet dat hij zelfmoord heeft gepleegd, meneer Banks. Hij had zoveel om voor te leven. Hij zou ons nooit zomaar in de steek laten. Iedereen steunde op Seth. We keken allemaal tegen hem op.

Hij gaf veel om mij, om ons. Ik denk dat iemand hem heeft vermoord.'
'Wie dan?'
'Dat weet ik niet.'
Banks verschoof een stukje op het krat. Het was erg hard en van onderen prikte er een spijker in zijn bovenbeen. 'Herinner je je Elizabeth Dale nog?'
'Liz. Ja, natuurlijk. Grappig, ik moest gisteravond plotseling aan haar denken.'
'Waarom?'
'Och, het had eigenlijk niets te betekenen. Ik was zo ontzettend jaloers toen ze naar de boerderij kwam. Ik kende Seth pas zes maanden. We waren gelukkig samen, maar ik... ik weet het niet... ik denk dat ik erg onzeker was. Ben.'
'Waarom was je jaloers?'
'Misschien is dat niet helemaal het juiste woord. Ik voelde me buitengesloten. Seth en Liz kenden elkaar al zo lang en ik maakte geen deel uit van hun gezamenlijke herinneringen. Ze bleven 's avonds vaak heel laat op om te praten, wanneer ik al naar bed was.'
'Kon je horen waarover ze het hadden?'
'Nee. Het was heel gedempt. U mag wel roken als u wilt.'
'Dank je.' Ze moest hebben gezien dat hij onrustig om zich heen had gekeken of er ergens een asbak stond. Hij haalde zijn pakje sigaretten tevoorschijn en bood Mara er een aan.
'Ja, graag,' zei ze. 'Ik heb vandaag niet de puf om mijn eigen sigaretten te draaien.'
'Wat vond je van Liz Dale?'
Mara stak haar sigaret op en inhaleerde diep. 'Ik mocht haar niet echt. Ik weet niet waarom, het was instinctief. Ze was natuurlijk geestelijk in de war, maar daarnaast leek ze me iemand die andere mensen gebruikte, veel te afhankelijk van hen was, hen zelfs manipuleerde.' Ze schokschouderde vermoeid en liet de rook via haar neus ontsnappen. 'Ze was een vriendin van Seth, dus ik heb er niets van gezegd.'
'Had je er bezwaar tegen dat ze bij jullie logeerde?'
'Ach, zo moeilijk was dat niet. Ze was maar drie dagen bij ons en toen kwamen die SS'ers van de inrichting haar alweer ophalen.'
'Dennis Osmond is toch eerst nog langs geweest?'
'Ja. Hij was te meegaand, zeiden ze. Hij begreep niet waarom ze niet gewoon kon blijven waar ze was, vooral omdat het geen gedwongen opname was geweest, maar ze zichzelf vrijwillig had laten opnemen. Hij ging nog in discussie met de mensen van de inrichting, maar dat haalde niets uit.'

'Konden Osmond en Liz het goed met elkaar vinden?'
'Dat weet ik eerlijk gezegd niet. Hij nam het voor haar op, maar dat is alles.'
'Er speelde dus niets anders tussen hen?'
'Wat bedoelt u daar precies mee? Een seksuele relatie?'
'Wat dan ook.'
'Dat betwijfel ik. Ze hebben elkaar maar twee keer gezien en ik geloof niet dat ze zijn type was.'
'Was dat de eerste keer dat Seth en Osmond elkaar ontmoetten?'
'Voorzover ik weet wel.'
'Had je de indruk dat Osmond Liz wellicht al eens eerder had ontmoet?'
'Nee. Maar dat zegt natuurlijk helemaal niets. Waar wilt u eigenlijk naartoe?'
'Dat weet ik zelf ook niet zo goed. Ik ga nu puur op mijn intuïtie af.'
'Meneer Banks,' fluisterde Mara opeens, 'denkt u soms dat Dennis Osmond Seth heeft vermoord? Is dat het? Ik weet zeker dat Seth het niet zelf heeft gedaan en ik... ik kan gewoon niet helder nadenken...'
'Rustig maar.' Banks ving haar op in zijn armen toen ze van haar kruk dreigde te glijden. Haar haren roken naar appel. Hij liet haar plaatsnemen op een stoel met een rechte rug die in een hoek stond en zag dat haar ogen vol tranen stonden. 'Gaat het weer een beetje?'
'Ja. Sorry. Dat kalmeringsmiddel heeft vrijwel al mijn gevoel verdoofd, maar...'
'Het zit er nog wel?'
'Ja. Vlak onder de oppervlakte.'
'Als je wilt, kunnen we dit gesprek wel een andere keer voortzetten. Dan breng ik je met de auto naar huis.' Hij bedacht dat Hatchley wel erg blij zou zijn wanneer hij de Cortina weer zag aankomen.
Mara schudde haar hoofd. 'Nee, het gaat wel. Ik red me wel. Ik ben alleen zo enorm in de war. Een beetje water zou lekker zijn.'
Banks haalde bij het gootsteentje in de hoek een glas kraanwater voor haar.
'Dat zijn wij ook,' zei hij. 'In de war. In een aantal opzichten lijkt het op zelfmoord, maar er zijn ook enkele tegenstrijdigheden.'
'Hij zou nooit zelfmoord plegen, dat weet ik heel zeker. Paul was terug. Seth was gelukkig. Hij had de boerderij, zijn vrienden, de kinderen...'
Banks wist niet wat hij moest zeggen om haar op te vrolijken.
'Die eerste keer,' zei ze, 'kwam dat door Alison?'
'Ja.'
'Dat kan ik wel begrijpen. Het is vrij logisch. Deze keer echter niet. Iemand moet hem hebben vermoord.' Mara nam een slokje water. 'Iedereen kan door

de poort aan de zijkant van het huis zijn binnengekomen en hem van achteren hebben aangevallen.'
'Zo is het niet gegaan, Mara. Je moet me geloven als ik zeg dat het een bekende van hem moet zijn geweest. Iemand bij wie hij zich volledig op zijn gemak voelde. Hebben jullie na haar vertrek nog wel eens iets van Liz Dale gehoord?'
'Ik niet. Seth is een paar keer bij haar op bezoek geweest in de inrichting, maar daarna is het contact verwaterd.'
'Brieven?'
'Daar heeft hij mij niets over verteld.'
'Kerstkaarten?'
'Nee.'
'Weet je waar ze nu is?'
'Nee. Is dat belangrijk?'
'Misschien wel. Kun je me iets over haar achtergrond vertellen?'
Mara fronste haar wenkbrauwen en wreef over haar slaap. 'Ik geloof dat ze ergens uit het zuiden komt. Ze was vroeger verpleegster, totdat... Nu ja, ze ging met de verkeerde mensen om, raakte aan de drugs en werd ontslagen. Sinds die tijd zwierf ze rond.'
'En kwam uiteindelijk in Hebden Bridge terecht?'
'Ja.'
'Heb je haar op de boerderij drugs zien gebruiken?'
'Nee. Dat meen ik echt. Ze was afgekickt van de heroïne. Dat was een van de problemen, de reden waarom ze het niet aankon.'
'Is Seth ooit aan drugs verslaafd geweest?'
'Volgens mij niet. Dat zou hij me, denk ik, wel hebben verteld. We hebben het wel eens over drugs gehad, hoe we erover dachten en hoe onbelangrijk we ze eigenlijk vonden, dus ik denk echt dat hij me dat dan wel had verteld.'
'Je hebt echt geen idee waar Liz nu is?'
'Nee, geen flauw idee.'
'En Alison?'
'Wat is er met Alison? Die is dood.'
Er klonk enige verbittering door in haar stem en Banks vroeg zich af waarom dat was. Jaloezie? Dat kon best. Veel mensen waren jaloers op eerdere geliefden van hun partner, ook wanneer deze waren overleden. Of was ze boos op Seth, omdat hij haar niet volledig in zijn leven had toegelaten, niet al zijn gevoelens aan haar had verteld? Ze trok haar paardenstaart los en liet haar bruine lokken over haar schouders vallen.

'Zou ik nog een sigaret van u mogen hebben?'
'Natuurlijk.' Banks overhandigde haar er een. 'Seth moet je toch íéts hebben verteld,' zei hij toen. 'Je kunt onmogelijk twee jaar met iemand samenwonen en helemaal niets over zijn verleden te weten komen.'
'Waarom niet? Wat weet u daar nu van?'
Banks wist er inderdaad niet zoveel van. Toen Sandra en hij elkaar ontmoetten, waren ze erg jong en hadden ze nog vrijwel geen verleden om over te praten, niets interessants in elk geval. 'Het is zo onlogisch,' zei hij nu.
De deurbel verbrak rinkelend de stilte. Ze hoorden hoe Elspeth een klant verwelkomde, zo te horen een Amerikaan.
'Wat ga je nu doen?' vroeg Banks.
Mara wreef in haar ogen. 'Dat weet ik nog niet. Ik ben te moe om hiermee verder te gaan. Ik denk dat ik maar naar huis ga en vroeg in bed kruip.'
'Wil je een lift?'
'Nee. Echt niet. De frisse lucht en lichaamsbeweging zullen me goed doen.'
Banks glimlachte. 'Dacht mijn brigadier er ook maar zo over.'
'Wat?'
Hij legde het haar uit en er verscheen een klein lachje op Mara's gezicht.
Ze liepen samen naar buiten. Toen ze langs Elspeth kwamen, wierp deze Banks een chagrijnige blik toe. Voor de Black Sheep wendde Mara haar blik af.
'Ik vind het heel erg voor je,' zei Banks een beetje stuntelig tegen haar achterhoofd.
Mara draaide zich om en staarde hem enige tijd aan. Hij had geen idee wat ze dacht of voelde.
'Ik geloof dat u dat echt meent,' zei ze ten slotte.
'Jenny laat je condoleren. Ze zegt dat je haar altijd kunt bellen als je iets... als je een vriendin nodig hebt.'
Mara zei niets.
'Ze heeft je vertrouwen niet beschaamd, weet je. Ze maakte zich zorgen om je. Jij bent toch ook naar haar toe gegaan, omdat je je zorgen maakte over Paul?'
Mara knikte langzaam.
'Goed, bel haar maar een keertje op. Afgesproken?'
'Afgesproken.' Ondanks haar lengte was Mara een klein, eenzaam figuurtje toen ze in het donker door de laan naar het Romeinse pad liep. Banks keek haar na tot ze uit het zicht verdween.
Hatchley zat al in de Black Sheep, en was afgaande op het lege glas dat naast

het halfvolle voor hem op tafel stond, al halverwege zijn tweede pint. Banks liep naar de bar om twee pinten te halen en ging toen zitten. Wat hem betreft mocht Hatchley zoveel drinken als hij wilde. Zelfs wanneer hij nuchter was, was hij een afgrijselijk slechte chauffeur en Banks was absoluut niet van plan hem achter het stuur van de Cortina te laten plaatsnemen.
'Iets ontdekt?' vroeg Hatchley.
'Nee, niet echt. Jij?'
'Die grote kerel met die woeste baard deed even moeilijk, maar dat roodharige vrouwtje heeft tegen hem gezegd dat hij beter kon meewerken.'
'Verdorie,' zei Banks. 'Ik wist wel dat ik iets vergat. Mara's vingerafdrukken. Nu ja, die moet ik dan maar een ander keertje halen.'
'De meeste brieven in die kast waren doorslagen,' ging Hatchley verder, 'maar ik heb een paar kladversies uit de prullenbak gevist.'
'Mooi.'
'Zo te horen bent u niet echt blij,' mopperde Hatchley.
'Wat? O, dat spijt me. Ik zat aan iets heel anders te denken. Kom, we drinken ons glas leeg en brengen dan die spullen die je hebt gevonden naar het lab.'
Hatchley leegde met verbazingwekkende snelheid zijn glas en keek op zijn horloge. 'Het is bijna halfzeven,' merkte hij toen op. 'Het heeft geen zin om ons nu nog te haasten; die lui zijn allemaal allang naar huis.' Hij wierp een blik in de richting van de bar. 'We kunnen er net zo goed nog eentje nemen.'
Banks glimlachte. 'Geen speld tussen te krijgen, brigadier. Vooruit dan maar. Heel snel dan. En het is jouw beurt.'

Thuis wist Banks een diepvriesmaaltijd – erwten, aardappelpuree en kalfsvlees – op te warmen zonder hem te verpesten. Na de afwas – het afspoelen van zijn bestek en koffiekopje, en het weggooien van het aluminium bakje – belde hij Sandra.
'Wanneer krijg ik eindelijk mijn vrouw terug?' vroeg hij.
'Woensdagochtend. Met de vroege trein,' zei Sandra. 'We zouden tegen lunchtijd thuis moeten zijn. Het gaat goed met mijn vader en mijn moeder redt zich beter dan ik had verwacht.'
'Fijn. Ik zal proberen om thuis te zijn,' zei Banks. 'Het hangt er een beetje van af.'
'Hoe gaat het?'
'Het wordt steeds ingewikkelder.'
'Je klinkt erg chagrijnig. Dat is een goed teken. Hoe ingewikkelder alles lijkt en hoe slechter je humeur is, des te dichter nader je de ontknoping.'

'Is dat zo?'
'Ja, natuurlijk is dat zo. Ik woon nu lang genoeg met je samen om de voortekenen te kunnen herkennen.'
'Ik vraag me wel eens af wat mensen eigenlijk allemaal over elkaar weten.'
'Wat krijgen we nou? Word je een beetje filosofisch op je oude dag?'
'Nee. Pure frustratie. Met Brian en Tracy alles goed?'
'Uitstekend. Een beetje rusteloos. Vooral Brian. Je kent Tracy, die is tevreden wanneer ze met haar neus in een geschiedenisboek zit. Bij hem is het nu een en al sport en popmuziek wat de klok slaat. Blijkbaar is American football de laatste trend.'
'Grote hemel.'
Brian was het afgelopen jaar enorm veranderd. Hij had zelfs geen belangstelling meer voor de elektrische trein die Banks in de logeerkamer had opgesteld. Banks speelde er inmiddels zelf vaker mee dan Brian, maar dat, zo moest hij toegeven, was eigenlijk altijd al zo geweest.
Om de leegte, die na het gesprek haast tastbaar leek, op afstand te houden, schonk hij een glas Bell's voor zichzelf in en terwijl hij naar Leroy Carr en Scrapper Blackwell luisterde, liet hij de informatie in zijn hoofd haar eigen weg zoeken en nieuwe patronen vormen. Langzaam maar zeker vielen de dingen op hun plek, hoe bizar het geheel hem ook toescheen. Het probleem was alleen dat de ene theorie de andere telkens overbodig maakte.
Even voor tienen werd hij ruw uit zijn dutje gewekt door de deurbel. Het bandje was al veel eerder afgelopen en het ijs in zijn glas whisky was gesmolten.
'Het spijt me dat ik zo laat ben, inspecteur,' zei Richmond, 'maar ik ben nu pas klaar.'
'Kom binnen.' Banks wreef in zijn ogen. 'Ga zitten. Wil je iets drinken?'
'Graag. Hoewel ik eigenlijk nog dienst heb. Theoretisch gezien, dan.'
'Een whisky? Ik heb anders ook bier koud staan.'
'Whisky graag, inspecteur. Zonder ijs, als het kan.'
Banks grinnikte. 'Ik word al net zo erg als de Amerikanen met ijs in die heerlijke whisky. Straks ga ik me er nog over beklagen dat mijn bier te warm is.'
Richmond vouwde zijn lange, lenige lijf in een leunstoel en streelde zijn snor.
'Uit de manier waarop je met dat zielige beetje haar speelt,' zei Banks, 'maak ik op dat je succes hebt gehad.'
'Wat? O, ja zeker, inspecteur. Ik wist niet dat ik zo doorzichtig was.'
'Dat geldt dan blijkbaar voor de meesten van ons. Poker is niets voor jou, en pas ook maar op bij het afnemen van verhoren. Vertel op, wat heb je ontdekt?'

‘Goed,’ stak Richmond van wal en hij raadpleegde zijn opschrijfboekje. ‘Ik heb precies gedaan wat u vroeg en me in de buurt van de flat van Tim en Abha verdekt opgesteld. Ze zijn de hele middag thuisgebleven.’

‘En toen?’

‘Om een uur of acht kwamen ze naar buiten, om naar de pub te gaan, vermoed ik. Ongeveer een halfuur daarna kwam er een blauwe Escort aangereden waaruit twee mannen stapten die het gebouw binnengingen. Ze voldeden keurig aan het signalement dat u me had gegeven. Waarschijnlijk hebben ze in de buurt op de uitkijk gestaan, want ze wisten precies wanneer ze moesten komen, met een kleine veiligheidsmarge voor het geval Tim en Abha alleen maar even naar de supermarkt waren gegaan of iets dergelijks.’

‘Je hebt hen toch niet tegengehouden toen ze naar binnen wilden?’

Richmond reageerde geschokt. ‘Ik heb precies gedaan wat u me had opgedragen, inspecteur, ook al was het heel vreemd om toe te moeten kijken terwijl er een misdaad plaatsvond. De gemeenschappelijke voordeur is zelden op slot, dus ze konden zo naar binnen wandelen. De deuren van de flats zelf worden wel afgesloten, dus dat slot hebben ze waarschijnlijk geforceerd. Na een kwartiertje kwamen ze weer naar buiten met een stapel beige dossiermappen.’

‘Wat gebeurde er toen?’

‘Ik ben hen op veilige afstand gevolgd tot ze de parkeerplaats van het Castle Hotel opreden en daar naar binnen gingen. Ik ben hen niet direct achternagegaan, inspecteur, dan hadden ze me misschien gezien. Een minuut of tien later ben ik naar binnen gegaan en heb ik de receptionist naar hen gevraagd, en hij heeft me het gastenboek laten zien. Ze hadden zich ingeschreven als James Smith en Thomas Brown.’

‘Inventief, hoor. Sorry, ga door.’

‘Nu ja, dat vond ik nu ook, inspecteur, dus toen ben ik naar het bureau teruggereden en heb ik het nummerbord nagetrokken. De auto bleek bij een bedrijf in York te zijn gehuurd door een zekere meneer Cranby, Keith Cranby jr. Ik weet niet of die naam u bekend voorkomt? Hij moest natuurlijk zijn rijbewijs laten zien, dus het zal zijn echte naam wel zijn.’

‘Cranby? Nee, die naam zegt me helemaal niets. Wat gebeurde er toen?’

‘Niets, inspecteur. Het was al vrij laat, dus ik dacht dat ik maar beter verslag bij u kon gaan uitbrengen. Toen ik buiten stond te wachten, heb ik trouwens ook die barjuffrouw, Glenys, het hotel zien binnengaan. Ze zag er een beetje schuw uit.’

‘Was Cyril er ook bij?’

‘Nee. Die heb ik niet gezien.’

'Je hebt het uitstekend gedaan, Phil,' zei Banks. 'Ik sta bij je in het krijt.'
'Waar is dit allemaal voor?'
'Dat zeg ik liever nog niet, voor het geval ik er totaal naast zit. Zodra ik het zeker weet, ben je de eerste die het hoort. Heb je al iets gegeten?'
'Ik had wat boterhammen bij me.' Hij keek op zijn horloge. 'Maar nu zou ik wel een pint lusten.'
'Er staat bier in de koelkast.'
'Ik heb het niet zo op bier uit blik.' Richmond streek over zijn platte maag. 'Te veel lucht.'
'En ook te koud zeker?'
Richmond knikte.
'Kom dan maar mee. We hebben nog net genoeg tijd voor een glas of twee voor sluitingstijd. Ik trakteer. Lijkt de Queen's Arms je wat?'
'Uitstekend, inspecteur.'
Het was druk en lawaaierig in de pub, die stampvol zat met buurtbewoners en boerenzonen uit de omliggende dorpen. Banks tuurde naar het barpersoneel, maar kon Glenys en Cyril geen van beiden ontdekken. Hij baande zich een weg naar de bar en vroeg een van de vaste invalsters waar de baas uithing.
'Hij heeft vanavond vrij genomen, meneer Banks. Zomaar ineens.' Ze knipte met haar vingers. 'Zei dat we het met ons drieën gemakkelijk moesten kunnen redden. Wilde verder niets zeggen. Tja, hij is nu eenmaal de baas, hè? Hij kan doen wat ie wil.'
'Dat is maar al te waar, Rosie,' zei Banks. 'Twee pinten van je beste bitter, graag.'
'Komt eraan, meneer Banks.'
Ze bleven bij de bar staan en kletsten wat met de stamgasten, die wel beter wisten dan hun naar hun werk te vragen. Banks was uitermate tevreden met zichzelf, ook al had hij nog altijd niet de oplossing gevonden. Hij wist niet of dat kwam door het telefoongesprek met Sandra, het dutje, Richmonds succes of het bier. Misschien was het wel een combinatie van die vier dingen. Hoe dan ook, hij wist vrij zeker dat de zaak zijn ontknoping naderde. Zodra hij het raadsel van de twee elkaar uitsluitende verklaringen voor de dood van enerzijds Gill en anderzijds Seth eenmaal had ontrafeld, zou hij de klus hebben geklaard. Het beloofde de volgende dag een interessante dag te worden. Hij zou eerst Liz Dale opsporen en te horen krijgen wat zij wist; en dan was er nog die andere kwestie... Ja zeker, de volgende dag beloofde inderdaad een heel interessante dag te worden. En overmorgen kwam Sandra weer thuis.

'Laatste ronde!' kondigde Rosie luidkeels aan.
'Nemen we er nog een?' vroeg Richmond.
'Ach, waarom ook niet,' zei Banks. Hij had vreemd genoeg zin om iets te vieren.

16

Dirty Dick schitterde de volgende ochtend door afwezigheid. Banks maakte van de gelegenheid gebruik om een paar belangrijke telefoontjes af te handelen en vroeg op pad te gaan.

Even ten zuiden van Bradford ging het regenen. Banks zette de ruitenwissers aan en stak met de aansteker van het dashboard een sigaret op. Vanaf de autoradio zong Walter Davis: '*You got bad blood, baby, / I believe you need a shot.*'

Het scheelde niet veel of hij was verdwaald in de agglomeratie van oude textielstadjes in West-Yorkshire. De stadjes in de valleien aan de oostzijde van het Penninisch gebergte vloeiden allemaal in elkaar over en het was moeilijk met enige zekerheid te zeggen waar je je nu precies bevond. De enorme, oude textielfabrieken, waar in de negentiende eeuw alle onderdelen van de kledingproductie onder één dak bij elkaar waren gebracht, stonden grauw en somber in het vage licht. Ze telden vijf of zes verdiepingen, hadden platte daken, rijen dicht op elkaar staande ramen en hoge schoorstenen die tot kilometers ver in de omgeving zichtbaar waren.

Cleckheaton, Liversedge, Heckmondwike, Brighouse, Rastrick, Mirfield – vreemde namen die Banks gewoonlijk met fanfarekorpsen en rugbyteams associeerde – flitsten voorbij op de verkeersborden. Toen hij in de buurt van Huddersfield kwam, ging hij iets langzamer rijden en hij tuurde zoekend door de met regendruppels bedekte voorruit naar de afrit.

Gelukkig lag de psychiatrische inrichting aan de noordkant van het stadje en kon hij het centrum zodoende vermijden. Hij volgde de aanwijzingen op de borden op, sloeg links af en reed door een straat die aan beide zijden door vervallen pakhuizen werd omringd.

Het groen van de tuin rond de inrichting kwam na zoveel kilometers grauw, braakliggend industriegebied een beetje als een schok. Er stond een hoge stenen muur omheen met een bewaker bij de toegangspoort, maar daarachter slingerde de oprit zich kronkelend langs bomen en een goed onderhouden gazon naar een modern, L-vormig gebouw. Banks zette zijn auto op een parkeerplaats voor bezoekers en meldde zich bij de receptie.

'U moet dokter Preston hebben,' zei de receptioniste nadat ze Elizabeth Dale had opgezocht in haar lijst. 'Hij mag echter geen informatie over zijn patiënten aan derden vrijgeven, hoor.'

Banks glimlachte. 'Kan ik hem toch even spreken?'
'Natuurlijk. Hij is momenteel in bespreking met het hoofd van de administratie, maar zou daar over een minuut of tien mee klaar moeten zijn, dus u zult wel even moeten wachten. U kunt zolang wel in onze kantine gaan zitten. De thee daar is best lekker.'
Banks bedankte haar en wandelde naar de verzameling feloranje plastic tafeltjes en stoeltjes.
'O ja, meneer Banks?' riep ze hem na.
Hij draaide zich om.
Ze zette haar handen aan weerszijden van haar mond en sprak rustig en langzaam, de woorden duidelijk articulerend alsof ze het tegen iemand had die haar lippen moest lezen. 'U blijft toch wel in de buurt, hè?' Ze keek van links naar rechts, alsof ze daarmee wilde aangeven dat zich direct buiten hun gezichtsveld allerlei monsters ophielden.
Banks verzekerde haar dat hij dat zeker zou doen, haalde een kop thee met een koek bij het knappe tienermeisje achter de balie en ging zitten.
Er zat slechts één andere klant in de kantine. Een magere man met een flinke bochel, haar dat van zijn gefronste voorhoofd naar achteren was gekamd en gekleed als een dominee. Toen hij Banks zag, pakte hij zijn kop thee op en schoof hij aan zijn tafeltje aan. Hij had een lange, spitse neus en een kleine mond. Hij had een bijzonder merkwaardig gevormd hoofd, zag Banks; driehoekig, met een voorhoofd dat schuin naar achteren stond. Onder het achterovergekamde haar, dat in een hoek van 45 graden op zijn gezicht stond, leek het net of zijn gezicht in model was geblazen door een stevige windhoos.
'Vindt u het goed als ik even bij u kom zitten?' vroeg hij met een overdreven glimlach, die zijn gezicht gruwelijk misvormde.
'Zolang u er geen bezwaar tegen hebt dat ik rook,' antwoordde Banks.
'Ga uw gang, mijn beste, geen enkel bezwaar.' Hij sprak met een beschaafd, zuidelijk accent. 'Ik heb u hier nog nooit eerder gezien?'
Het had een opmerking moeten zijn, maar het klonk als een vraag.
'Dat is niet zo vreemd,' zei Banks. 'Ik ben hier ook nog niet eerder geweest. Ik ben van de politie.'
'O, maar dat is werkelijk prachtig!' riep de dominee uit. 'Hoe heet u dan? Wacht, laat me eens raden: Clouseau? Poirot? Holmes?'
Banks lachte. 'Zo onhandig als Clouseau ben ik gelukkig niet,' zei hij. 'En helaas al evenmin zo briljant als Poirot en Holmes. Ik heet Banks. Inspecteur Banks.'

De dominee fronste zijn wenkbrauwen. 'Banks, zegt u? Nooit van gehoord.'
'Tja, kan ook wel kloppen,' zei Banks een tikje beduusd. 'Dat ben ik namelijk. Ik ben Banks. Ik kom voor dokter Preston.'
Het gezicht van de dominee klaarde op. 'Dokter Preston? O, ik weet zeker dat u hem aardig zult vinden. Hij is echt heel goed.'
'Helpt hij u ook?'
'Of hij mij helpt? Nou, nee. Ik help hem, natuurlijk.'
'Natuurlijk,' herhaalde Banks voorzichtig.
Er bleef een verpleegster naast hun tafeltje staan. 'Meneer Banks? Dokter Preston kan u nu te woord staan,' zei ze.
De dominee stak zijn hand uit. 'Nu, veel geluk dan maar, mijn beste.'
Banks gaf een hand en mompelde een bedankje.
'Die man daar,' zei hij tegen de verpleegster, die naast hem door de gang tippelde, 'is het wel verstandig om hem los te laten lopen? Waarom zit hij hier?'
De verpleegster lachte. 'Dat is geen patiënt. Dat is de eerwaarde Clayton. Hij komt hier twee of drie keer per week. Hij dacht waarschijnlijk dat u een nieuwe patiënt was.'
Verdorie, dacht Banks bij zichzelf, als je maar lang genoeg op een plek als deze rondhing, werd je vanzelf gek.
Dokter Prestons kantoor bevatte niet de scherpe, blinkend gepoetste instrumenten, niervormige schalen, injectienaalden en geheimzinnige ditjes en datjes die Banks in Glendennings hol altijd zo op de zenuwen werkten. Deze kamer had meer weg van een gerieflijke studeerkamer met een aangenaam uitzicht op de keurig aangelegde tuin.
Preston stond op toen Banks binnenkwam. Ze gaven elkaar een hand en hij had een stevige greep. Hij zag er jonger uit dan Banks had verwacht, met een dikke bos glanzend, bruin haar, een huid zo glad als de billen van een pasgeboren baby en net zulke ronde, roze wangen. Zijn ogen keken hem, vergroot door de brillenglazen, waakzaam en ernstig aan.
'Wat kan ik voor u doen, inspecteur?' vroeg hij.
'Ik ben geïnteresseerd in een voormalige cliënte van u, Elizabeth Dale. Ik denk tenminste dat ze een voormalig patiënte van u is.'
'Ja zeker,' zei Preston. 'Ze is hier echter al heel lang niet meer. Wat wilt u eigenlijk precies weten? Ik neem aan dat u beseft dat het mij niet vrijstaat om zomaar aan iedereen...'
'Ja, dokter, dat begrijp ik. Het gaat me niet om details omtrent haar ziekte. Ik heb gehoord dat ze depressief was?'
'Tja' – de dokter boog een paperclip die op de onderlegger op zijn bureau lag

recht – 'in lekentermen misschien... Maar u zei dat het u daar niet om ging?'
'Dat klopt. Ik wil graag weten waar ze nu is. Dat valt toch hoop ik niet onder vertrouwelijke informatie?'
'We geven doorgaans geen persoonlijke informatie prijs.'
'Het is belangrijk. Het gaat om een moordonderzoek. Als het moet, kan ik met een gerechtelijk bevel terugkomen.'
'Och, dat is nu ook weer niet nodig,' antwoordde Preston snel. 'Het punt is alleen dat we helaas niet weten waar mevrouw Dale momenteel is.'
'Echt niet?'
'Nee. Ziet u, het is niet onze gewoonte om de gegevens van voormalige patiënten bij te houden.'
'Wanneer is ze vertrokken?'
Preston bladerde door zijn papieren. 'Ze is hier twee maanden geweest.' Hij somde de data op.
'Is dat gebruikelijk? Twee maanden?'
'Moeilijk te zeggen. Het verschilt per patiënt. Mevrouw Dale was... nu ja, ik denk dat ik u wel mag vertellen dat ze erg moeilijk was. Toen ze hier een paar dagen zat, liep ze al weg.'
'Ja, dat weet ik.' Banks vertelde hem hoe dat kwam. 'Voorzover ik weet is ze hier vrijwillig naartoe gegaan. Klopt dat?'
'Ja.'
'Toch handelde u alsof ze uit een zwaar beveiligde gevangenis was ontsnapt.'
Preston liet zich achteroverzakken in zijn stoel en de spieren in zijn kaak spanden zich. 'U moet goed begrijpen, inspecteur, dat iedereen die hier arriveert een grote verscheidenheid aan tests ondergaat, plus een compleet lichamelijk onderzoek. Op basis daarvan stellen we een diagnose en schrijven we een bepaalde behandeling voor. Ik had mevrouw Dale onderzocht en vastgesteld dat in haar geval een behandeling noodzakelijk was. Toen ze plotseling verdween, vreesden we uiteraard dat ze... Nu ja, wie zal zeggen hoe het zonder de juiste behandeling met haar zou aflopen? Dus ondernamen we de nodige stappen om haar over te halen bij ons terug te komen.'
'De dokter weet het altijd beter?'
Preston keek hem kwaad aan.
'Hoe verging het haar nadat de behandeling was voltooid?' vroeg Banks.
'Gezien uw vijandige houding weet ik niet of ik daar wel antwoord op wil geven.'
Banks zuchtte en tastte naar een sigaret. 'Och, kom, dokter, nu niet mokken, graag. Was ze genezen of niet?'

Banks stak de sigaret op en Preston schoof een asbak in zijn richting. 'Die dingen worden uw dood nog eens, weet u dat?' Hij ontleende zo te zien veel vreugde aan die observatie.
'Geeft u dan maar gauw antwoord op mijn vraag, voordat dat gebeurt.'
Preston tuitte zijn lippen. 'Ik neem aan dat u op de hoogte bent van Elizabeth Dales drugsprobleem?'
'Ja.'
'Dat was ook deels de oorzaak van haar mentale probleem. Toen ze bij ons kwam, zei ze dat ze al een maand geen heroïne meer gebruikte. We zijn hier uiteraard niet toegerust om met verslaafden om te gaan en als mevrouw Dale nog steeds drugs had gebruikt, hadden we haar ergens anders naartoe moeten sturen. Ze is echter gebleven, slikte de medicatie die ik haar voorschreef en boekte een zekere vooruitgang. Na twee maanden vond ik dat ze zover was dat ze kon vertrekken.'
'Hoe dacht zij daar zelf over?'
Preston staarde door het raam naar de perfect aangelegde tuin. Vlak bij het gebouw stond een rij struiken die in de vorm van vogels en andere dieren waren gesnoeid.
'Mevrouw Dale,' vervolgde Preston langzaam, 'was bang voor het leven en bang voor haar verslaving. Het een leidde tot het ander, een schijnbaar vicieuze cirkel.'
'Wat u daarmee wilt zeggen is dat ze, zodra ze eenmaal aan het idee gewend was, het liefst haar hele leven hier was gebleven. Klopt dat?'
'Niet per se hier. Elke vorm van opvang had volstaan, elke plek waar ze niet zelf beslissingen hoefde te nemen, waar ze niet deel hoefde te nemen aan de buitenwereld.'
'Dus dat is het soort plek waar ik haar waarschijnlijk kan vinden?'
'Ik zou zo denken van wel.'
'Kunt u iets specifieker zijn?'
'U zou een instelling voor verslavingszorg kunnen proberen.'
'Een instelling voor verslavingszorg?'
'Inderdaad. Elizabeth had al een paar keer een dergelijke instelling bezocht voordat ze bij ons kwam.'
'Dus ze was niet genezen?'
'Hoeveel mensen kunnen nu ooit zeggen dat ze werkelijk volledig genezen zijn? O, een enkeling misschien, dat geef ik toe. Bij Elizabeth was dat echter niet het geval. De behandeling – methadon hydrochloride in steeds kleine doses – sloeg een tijdlang aan. Het is vergelijkbaar met het kauwen van nico-

tinekauwgum wanneer je wilt stoppen met roken. Het is goed tegen een paar van de zwaarste fysieke symptomen, maar...'
'Dat is niet voldoende?'
'Niet echt. Veel verslaafden vervallen in hun oude gewoonte zodra de mogelijkheid van een shot zich voordoet. Helaas kan dat, gezien hun netwerk van vrienden, al heel snel zijn.'
'Dus u denkt dat zo'n instelling voor verslavingszorg Liz waarschijnlijk behandelt of weet waar ze is?'
'Het is heel goed mogelijk.'
'En waar is er zo'n instelling?' Banks haalde zijn opschrijfboekje tevoorschijn.
'De enige hier in de omgeving staat net buiten Halifax, hier niet al te ver vandaan.' Preston gaf hem een routebeschrijving. 'Ik hoop dat ze niet in moeilijkheden verkeert,' zei hij ten slotte.
'Daar ga ik niet van uit. Ik heb alleen haar hulp nodig bij ons onderzoek.'
Preston schoof zijn bril recht. 'De politie weet het soms zo leuk te brengen.'
'Ik ben blij dat we tenminste iets met dokters gemeen hebben.' Banks glimlachte en maakte aanstalten om te vertrekken. 'U hebt me enorm geholpen.'
'U meent het.'
Banks verliet de inrichting en reed over door de regen doorweekte wegen in de richting van Halifax. Met Wainhouse Tower als oriëntatiepunt, zoals dokter Preston hem had gezegd, had hij de instelling snel gevonden. De hoge, zwarte toren met zijn sierlijke, onschoorsteenachtige gotische spits was oorspronkelijk gebouwd als fabriekschoorsteen, maar nooit als zodanig gebruikt, en fungeerde nu als uitkijkpunt.
De instelling lag in een steil oplopend zijstraatje. Het gebouw stond een eindje van de weg af boven aan een lang, glooiend grasveld en zag eruit als een Victoriaans herenhuis. Het huis straalde iets geheimzinnigs uit, vond Banks. Hij huiverde even toen hij ernaartoe liep. Niet het soort plek waar ik in het donker graag zou rondlopen, dacht hij bij zichzelf.
Hier was geen hoge muur of bewaker aan de poort. Banks kon ongehinderd naar binnen lopen en kwam terecht in een ruime, gemeenschappelijk kamer met een hoog plafond. Aan de muren hingen diverse schilderijen – duidelijk het werk van patiënten – met als aandachtstrekker een gigantisch doek met de afbeelding van een engel die op aarde neerstortte, met vlammende vleugels en een verdraaide nek, zodat hij de toeschouwer recht aankeek, met rode, verwilderde ogen en de spieren gespannen en uitgerekt als geknoopt touw. Satan op weg naar de hel, misschien. Zijn bestemming, die impressionistisch was vormgegeven op de onderste helft van het doek, was in elk geval

een duistere, onheilspellende plek. Hij rilde en wendde zijn blik af.
'Kan ik iets voor u doen?' Een jonge vrouw kwam op hem aflopen. Hij kon aan haar uiterlijk niet aflezen of ze een medewerkster was of een patiënte. Ze was waarschijnlijk begin dertig, en droeg een spijkerbroek met daarop een hooggesloten, witte bloes en daaroverheen een donkerbruin jasje. Haar lange, zwarte haar was in twee dikke vlechten achter op haar hoofd vastgezet.
'Ja,' zei Banks. 'Ik ben op zoek naar Elizabeth Dale. Is zij hier of weet u waar ik haar kan vinden?'
'Wie bent u?'
Banks liet haar zijn pasje zien.
De vrouw trok haar wenkbrauwen op. 'Politie? Wat wilt u?'
'Ik wil Elizabeth Dale graag spreken,' zei hij opnieuw. 'Is ze hier of niet?'
'Waar gaat het over?'
'Ik ben degene die hier de vragen stelt,' zei Banks, die zich begon te ergeren aan haar bitse, hooghartige houding. Plotseling drong het tot hem door wie ze was. 'Hoor eens, dokter,' vervolgde hij, 'het heeft niets met drugs te maken. Het gaat over een vroegere vriend van haar. Ik heb informatie nodig om een moordzaak op te lossen.'
'Elizabeth is de afgelopen maand hier geweest. Ze kan er onmogelijk iets mee te maken hebben.'
'Dat zeg ik ook helemaal niet. Zou ik haar even mogen spreken?'
Er verscheen een diepe rimpel op het voorhoofd van de dokter. Banks zag aan haar ogen dat haar hersens op volle toeren draaiden. 'Vooruit dan maar,' zei ze ten slotte. 'Zolang u haar maar niet te hard aanpakt. Ze is erg kwetsbaar. En ik sta erop dat ik erbij mag zijn.'
'Ik zou liever onder vier ogen met haar praten.' Het laatste wat Banks wilde was dat deze vrouw als een advocaat over het gesprek waakte.
'Dat zal helaas niet gaan.'
'En als u nu eens buiten gehoorsafstand, maar binnen het gezichtsveld blijft? Aan de andere kant van de kamer bijvoorbeeld?' De ruimte was zo groot dat er gemakkelijk verschillende gesprekken tegelijk in konden plaatshebben.
De dokter glimlachte vluchtig. 'Een compromis? Goed dan. Blijft u hier, dan haal ik Elizabeth. Neemt u maar even plaats.'
Banks was echter rusteloos na de autorit. In plaats daarvan liep hij de kamer rond om de schilderijen te bekijken, die vrijwel zonder uitzondering een vorm van intense angst symboliseerden: verwilderde ogen die door een brievenbus tuurden; een naakte man die bij een vrouw werd weggesleurd, zijn gezicht vertrokken in een wanhopige smeekbede; een bos waarin elk zorg-

vuldig geschilderd blad op een naald van vuur leek. Ze joegen hem de stuipen op het lijf. Hij had verschillende asbakken in de kamer zien staan en stak een sigaret op. Het was er warm, dus hij trok zijn jack uit en legde het op een stoel.

Na een minuut of vijf kwam de dokter terug met een andere vrouw. 'Dit is Elizabeth Dale,' zei ze en ze stelde hen zeer formeel aan elkaar voor en liep toen naar de andere kant van de kamer, waar ze met haar gezicht naar Banks toe ging zitten en net deed of ze een tijdschrift las. Liz nam plaats op een stoel links van hem, zodat ze elkaar gemakkelijk konden aankijken. De stoelen hadden dikke, zachte zittingen en stevige armleuningen.

'Ik zag dat u naar de schilderijen stond te kijken,' zei Elizabeth. 'Indrukwekkend, vindt u niet?' Ze had een zangerige, hypnotiserende stem. Banks kon zich indenken dat ze heel overredend kon overkomen. Hij had echter het idee dat het ook snel ging vervelen en dat de stem dan jengelend en zeurend klonk in plaats van mooi en zacht.

Elizabeth Dale streek haar lange, blauwe rok glad over haar knieën. Haar tengere lichaam ging volledig schuil achter de slobberige, lichtpaarse trui met twee brede, witte strepen om haar middel. Als ze een leeftijdgenote van Seth was, moest ze een jaar of veertig zijn, maar haar ingevallen, wasachtige, rimpelige gezicht was dat van een veel oudere vrouw, en haar zwarte haar, dat eerder kort afgehakt dan geknipt leek, zal vol grijze plukken. Het was het gezicht van iemand die had geleden, met ogen die diep in haar binnenste hadden gekeken en daar gruwelijke verschrikkingen had gezien. Toch klonk haar stem prachtig. Zo zacht, zo rustgevend, als een lentebries die door het bos zong.

'Ze zijn erg krachtig,' zei Banks bij gebrek aan een betere term om de schilderijen te beschrijven.

'Mensen zien hier allerlei dingen,' zei Elizabeth. 'Weet u wat hier vroeger heeft gezeten?'

'Nee.'

'Dit was tijdens de tyfusepidemieën in de negentiende eeuw een ziekenhuis. Ik kan de patiënten elke nacht horen gillen.'

'Bedoel je dat het hier spookt?'

Elizabeth haalde haar schouders op. 'Misschien ben ik wel de enige die spoken ziet. Soms worden mensen hier helemaal gek. Dan breken ze de ruiten en willen ze zichzelf snijden met de glasscherven. Ik hoor de slachtoffers van de tyfus elke nacht krijsen van de koorts, hoor hoe hun botten breken tijdens de stuiptrekkingen. Ik hoor hoe ze in tweeën breken.' Ze klapte in haar handen.

'Krak. Zo.'
Toen sloeg ze een hand voor haar mond en barstte ze in lachen uit. Banks zag dat de wijs- en middelvinger van haar rechterhand geel waren van de nicotine. Ze woelde in haar wijde trui en haalde een pakje Embassy Regal en een dof geworden, zilveren aansteker tevoorschijn. Banks plukte een sigaret uit zijn eigen pakje en ze boog zich voorover om hem een vuurtje te geven. De vlam schoot hoog op en toen hij inhaleerde, ving hij de geur van benzine op.
'Weet u,' ging Elizabeth verder, 'ondanks al die dingen – de spoken, het gekrijs, de kou – zit ik liever hier dan... dan daarbuiten.' Ze knikte naar de deur. 'Dat is waar de echte verschrikkingen zijn, meneer Banks, daarbuiten.'
'Ik neem aan dat je dan ook niet op de hoogte blijft van wat zich daarbuiten afspeelt? Geen kranten, geen televisie?'
Elizabeth schudde haar hoofd. 'Nee. We hebben hier wel een televisie, hoor, in de kamer hiernaast. Maar ik kijk nooit. Ik lees liever boeken. Oude boeken. Charles Dickens, die lees ik nu. In *Het geheim van Edwin Drood* wordt opium gebruikt, wist u dat?'
Banks knikte. Hij had een paar jaar geleden een kortstondige Dickens-manie gehad.
'Bent u hier vanwege die klacht?' vroeg Elizabeth.
'Welke klacht?'
'Och, dat was jaren geleden. Ik had een klacht ingediend tegen een politieagent die tijdens een demonstratie met zijn wapenstok mensen had geslagen. Ik weet niet wat ervan is geworden. Ik heb er nooit meer iets over gehoord. Ik was toen iemand anders; toen leek het nog de moeite waard om voor dingen te vechten. Nu laat ik hen maar gewoon hun gang gaan. Ze blazen ons op een gegeven ogenblik allemaal op, meneer Banks. Dat is één ding wat zeker is. Ze blazen de hele wereld nog eens op. Of wilde u over drugs praten?'
'Het gaat inderdaad deels over die klacht. Ik wilde met je over Seth Cotton praten. Seth en Alison.'
'Die goede, oude Seth. Arme, oude Seth. Ik wil niet over Seth praten. Ik hoef toch niet met u te praten?'
'Waarom wil je niet over hem praten?'
'Daarom niet. Seth is iets van mij alleen. Ik vertel u toch niets wat hij u zelf ook niet zou vertellen, dus het heeft geen zin me ernaar te vragen.'
Banks boog zich voorover. 'Elizabeth,' zei hij voorzichtig, 'Seth is overleden. Ik vind het heel erg, maar het is echt waar.'
Aanvankelijk dacht hij dat ze niet op zijn woorden zou reageren. Er ontsnap-

te een zuchtje aan haar mond, niet meer dan een zachte windvlaag tegen een donker raam. 'Nou, dat is dan in orde, hè?' zei ze, haar stem zachter nu, zwakker. 'Eindelijk rust.' Toen deed ze haar ogen dicht en verscheen er zo'n afwezige, vrome uitdrukking op haar gezicht dat Banks de stilte niet durfde te verbreken. Dat zou heiligschennis zijn. Toen ze haar ogen weer opendeed, stonden ze heel helder. 'Mijn gebedje,' zei ze.
'Wat bedoelde je met "arme Seth"?'
'Hij was zo'n serieuze man en hij heeft zoveel pijn geleden. Hoe is hij overleden, meneer Banks? Was het vredig?'
'Ja,' loog Banks.
Elizabeth knikte.
'Het punt is,' ging Banks verder, 'dat niemand veel over hem wist, over zijn gevoelens en zijn verleden. Jij was toch heel goed met Seth en Alison bevriend?'
'Ja, dat klopt.'
'Kun je me misschien iets over hem vertellen, over zijn verleden, waardoor ik hem beter begrijp? Ik weet dat hij van streek was over Alisons ongeluk...'
'Ongeluk?'
'Ja. Dat weet je toch wel? Die auto...'
'Alisons dood was beslist geen ongeluk, meneer Banks. Ze is vermoord.'
'Vermoord?'
'Ja zeker. Het was moord. Dat heb ik ook tegen Seth gezegd. Ik heb er wel voor gezorgd dat hij me geloofde.'
'Wanneer was dat?'
'Ik ben er zelf achter gekomen. Ik ben vroeger namelijk verpleegster geweest.'
'Dat weet ik, ja. Waar ben je zelf achter gekomen?'
'Weet u heel zeker dat Seth dood is?'
Banks knikte.
Ze staarde hem even achterdochtig aan, maar toen gleed er een glimlach over haar gezicht. 'Dan kan ik het u wel vertellen. Zit u lekker? Dat zeggen ze op radio altijd aan het begin van het voorleesverhaaltje voor kinderen in *Children's Hour*. Ik luisterde daar altijd naar toen ik klein was. Grappig eigenlijk hoe sommige dingen in je geheugen blijven hangen. Heel veel andere dingen trouwens niet. Waarom zou dat zijn, denkt u? Is de menselijke geest geen raar iets? Herinnert u zich die man nog die het altijd presenteerde, Uncle Mac, en *Children's Favorites, Sparky and the Magic Piano,* Petula Clark die *Little Green Man* zong?'
'Het spijt me, dat weet ik niet meer,' zei Banks. 'Maar ik zit wel lekker.'

Elizabeth glimlachte. 'Mooi. Dan zal ik nu beginnen.'
En ze vertelde een van de treurigste, vreemdste verhalen die Banks ooit had gehoord.

Wat Liz Dale hem vertelde, bevestigde wat hij al een tijdje vermoedde. Zijn theorieën sloten elkaar niet langer uit, maar hij ervoer deze keer niet de opgetogen trots die hij doorgaans voelde wanneer hij een zaak had opgelost. Hij nam rustig de tijd voor de rit terug naar Eastvale en koos de langste, omslachtigste route naar het westen uit, dwars door het landschap van zandsteen, waarbij hij de grote steden en dorpen zo veel mogelijk links liet liggen. Hij had geen haast. Tijdens het rijden luisterde hij naar krakende opnames van oude blueszangers: gokkers, moordenaars, dominees, alcoholisten en drugsverslaafden, die zongen over armoede, seks, de duivel en domme pech. De borden schoten voorbij: Mytholmroyd, Todmorden, Cornholme. Hij had inmiddels Lancashire bereikt, omzeilde Burnley en omgeving via een hele reeks B-weggetjes die langs Trawden Forest voerden, en bevond zich binnen de kortste keren weer in de buurt van Skipton in Craven, waar het gras diepgroen op de kalkstenen ondergrond groeide.
Hij stopte in Grassington om in een pub te lunchen, nam vervolgens bij Pately Bridge de kortste route langs Greenhow Hill en bereikte via Ripon ten slotte Eastvale weer.
Burgess zat in zijn kantoor op hem te wachten. 'Ik krijg vijf pond van je,' zei hij. 'Een paar glazen Mumm's en ze kon niet van me afblijven.'
'Over smaak valt niet te twisten,' zei Banks.
'Je zult me op mijn woord moeten geloven. Ik ben niet zo'n onbehouwen lomperik dat ik slipjes jat als aandenken aan mijn veroveringen.'
Banks gebaarde naar de opgezwollen, paarse wang van de hoofdinspecteur. 'Ik zie dat je er toch een aandenken aan hebt overgehouden.'
'Die verrekte man van haar. Zo wantrouwend als de pest.' Hij tastte voorzichtig naar de kneuzing. 'Dat was pas na afloop. Hij heeft mazzel dat ik hem niet heb opgepakt voor mishandeling van een politieman. Eigenlijk was het natuurlijk zijn goed recht om een keertje naar me uit te halen, dus ik heb hem maar even rustig laten begaan. Geen stennis geschopt.'
'Heel edelmoedig van je.' Banks trok een vijfpondbiljet uit zijn portemonnee en liet het op de tafel vallen.
'Wat mankeert jou vandaag toch, Banks? Kun je niet tegen je verlies?' Burgess pakte het geld op en hield het Banks voor. 'Shit, als je echt zo krap bij kas zit, hoef je me niet te betalen, hoor.'

Banks ging zitten en stak een sigaret op. 'Ooit gehoord van een zekere Barney Merritt?' vroeg hij.
'Nee. Hoezo?'
'Een oude vriend van me, werkt bij de Metropolitan Police. Hij heeft wel van jou gehoord. En ook van een zekere agent Cranby. Keith J. Cranby.'
'Dus?' De spieren om Burgess' kaken spanden zich en zijn ogen staarden Banks fel en doordringend aan.
Banks tikte op een map op zijn bureau. 'Cranby en een vriendje van hem – waarschijnlijk agent Stickley – hebben enkele dagen geleden in York een blauwe Escort gehuurd. Ze zijn ermee naar Eastvale gereden en hebben hun intrek genomen in het Castle Hotel, hetzelfde hotel waar jij ook zit. Het verbaast me dat jullie elkaar niet zijn tegengekomen in de lobby, want zo groot is dat hotel niet.'
'Besef je wel wat je zegt? Misschien zou je even diep moeten nadenken voordat je verder gaat en ophouden nu het nog kan.'
Banks schudde zijn hoofd.
'Onlangs hebben die twee ingebroken in Dennis Osmonds appartement. Ze vonden daar niet wat ze zochten, maar hebben een van zijn politieke boeken meegenomen om hem op stang te jagen. Hij dacht onmiddellijk dat elke veiligheidsorganisatie ter wereld achter hem aan zat. Gisteravond hebben ze in de flat van Tim en Abha ingebroken en daar een aantal mappen ontvreemd. Dat gebeurde nadat ik jou had verteld waar ze de gegevens bewaarden die ze over de demonstratie hadden verzameld.'
Burgess tikte met een liniaal op het bureau. 'Ik neem aan dat je dit kunt bewijzen?'
'Als het moet, kan ik dat inderdaad, ja.'
'Hoe ben je hier in godsnaam op gekomen?'
'Ik weet hoe jij werkt. Toen ik je over de inbraak bij Osmond vertelde, reageerde je helemaal niet verrast. Het leek je zelfs niet eens iets te interesseren. Dat was vreemd, aangezien ik dacht dat het iets te maken zou kunnen hebben met de zaak-Gill. Jij wist er natuurlijk al alles van.'
'Wat ga je nu doen?'
'Ik begrijp jou niet,' zei Banks. 'Wat hoopte je daar verdomme mee te bereiken? Dat is precies het eigenmachtige gedrag dat ze ook in Manchester vertoonden na de Leon Brittan-betoging.'
'Daar heeft het toch ook gewerkt?'
'Studenten het land uit jagen en de landelijke aandacht vestigen op de slechtste kanten van de politie: als je dat iets positiefs vindt wel, ja.'

'Wees toch niet zo verrekte naïef, Banks. Die lui zijn allemaal één pot nat.'
'Je bent paranoïde, weet je dat? Wat denk je dat het zijn? Terroristen?'
'Er is een connectie tussen al die mensen. Vakbondsleiders, communistische studenten, antikernenergiebetogers. Ze vormen één grote club. Jij ziet hen als verblinde idealisten, maar ik beschouw hen als een gevaar.'
'Een gevaar voor wie? Voor wat?'
Burgess boog zich voorover en greep het bureau stevig vast. 'Voor de vrede en rust in dit land natuurlijk. Aan wiens kant sta jij eigenlijk?'
'Ik sta aan niemands kant. Ik onderzoek een moord, weet je nog? Er is een politieman vermoord. Hij was niet erg goed, maar ik vind niet dat hij het verdiende om op straat te sterven. En wat ontdek ik? Dat jij je zware jongens uit Londen laat overkomen om hier een paar kraken te zetten.'
'Het heeft totaal geen zin om met jou over morele kwesties te praten, Banks...'
'Dat weet ik, omdat jij geen poot hebt om op te staan.'
'Mag ik je er even aan herinneren dat ik de leiding heb over dit onderzoek?'
'Dat geeft je nog niet het recht om te doen wat jij hebt gedaan. Begrijp je dat dan niet? Jij met die grote woorden van je over het imago van de politie. Dit eigenmachtige gedoe van je leidt er alleen maar toe dat wij hier als slechteriken uit tevoorschijn komen en nog heel domme ook.'
Burgess leunde achterover in zijn stoel en stak een sigaar op. 'Dat gebeurt alleen als mensen erachter komen. Wat me terugbrengt bij mijn vorige vraag. Wat ga je nu doen?'
'Niets. Jij zorgt er echter voor dat die mappen worden geretourneerd en dat de betrokken personen voortaan met rust worden gelaten.'
'Je meent het. Hoe kom je daar zo bij?'
'Als je dat niet doet, speel ik deze informatie door aan hoofdinspecteur Gristhorpe. De assistent-hoofdcommissaris heeft veel respect voor zijn mening.'
Burgess lachte. 'Je hebt geen beste connecties, zeg. Ik geloof niet dat het iets zal uithalen.'
'Dan zijn er altijd nog de media. Die zijn dol op een sappig verhaal als dit. En Dennis Osmond heeft er ook recht op te weten wat hem is aangedaan. Ik weet niet hoe jij erover denkt, maar volgens mij kan dit nooit goed zijn voor je toekomstige promotiekansen.'
Burgess tikte de as van zijn sigaar af tegen de rand van de asbak. 'Wat ben je toch zuiver van hart, Banks. Een regelrechte kruisvaarder. Beter dan de rest van ons.'
'Daar hoef je bij mij niet mee aan te komen. Je bent je boekje te buiten gegaan en dat weet je heel goed. Je dacht zeker dat je ermee kon wegkomen.'

'Dat kan ik nog steeds.'
Banks schudde zijn hoofd.
'Je vergeet dat ik een hogere rang heb dan jij. Ik kan je opdragen al het bewijsmateriaal dat je hebt verzameld aan mij te overhandigen.'
'Gelul,' zei Banks. 'Waarom stuur je Cranby en Stickley er niet op uit om het te stelen?'
'Nu moet je eens goed luisteren,' zei Burgess, die rood zag van woede, 'het is niet verstandig om mij te dwarsbomen. Ik kan een heel gevaarlijke vijand zijn. Geloof je nu werkelijk dat ook maar iemand aandacht zal schenken aan die beschuldigingen van je? Wat denk je dan dat ze zullen doen? Me uit het korps trappen? Droom maar lekker verder.'
'Het kan me eigenlijk niet eens zo heel veel schelen wat ze met je doen. Ik weet alleen wel dat de pers zich er met man en macht op zal storten.'
'Dan zul jij er ook last door krijgen. Bedenk eerst maar eens waar je loyaliteit ligt. Ons werk is al moeilijk genoeg zonder dat we zelf iedereen nog eens tegen ons in het harnas jagen. Heb je daar wel eens bij stilgestaan? Wat de gevolgen zullen zijn voor de politie hier als dit bekend wordt? Ik hoef hier godzijdank niet te wonen, maar jij wel.'
'Dat is waar,' zei Banks. 'En dat is nu precies waar het om gaat. Jij kunt er hier een enorme puinhoop van maken en vervolgens weer lekker teruggaan naar Londen. Ik moet hier met deze mensen leven en werken. En ik heb het hier naar mijn zin. Het heeft heel lang geduurd voordat ze me een beetje accepteerden, en dan kom jij even langs om de klok weer jaren terug te zetten. Je moet het zelf weten. Je retourneert de dossiers, roept die knokploeg van je terug en we hebben het er niet meer over; weer een inbraak die onopgelost blijft.'
'Och, och, wat ben je toch een held! En als ik de druk nu eens een beetje opvoer en een paar hoge omes zover krijg dat ze je opdragen om dat bewijs af te staan? Wat doe je dan, stoere jongen?'
'Dat heb ik je al verteld,' zei Banks. 'Over mij hoef je je geen zorgen te maken; het gaat om de pers, Osmond en de studenten.'
'Die kan ik wel aan.'
'Zeg het maar.'
'En dat is het?'
'Dat is het. Kiezen of delen.'
'Wie gelooft er nu zo'n clubje gestoorde linkse sukkels? En de pers, ach, iedereen weet toch allang dat die bevooroordeeld is.'
Banks schokschouderde. 'Misschien wel. We zullen wel zien.'
Burgess sprong overeind. 'Dit zal ik nooit vergeten, Banks,' snauwde hij.

'Wanneer ik dit onderzoek heb afgerond, zal ik in het eindrapport schrijven...'
'Het is al afgerond,' zei Banks vermoeid.
'Hè?'
'Het onderzoek is al afgerond.' Banks vertelde hem in het kort over zijn gesprek met Elizabeth Dale.
'Wat gaat er nu dan gebeuren?'
'Niets. Jij gaat lekker terug naar Londen.'
'Je gaat dit hele verhaal niet doorbrieven aan de pers?'
'Ik zie er het nut niet van in. Ik vind echter wel dat Mara en de anderen het recht hebben om het te weten.'
'Ja, da's typisch iets voor jou.' Burgess beende naar de deur. 'Denk maar niet dat je hebt gewonnen, want dat is niet zo. Zo gemakkelijk kom je er niet van af.'
Na die dreigende woorden vertrok hij.
Banks strekte zijn handen voor zich uit en kwam tot de ontdekking dat ze beefden. Hoewel het kil was in het kantoor, voelde zijn nek onder de kraag plakkerig aan van het zweet. Zijn benen trilden ook, zo merkte hij toen hij met een nieuwe sigaret in de hand naar het raam liep. Je kreeg niet elke dag de kans om iemand met een hogere rang dan jij de les te lezen, al helemaal niet zo'n whizzkid als Dirty Dick Burgess. Bovendien was dit de eerste keer dat Banks hem zo overstuur had gezien.
Misschien had hij er inderdaad een gevaarlijke vijand bij. Wellicht had Burgess zelfs gelijk en overdreef hij zijn rol van kruisvaarder. Hij had zelf tenslotte ook wel eens dicht tegen die grens aan gezeten. Ach, wat kan mij het ook bommen, dacht hij. Het was het niet waard om er lang over te blijven piekeren. Hij pakte zijn jas, stopte zijn sigaretten in zijn zak en liep naar het parkeerterrein.

Het regende niet meer en de zon toverde sluiers mist over de weides langs de rivier en op de heuvelhellingen. Banks' Cortina reed knerpend over het pad en hield stil voor de boerderij.
Toen hij voor de tweede keer aanklopte, deed Mara de deur open en liet hem binnen.
'Ik neem aan dat u wel even wilt zitten?' zei ze.
'Het kan wel even duren.' Banks nam plaats in de schommelstoel. De kinderen zaten aan tafel te tekenen en Paul hing in een van de zitzakken en las een sciencefictionboek.

'Waar zijn Rick en Zoe?' vroeg Banks.
'Aan het werk.'
'Kun je hen dan gaan halen? Ik wil dat jullie er allemaal bij zijn. En misschien kan iemand even theezetten?'
Mara zette een ketel met water op en ging toen naar de stal om de anderen te roepen. Toen ze terugkwam, zette ze thee, terwijl Rick en Zoe in de woonkamer gingen zitten.
'Wat is er verdorie nu weer aan de hand?' wilde Rick weten. 'Hebben we dan niet al genoeg te verduren gehad? Waar is die vriend van u trouwens?'
'Die is zijn spullen aan het inpakken.'
'Aan het inpakken?' zei Mara, die net voorzichtig met een dienblad met daarop de theepot en een paar mokken binnenkwam. 'Maar...'
'Het is voorbij, Mara. Bijna tenminste.'
Banks schonk thee voor zichzelf in, stak een sigaret op en keek naar Paul. 'Jij hebt die afscheidsbrief geschreven, hè?'
'Ik heb geen flauw idee waar u het over hebt.'
'Kom, geen leugens meer. De druk op de toetsen week af van die in de brieven die Seth had getypt en zijn schrijfstijl was ook beduidend beter dan die van jou. Waarom heb je het gedaan?'
'Ik zeg toch dat ik niets heb gedaan.' Iedereen staarde hem nu aan en hij werd langzaam rood.
'Zal ik dan maar zeggen waarom je het hebt gedaan?' vervolgde Banks. 'Om de verdenking van je af te wentelen.'
'Wacht eens even,' zei Mara. 'Beschuldigt u Paul nu van de moord op Seth?'
'Niemand heeft Seth vermoord,' zei Banks zacht. 'Hij heeft zelfmoord gepleegd.'
'Maar u zei...'
'Dat weet ik. Dat dachten we namelijk zelf ook. Door dat briefje ben ik op een dwaalspoor gezet. Seth heeft het niet geschreven; dat heeft Paul gedaan. Hij heeft echter niemand vermoord. Toen Paul Seth ontdekte, was hij al dood. Paul heeft alleen van de gelegenheid gebruikgemaakt om een bekentenis te typen in de hoop dat hij dan verder met rust zou worden gelaten. Ik vermoed dat hij dacht dat dit niet zo heel erg was. Seth was tenslotte dood. Niets kon hem nog schaden. Is het niet zo, Paul?'
Paul zei niets.
'Paul?' Mara keek hem streng aan. 'Is dit waar?'
'En wat dan nog? Seth zou het niet erg hebben gevonden. Hij had vast niet gewild dat wij nog langer werden achtervolgd. Hij was dood, Mara. Dat

zweer ik. Ik heb alleen dat briefje maar getypt.'
'Had hij zelf iets geschreven?' vroeg Banks.
'Jawel, maar daar stond niets in.' Hij trok een stukje papier uit de achterzak van zijn spijkerbroek en overhandigde dat aan Banks. Er stond: *Het spijt me, Mara.* Dat was alles. Banks gaf het briefje aan Mara en er welden tranen op in haar ogen. Ze veegde ze weg met de rug van haar hand. 'Hoe kon je dat nu doen, Paul?' zei ze.
Paul liet zijn hoofd hangen en sloeg zijn armen om zijn knieën. 'Ik heb het voor ons allemaal gedaan,' zei hij. 'Begrijp je dat dan niet? Om ervoor te zorgen dat de politie ons met rust zou laten. Dat zou Seth ook hebben gedaan.'
'Alleen heeft hij dat juist niet gedaan,' zei Banks. 'Seth had niet verwacht dat Paul zijn brief zou vervalsen. Voorzover hij wist zou het duidelijk zijn dat hij zelfmoord had gepleegd. Het was niet bij hem opgekomen dat we het eventueel als moord zouden beschouwen. Als zijn dood ons naar de waarheid zou leiden, was dat wat hem betreft prima, maar hij was niet van plan het ons allemaal uit te leggen. Dat deed hij niet toen hij nog leefde, dus waarom zou hij dat dan wel doen toen hij op het punt stond te sterven?'
'De waarheid?' zei Mara. 'Gaat u ons dan nu vertellen wat die waarheid is?'
'Ja. Als jullie dat willen tenminste.'
Mara knikte.
'Het is misschien niet wat je wilde horen.'
'Na alles wat we hebben meegemaakt,' zei ze, 'denk ik dat u het ons verschuldigd bent.'
'Goed. Ik denk dat Seth onder andere zelfmoord heeft gepleegd uit schaamte. Hij vond dat hij iedereen in de steek had gelaten, ook zichzelf.'
'Wat bedoelt u daarmee?'
'Ik bedoel daarmee dat Seth agent Gill heeft neergestoken en niet kon leven met wat hij had gedaan. Paul had er al enorm door geleden. Seth zou het nooit hebben kunnen verdragen dat hij ervoor moest boeten. Dan zou hij nog eerder zelf een bekentenis hebben afgelegd. Toen Paul werd vrijgelaten, was hij blij voor hem. Alleen hield dat voor Seth zelf in dat de politie hem nog dichter op de hielen zou zitten. Het was slechts een kwestie van tijd. Ik had agent Gills dienstnummer al in Seths notitieboek zien staan en ook al die boeken in zijn werkplaats al opgemerkt. Bovendien wist ik dat het mes van hem was. Ik had hem naar Elizabeth Dale gevraagd en hij wist hoe labiel zij was. Ik hoefde haar alleen maar op te sporen en haar uit te horen. Seth besefte dit allemaal heel goed. Hij wist dat hij er binnenkort bij zou zijn.'
Mara zag bleek. Ze probeerde met trillende handen een sigaret te rollen.

Banks bood haar een Silk Cut aan, die ze aannam. Zoe schonk thee voor iedereen in.

'Ik kan het niet geloven,' zei Mara hoofdschuddend. 'Niet Seth.'

'Het is echt waar. Ik beweer niet dat hij doelbewust van plan was om agent Gill te doden. Hij kon van tevoren niet weten dat de demonstratie in geweld zou eindigen, ook al stond vast dat Gill erbij aanwezig zou zijn. Hij was echter op alles voorbereid. Hij wist heel goed wat er zou kunnen gebeuren wanneer Gill in de buurt was. Daarom vroeg ik ook of een van jullie die middag het dienstnummer van Gill had gehoord. Iemand had het op hem gemunt en wist dat hij er zou zijn.'

'Ik vond al dat het me zo bekend voorkwam,' zei Mara half in zichzelf. 'Ik stond geloof ik in de keuken met Seth.'

'En toen had Osmond het over het dienstnummer.'

'Ik... dat zou best kunnen. Maar waarom Seth? Dat was helemaal niets voor hem. Hij had zo'n zachtaardig karakter.'

'Onder normale omstandigheden was dat inderdaad zo,' zei Banks. 'Alleen waren de omstandigheden in dit geval verre van normaal. Pas toen ik Liz Dale had opgespoord, vielen de puzzelstukjes op hun plek. Ze vertelde me iets heel vreemds, namelijk dat Alison, Seths vrouw, was vermoord. Nu vond ik dat nogal bizar, want ik had met de plaatselijke politie gesproken en met de man die haar had aangereden. Het was een ongeluk. Hij had haar niet met opzet doodgereden. Zijn leven was er ook volledig door verwoest.

Na Alisons dood heeft Seth ook zelfmoord willen plegen, maar dat is hem toen niet gelukt. Hij pakte zijn leven weliswaar weer op, maar het verdriet bleef aan hem knagen en dat kwam deels doordat hij er nooit over sprak. Jullie weten dat hij niet graag over het verleden praatte; hij kropte alles op, al zijn verdriet en schuldgevoel. Wanneer iemand van wie we houden overlijdt, zoeken we de schuld altijd bij onszelf, omdat we misschien ooit heel even hebben gewenst dat ze dood waren, en we maken onszelf wijs dat als alles een beetje anders was gelopen – als Seth die dag naar de winkel was gereden in plaats van Alison – de tragedie nooit zou hebben plaatsgehad. Liz was de enige die doorhad wat er aan de hand was en dat was alleen omdat ze een heel goede vriendin van Alison was. Volgens de politie van Hebden Bridge was Alison veel spontaner, opgewekter en spraakzamer dan Seth. Aangezien hij het "stoere, zwijgzame type" was, dacht iedereen dat hij enorm beheerst, rustig en koelbloedig was, maar vanbinnen was hij een gekweld man.'

'Ik begrijp het nog steeds niet,' zei Mara. 'Wat heeft dit allemaal te maken

met de agent die is vermoord?'
Banks blies zachtjes in zijn thee en nam een slok. Hij smaakte naar appel en kaneel. 'Liz Dale had een klacht ingediend over agent Gills gewelddadige gedrag tijdens een betoging waar ze met Alison Cotton naartoe was geweest. Seth was er zelf niet bij. Liz heeft me verteld dat Alison tijdens die betoging in het voorbijgaan van Gill een vluchtige tik tegen haar slaap had gekregen. Het was slechts een van vele vergelijkbare incidenten die op die middag plaatsvonden. Alison had geen zin om de aandacht van de politie op zich te vestigen door een klacht in te dienen, maar Liz was indertijd veel politieker georiënteerd dan zij. Ze diende een klacht in over Gills gedrag in het algemeen. Toen dat tot niets leidde, heeft ze echter verder geen actie ondernomen. Ze was inmiddels alle belangstelling kwijtgeraakt – heroïne had haar de politiek doen vergeten – en net als jullie ging ze ervan uit dat de politie toch nooit naar iemand als zij luisterde.'
'Dat kun je haar ook niet kwalijk nemen,' zei Rick. 'Ze hádden toch ook niet naar haar geluisterd? Ik geloof niet dat...'
'Hou je mond,' zei Banks. Hij praatte zacht maar dwingend genoeg om Rick het zwijgen op te leggen.
'In de daaropvolgende maanden,' ging hij verder, 'vertoonde Alison enkele ongewone symptomen. Ze klaagde over regelmatig terugkerende hoofdpijn, werd vergeetachtig en was vaak misselijk. Kort daarop raakte ze echter zwanger en zette ze haar andere problemen even uit haar hoofd.
Eén keer sloeg Seth en Liz echt de schrik om het lijf. Alison praatte toen alsof ze weer een meisje van veertien was. Ze was in die tijd met haar ouders op vakantie geweest naar Cyprus, waar ze bij een legervriend van haar vader hadden gelogeerd die daar was gestationeerd, en ze begon plotseling heel gedetailleerd te vertellen over een wandeling die ze op een warme avond in Famagusta langs de Middellandse Zee hadden gemaakt. Blijkbaar klonk haar stem ook echt als die van een veertienjarige. Na een tijdje hield ze er even plotseling mee op als ze ermee was begonnen en ze kon zich niets van het gebeurde herinneren. Toen de anderen haar vertelden waar ze het over had gehad, lachte ze alleen maar.
Voor Seth was de maat vol. Hij was bang dat ze misschien een hersentumor had of iets dergelijks, dus hij stond erop dat ze naar de huisarts ging. Volgens Liz wist de dokter echter niets anders te melden dan dat een zwangerschap niet alleen vreemde dingen met het vrouwelijk lichaam doet, maar ook met haar hoofd. Alison vertelde hem nog dat de symptomen al voor de zwangerschap waren begonnen, maar hij deed het af als een vreemde aanval die

iedereen wel eens had en liet het daarbij.
Enkele weken later ging ze op een avond naar een winkel in de buurt en verdwaalde ze. De winkel bevond zich op ongeveer twee minuten loopafstand van hun huis, maar ze wist niet meer hoe ze thuis moest komen. Seth en Liz troffen haar een uur later zwervend op straat aan. Het ging van kwaad tot erger en ze bezocht nogmaals de huisarts. Aanvankelijk wilde deze het nog op haar zwangerschap gooien, maar Alison benadrukte de vreselijke hoofdpijnaanvallen, het regelmatig terugkerende geheugenverlies en de zwarte gaten in de tijd waarvan ze af en toe last had. Hij zei dat ze zich geen zorgen moest maken, maar regelde een afspraak om röntgenfoto's te laten maken. Tja, we weten allemaal hoe het er bij de National Health Service aan toegaat. Toen de datum van haar afspraak eindelijk in zicht kwam, was ze al overleden. Ze konden toen geen autopsie meer uitvoeren vanwege het ongeluk, haar hoofd was platgewalst.
Seth stortte volledig in, deed een poging tot zelfmoord, vermande zich toen en kocht de boerderij, waar hij een tijdje in afzondering leefde totdat jij in zijn leven kwam, Mara. Hij bewees dat hij in staat was om verder te gaan, maar droeg de zware last van zijn verleden altijd met zich mee. Hij was altijd een heel ernstige man geweest, een man met sterke gevoelens, maar na de schok van Alisons dood ontwikkelde hij ook een duistere kant.'
'Dat is niet logisch,' merkte Mara nu op. 'Als dat allemaal waar is, waarom heeft hij dan zo lang gewacht voordat hij deed wat hij volgens u heeft gedaan?'
'Om twee redenen eigenlijk. Ten eerste was hij tot ongeveer een jaar geleden nog niet helemaal overtuigd. Dat was rond de tijd dat hij zijn testament liet opmaken. Volgens Liz had hij zo'n anderhalf jaar geleden in een tijdschrift een artikel gelezen over een vergelijkbaar geval. Een vrouw die dezelfde symptomen vertoonde als Alison nadat ze een relatief zachte klap op haar hoofd had gehad en later met haar auto een botsing veroorzaakte. Vlak nadat hij dat artikel had gelezen en daardoor aan het denken was gezet, ontvluchtte Liz de inrichting en kwam ze bij jullie logeren. Hij praatte er met haar over en zij was het met hem eens dat het mogelijk was dat dit Alison ook was overkomen. Alison had haar eerste toeval tenslotte vlak na de betoging gehad. Liz was geen goede verpleegster – in elk geval niet goed genoeg om indertijd al de juiste diagnose te stellen – maar ze wist wel het een en ander van het menselijk lichaam af en toen Seth haar eenmaal op een idee had gebracht, wist ze hem er uiteindelijk ook van te overtuigen.'
'Dat moet dan zijn geweest toen ze hier 's avonds beneden zaten te praten,'

zei Mara. 'Hadden ze het toen daarover?'
'Grotendeels wel, ja. Seth las daarop zelf een aantal boeken over het onderwerp. Ik heb in zijn werkplaats zelfs twee boeken over het menselijk brein zien staan, maar de betekenis daarvan drong toen nog niet tot me door. Een ervan heette *The Tip of the Iceberg*. Seth had ze daar gewoon laten staan; hij heeft nooit zijn sporen willen verdoezelen. Dan was er nog agent Gills dienstnummer dat in zijn notitieboek stond. Liz vertelde me dat ze het de laatste keer dat ze hier was voor hem had opgeschreven. Waarschijnlijk heeft hij het er in een aanval van woede uitgescheurd toen hij hoorde dat Gill bij de demonstratie aanwezig zou zijn.'
'U zei net dat er twee redenen waren waarom hij niet direct iets ondernam,' zei Mara. 'Wat was de tweede reden dan?'
'Seths eigen karakter. Je weet dat hij normaal gesproken niet opvliegend of ongeduldig was. Eerder het tegendeel zelfs; voor zijn werk moest hij juist heel veel geduld hebben. Hij was evenmin iemand die er onmiddellijk opuit trok om wraak te nemen. Je moet wel bedenken dat hij nooit helemaal over zijn verdriet en schuldgevoel heen was gekomen. Ik vermoed dat hij zijn woede op dezelfde manier had onderdrukt, maar dat alles vanbinnen was blijven smeulen en ten slotte omsloeg in een diepe haat, haat jegens de man die hem zijn vrouw en kind had ontnomen. Bovendien was het niet zomaar een man, maar ook nog eens een politieman, een vijand van de vrijheid.' Hij wierp een blik op Rick, die aandachtig luisterde en op een pluk van zijn baard kauwde. 'Hij kon echter niets doen. Het was allemaal al zo lang geleden gebeurd en er was geen enkel bewijs, zelfs als hij wel had geloofd dat de politie naar zijn verhaal zou willen luisteren. Ik geloof niet dat hij echt uit was op wraak, maar toen Osmond die middag dat dienstnummer liet vallen, brak er iets in hem. De hele kwestie knaagde al zo lang aan hem en hij voelde zich zo machteloos. Hij nam het mes mee, omdat hij problemen verwachtte. Ik denk niet dat hij echt geloofde dat hij Gill zou doden, maar hij wilde op alles voorbereid zijn. Toen hij het mes later liet vallen en het werd weggeschopt, zal het hem ongetwijfeld hebben verbaasd dat hij niet onder het bloed zat. De meeste van Gills bloedingen waren inwendig. Dus hij hield zijn mond. Er waren meer dan honderd mensen bij de demonstratie geweest. Wat Seth betreft hield dat in dat we werkelijk geen schijn van kans hadden om de moordenaar op te sporen. Bovendien verwachtte hij dat we achter de politieke demonstranten zouden aan gaan en hij was op dat gebied niet zo fanatiek.' Banks zweeg even om een slok thee te nemen. 'Als Paul dat mes niet had opgeraapt en weggegooid, waren we er misschien nooit achter gekomen waar het vandaan kwam. Jullie

zouden ons in elk geval geen van allen hebben verteld dat het weg was, dat weet ik vrij zeker. Liz had hem ook Gills signalement gegeven en Gill was vanaf zijn plek boven aan de trap duidelijk te herkennen. Door de ramen boven de deuren scheen namelijk tamelijk veel licht naar buiten. Seth stond vrijwel helemaal vooraan. Toen ze tijdens de vechtpartij dichter bij elkaar kwamen, zag Seth plotseling het dienstnummer op Gills epaulet en...'

'Mijn hemel!' zei Zoe. 'Dus dat was het...'

'Wat?'

'Toen de politie de aanval inzette, stond ik vooraan naast Seth en die agent haalde uit naar een vrouw die naast me stond. Ze leek wel een beetje op jou, Mara.'

'Wat gebeurde er toen?' vroeg Banks.

'Dat heb ik niet echt gezien. Ik was doodsbang en ik werd opzij geduwd. Maar ik heb Seths gezicht gezien en de blik in zijn ogen. Het was... het is bijna niet te beschrijven, maar hij was heel bleek en zag er zo anders uit... vol haat.'

Iedereen zweeg en probeerde Zoe's woorden tot zich te laten doordringen. Ze had het op dat moment niet kunnen weten, maar voor Seth was het een déjà vu geweest, hetzelfde als wat Alison was overkomen. Nu hij dit wist, dacht Banks bij zichzelf, werd Seths daad des te begrijpelijker. Het was hem te veel geworden en hij was doorgedraaid.

'Liz Dale heeft u dus alles over zijn verleden verteld?' vroeg Mara ten slotte.

'Ja. Alles viel toen op zijn plek: Seths gedrag, het mes, het dienstnummer, de boeken.'

'Als u... als u haar eerder had gevonden, haar eerder had gesproken, zou dat dan Seths leven hebben gered?'

'Dat denk ik niet. Zo eenvoudig is het niet. Het daadwerkelijk uitvoeren van de moord is wat hem uiteindelijk heeft genekt. Hij had al zijn haat en woede erin gestopt en nu was hij helemaal leeg. Als hij niet zoveel geluk had gehad en met schone handen van die demonstratie was teruggekomen, had hij mogelijk al veel eerder zelfmoord gepleegd. Ik vermoed dat hij aanvankelijk heeft gedacht dat hij wel kon leven met wat hij had gedaan, maar naarmate het onderzoek vorderde, ging hij beseffen dat dit niet zo was. Ik denk dat hij de gedachte aan een gevangenisstraf ook niet kon verdragen en hij wist dat we hem uiteindelijk wel zouden krijgen. Het gesprek met Liz Dale heeft alles alleen in het juiste perspectief geplaatst en een duidelijk motief opgeleverd. Liz is geen gemakkelijke vrouw. Haar greep op de realiteit is vrij broos. Ze was niet op de hoogte van de demonstratie of Gills dood. Ik geloof eerlijk

gezegd niet dat ze me ook maar iets over Seth had verteld als ik haar niet had meegedeeld dat hij was overleden. Waarschijnlijk had ik dan ook niet geweten wat ik haar precies moest vragen. Het is geen smoesje, Mara. We maken fouten in ons werk en er is altijd wel iemand die daardoor onschuldig moet lijden. De rest liegt ons echter voor, geeft ontwijkende antwoorden en behandelt ons vijandig. Beide partijen hebben goede en slechte kanten. Je moet niet achteromkijken en zeggen hoe het anders had gekund. Dat heeft geen zin.'
Mara knikte langzaam. 'Denkt u dat Seth gelijk had?'
'In welk opzicht?'
'Dat Gill verantwoordelijk was voor Alisons dood?'
'Ik denk dat die kans heel reëel is, ja. Ik heb er met de politiearts over gesproken en hij is het met me eens. We zullen het echter nooit zeker weten. Liz Dale zat er trouwens naast, Alison is niet vermoord. Gill mag dan geen bijster goede agent zijn geweest, maar het was niet zijn bedoeling haar te doden. Je moet het vanuit Seths standpunt bekijken. Hij was alles wat belangrijk voor hem was kwijtgeraakt – op een gruwelijke manier – en dat vanwege een man die misbruik maakte van de macht die hij uit hoofde van zijn functie bezat. Seth is in de jaren zestig en zeventig opgegroeid. Hij had iets tegen autoriteit en nu was hij zijn vrouw en kind verloren door iemand die hij als vertegenwoordiger beschouwde van een autoriteit die het volk onderdrukte. Het is geen wonder dat hij uiteindelijk terugsloeg, vooral na wat Zoe ons zojuist heeft verteld, want anders was hij gek geworden. Daarom heeft hij volgens mij indertijd ook zijn testament laten opmaken: hij besefte dat wat Alison was overkomen – nu hij wist wat de daadwerkelijke oorzaak van haar dood was geweest – alles veranderde en wist niet zeker of hij nog langer voor zijn daden kon instaan. Hij wilde zeker weten dat jij het huis kreeg.'
Mara sloeg haar handen voor haar gezicht en begon te huilen. Zoe ging naast haar zitten om haar te troosten en de kinderen keken verschrikt op. Paul en Rick zaten onbeweeglijk op hun stoel. Banks stond op. Hij had zijn werk gedaan en de misdaad opgelost, maar voor Mara hield het daar niet mee op. Voor haar was dit slechts het begin van de echte pijn.
'Waarom kon hij niet gewoon gelukkig zijn?' vroeg ze huilend vanachter haar handen. 'Hier, bij mij?'
Daar had Banks geen antwoord op.
Hij deed de deur open en het zonlicht stroomde naar binnen. Bij de auto draaide hij zich om en hij zag dat Mara hem in de deuropening stond na te kijken, met haar armen over elkaar geslagen en haar hoofd een tikje schuin. Het zonlicht viel op de tranen in haar ogen, die als glinsterende edelstenen

over haar wangen stroomden.
Tijdens de rit door de mistsluiers terug naar huis hoorde Banks voortdurend het gejengel van dat verdomde windklokkenspel in zijn oren nagalmen.

Muziek in de boeken van Peter Robinson, een interview

Door Ine Jacet

Tegenstroom (2006) is de vertaling van *A Necessary End* (1989) en het derde boek in de Inspecteur Banks-serie van Peter Robinson. De in Canada woonachtige Britse auteur debuteerde in 1987 met *Gallows View*, (*Stille blik*, 2005), waarin de inspecteur voor de eerste keer zijn opwachting maakte. Het boek belandde direct op de shortlist voor de beste debuutroman in Canada en voor de John Creasey Award in Engeland. Sindsdien schrijft Peter Robinson bijna elk jaar een nieuw boek in de Inspecteur Banks-serie. Deze boeken worden wereldwijd vertaald en toch duurde het bijna vijftien jaar voordat Nederland kennismaakte met deze eigenzinnige inspecteur. In 2002 verscheen *Nasleep*, eigenlijk het twaalfde boek in de serie. En niet zonder succes, want sindsdien volgden meer titels zoals *Tegenstroom,* het derde boek uit de serie. Peter Robinson schreef dit boek in 1988. In Nederland worden recente titels vertaald, maar ook minder recente. Naarmate de vertaling van de serie vordert komen we meer te weten over het werk van Peter Robinson en zijn inspecteur Alan Banks.

Alle verhalen met Alan Banks spelen zich af in Yorkshire, de geboortestreek van deze - al ruim dertig jaar - in Canada woonachtige Britse auteur. Een ander kenmerk van de serie is dat in alle boeken muziek op de achtergrond een rol speelt.

Vandaar een interview met Peter Robinson over de rol van muziek in het leven van Alan Banks en in zijn eigen leven. Gevolgd door enkele vragen over hoe hij nu terugkijkt op zijn boek *Tegenstroom* dat hij in 1988 schreef.

Alan Banks houdt veel van muziek en van heel veel soorten muziek. Zowel van opera als van jazz en rock. Kunt u iets vertellen over de rol die muziek in zijn leven speelt?

Die speelt een heel belangrijke rol. Banks luistert graag naar muziek. Hij is geen professioneel luisteraar, maar een gewone liefhebber. Hij heeft geen muzikale opleiding genoten, kan geen muziek lezen en speelt zelf geen instrument. Misschien is dat juist wel de reden dat hij intens van allerlei soorten muziek kan genieten. Voor hem brengt muziek, hoe wild en grillig ook, een zekere orde en een gevoel van schoonheid dat een scherp contrast vormt met het zware en soms smerige werk dat hij doet. Wanneer hij bijvoorbeeld een werkdag heeft doorgebracht op de plaats delict van een vermoord kind en zijn vertrouwen in de mensheid tot een absoluut dieptepunt is gedaald, kan hij troost putten uit een oud, Engels folknummer, uit een solo van Coltrane, een rocksong uit de jaren zestig of een symfonie van Beethoven. Hierdoor wordt hij herinnerd aan het feit dat er nog steeds schoonheid en goedheid is in de wereld en dat het af en toe nodig is daarbij stil te staan.

Kunt u iets vertellen over de ontwikkeling van zijn muzieksmaak gedurende de serie?
In *Stille Blik,* het eerste boek uit de serie, draaide hij veel operamuziek, maar ik wilde niet dat het, zoals bij bijvoorbeeld inspecteur Morse, bij operamuziek van Wagner zou blijven. Zoals ik al zei, ontbreekt het Banks aan een echte muzikale achtergrond, maar hij is bereid iets nieuws te onderzoeken en staat open voor andere vormen en klanken. Terwijl hij continue zijn klassieke basis uitbreidt, bijvoorbeeld met koorzang, klassieke liederen en modern klassiek, luistert hij ook naar Bill Evans, Van Morrison en Bob Dylan. De muziek hangt in zekere zin ook af van het verhaal, maar hij is erg verknocht aan de muziek die hij draaide tijdens zijn puberteit en adolescentie. Gelukkig voor hem viel deze periode in de vroege jaren zestig en dus kon hij kennismaken met Elvis, The Beatles en The Rolling Stones. En later met Jimmi Hendrix, The Grateful Dead, Pink Floyd en alle anderen. Hij heeft ook wat ruimte in zijn muziekbibliotheek ingeruimd voor een beetje punkmuziek en new wave.

Houdt Alan Banks ook van de hedendaagse pop, rock of jazz?
Hij is niet geheel ongevoelig voor hedendaagse zangers of bands. Zo kent hij bijvoorbeeld: The White Stripes, Jeff Buckley, The Streets, The Go Betweens, Doves, Beth Orton en System of a Down. Als het echter om jazz gaat, heeft hij er bij fusion een punt achter gezet en hij houdt meer van de Miles Davis van vóór *Bitches Brew* dan van het werk dat daarna volgde.

De zoon van Banks, Brian, speelt in een band. Dat past goed bij Banks' liefde voor muziek. Hebt u daarom gekozen voor deze carrière voor zijn zoon?
Nee, dat was eigenlijk meer toeval. Ik plan de ontwikkeling van mijn personages niet echt vooraf, en de serie als geheel al helemaal niet. Dus ik heb geen idee hoe de karakters zich in volgende boeken ontwikkelen. Zelfs de scheiding van Banks verraste me. Ik wilde wel dat Brian zich tegen de wensen van zijn ouders af zou zetten, net zoals Banks dat bij zijn eigen ouders had gedaan. Banks en zijn vrouw wilden dat Brian architectuur ging studeren. Dat staat garant voor een zeker en in materieel opzicht veilig bestaan. Maar

Brian had hierover andere opvattingen. Hij wilde een carrière die hem goede vooruitzichten biedt als het gaat om beroemdheid en succes als songwriter. Achteraf bleek dat een goede keuze en Banks had het maar te accepteren. Uiteindelijk is hij erg trots op wat zijn zoon heeft bereikt. Tegelijkertijd kent hij de valkuilen die horen bij het leven in de rockmuziek. En dus maakt hij zich voortdurend zorgen!

Op uw website maakt u melding van de muziek die in uw boeken voorbij komt. Krijgt u hierop veel reacties?
Ja. Blijkbaar spreekt de muziek de lezers aan. Sommige mensen kennen een bepaald nummer of een componist niet en willen daar graag meer over weten. Als ik op tournee ben, krijg ik regelmatig cd's van fans. Op deze manier ontdek ik soms nieuwe muziek. En mensen sturen me e-mails met de vraag waar een bepaalde opname te koop is. Niet alle reacties zijn uiteraard positief, maar de meeste wel. Het is zelfs zo dat ik meer reacties op de muziek en op Banks' liefdesleven krijg dan op de feitelijke plot van de boeken.

In alle boeken speelt muziek een prominente rol. Is er een boek waarin muziek het meest op de voorgrond staat?
Ja, maar dat boek is nog niet gepubliceerd. Dat is mijn volgende boek dat in juni 2006 in het Engels verschijnt. Het heet *Piece of my Heart* en dit is de titel van een nummer van Janis Joplin. Een deel van het verhaal gaat over een moord tijdens een popfestival in 1969 en een politieonderzoek naar deze moord met Banks aan het roer. Daarnaast vindt er een moord plaats op een muziekjournaliste die bezig is met een verhaal over de reünie van een band uit de jaren zestig. In dit boek komt vrij veel onbekende Britse muziek uit de jaren zestig voor, en ook een paar bekende bands. In *Onvoltooide zomer* werd Banks ook teruggevoerd naar zijn muziekwortels van zijn jeugd in 1965.

Er zijn meer auteurs van misdaadromans die in hun boeken muziek een plek geven. Hoe ziet u de relatie tussen de misdaadroman en muziek?
Eigenlijk komt het erop neer dat de auteurs vaak schrijven, ik ook, over de muziek waar ze graag naar luisteren. Ik zou nooit enthousiast kunnen schrijven over muziek waar ik niet van hou. Muziek speelt een belangrijke rol in de verhalen voor het neerzetten en tekenen van karakters, de sfeer of de weergave van een tijdsbeeld. In *Verdronken verleden* bijvoorbeeld heb ik populaire muziek gebruikt die gedurende de Tweede Wereldoorlog veel werd gedraaid. Muziek kan het karakter of de woorden van een personage extra

toelichten. Dit kan soms ook ironisch bedoeld zijn. Je kunt contrasten aangeven tussen een bepaalde gebeurtenis of visie en wat er in werkelijkheid gebeurt. Het gebruik van *What a Wonderful World* van Louis Armstrong in de film *Good Morning, Vietnam* is daar een goed voorbeeld van. Dat geldt ook voor *The End* van The Doors. Dat wordt gespeeld als illustratie voor destructieve scènes aan het begin van de film *Apocalypse Now.*

Tijdens een interview op internet zegt u dat u het een goed idee zou vinden als er een cd samengesteld zou worden met muziek die een rol speelt in misdaadromans. Denk aan de liefde van inspecteur Morse (Colin Dexter) voor klassieke muziek of aan inspecteur Rebus van Ian Rankin. Hij houdt van Van Morrison en The Rolling Stones en zo zijn er meer voorbeelden, niet te vergeten Alan Banks zelf. Is er ooit een dergelijke compilatie verschenen?

Ik zou het een goed idee vinden, maar het is bij een idee gebleven. Ik geloof dat er een cd bestaat met muziek die voorkomt in de televisieserie van *Inspector Morse* en in Amerika hebben Michael Connelly en George Pelecanos muziek op cd uitgegeven – voor promotiedoeleinden - die verwijst naar hun boeken. Mijn Amerikaanse uitgever wilde zo'n cd samenstellen ter promotie van mijn nieuwe boek *Piece of My Heart,* maar het bleek te moeilijk of te kostbaar om de rechten van het merendeel van de nummers te verwerven. Ik ben een groot voorstander van het idee dat artiesten worden betaald voor hun werk, uiteraard, maar het zijn de grote platenmaatschappijen die zowel de consumenten als de artiesten uitmelken en het ziet ernaar uit dat daar voorlopig geen verandering in komt. Ik wilde bijvoorbeeld een paar zinnen van een oud nummer van Sara Martin in mijn boek *A Necessary End* verwerken. Maar de platenmaatschappij die de rechten beheert, vroeg daarvoor 200 dollar. Op dat moment kon ik me dat niet permitteren en heb ik de passage geschrapt. Ik zou het minder erg gevonden hebben als Sara Martin nog in leven was geweest en een deel van het geld zou hebben gekregen, maar zij was allang overleden. Nu steekt zo'n platenmaatschappij het geld in haar zak.

Bestaat er voor u een muziekstuk dat perfect de sfeer van misdaadromans tekent?

Nee. De muziek varieert, afhankelijk van het verhaal. Zo heb ik een scène uit *Tosca* van Puccini gebruikt in mijn eerste boek *Gallows View*. Bij die betreffende scène paste het goed, maar ergens anders zou het niet hebben gewerkt. *Watching the Detectives* van Elvis Costello pakte goed uit bij de scène op het eind van *Strange Affair*. Maar er bestaat geen muziekstuk dat aan alle eisen van de misdaadroman kan voldoen.

Wilt u iets vertellen over uw eigen favoriete muziek?
Mijn muzieksmaak lijkt behoorlijk op die van Alan Banks. Ik heb periodes dat ik veel naar jazz luister of klassiek of rock. Momenteel luister ik niet veel naar jazz, maar dat komt wel weer, dat weet ik zeker. Ik zit nu in een Johnny Cash-periode en geniet erg van *The Legend Box*. Daarnaast hou ik van Richard Thomson met *Front Parlour Ballads*. De laatste tijd luister ik ook veel naar Green Day, Nick Cave, Josh Rouse en de Fillmore-concerten van de Grateful Dead uit 1969. Sinds het einde van de jaren zestig ben ik een trouwe 'deadhead'. Ik luister nog steeds veel naar klassieke muziek. Favorieten zijn momenteel de latere strijkkwartetten van Beethoven en liederen van Schubert. Daarnaast heb ik de laatste tijd veel geluisterd naar pianosonates en strijkkwartetten van Mozart.

Wat was uw favoriete cd van 2005?
Moeilijke vraag. De Johnny Cash-box waar ik het over had hoort er zeker bij en de strijkkwartetten van Beethoven in de uitvoering van Takacs Quartet. En er is een geweldige cd-box met 21 cd's van liederen van Schubert gezongen door Dietrich Fischer-Dieskau. Het duurt wel een paar jaar voordat ik dat echt goed heb kunnen doorgronden. Ook de cd-box van de vijf Grateful Dead-concerten in 1969 is een lichtpuntje in mijn leven.

Speelt u zelf een instrument? Of hebt u misschien een goede stem?
Op school heb ik een beetje klarinet leren spelen en later gitaar, maar een goede muzikant ben ik nooit geworden. Wel heb een tijdje in een rockband gespeeld en een paar nummers geschreven. Ik heb geen bijzonder goede stem, speelde in die tijd een redelijk goede slaggitaar en een beetje echo bleek wonderen te doen voor mijn stem! Achteraf gezien had ik destijds beter basgitaar kunnen gaan spelen. Niet dat dat gemakkelijk is, maar de basis is simpeler, zeker in de rockmuziek. Ik denk dat ik een redelijk goede bassist had kunnen worden als ik er bijtijds aan was begonnen.

Nu nog enkele vragen over uw derde boek, A Necessary End*, dat in Nederlandse vertaling is verschenen onder de titel* Tegenstroom*. De oorspronkelijke publicatie was in 1989 en het was uw derde boek. Kunt u zich nog herinneren dat u het schreef en kunt u iets vertellen over het schrijfproces?*
Ik kan me er weinig meer van herinneren. Maar meestal gaat het volgens een bepaald stramien. Ik begin met een sterk visueel beeld en een lijk. Daarna ontwikkelt het verhaal zich. Ik heb in het begin geen vaste opzet. Hoewel het

boek in 1988 is geschreven was het een verlate poging om de sfeer van de jaren zestig uit te bannen. Dat is duidelijk niet gelukt, want ik blijf in mijn boeken terugkeren naar die periode. Het was ook een commentaar op het Thatcher-tijdperk. In die tijd was ik al vertrokken uit Groot-Brittannië, maar ik kwam regelmatig terug. Dan schrok ik van de aftakeling die in het noorden plaatsvond en de veranderingen in de wereld waarin ik was opgegroeid, om van de Falklandoorlog en de mijnwerkersstakingen nog maar te zwijgen. Ik heb veel emigrantenideeën in dit boek verwerkt.

Was het boek een succes?
Niet echt. In Canada werd het in hetzelfde jaar gepubliceerd als *The Hanging Valley* en omdat dat boek zich voor een deel in Toronto afspeelt sloeg het daar beter aan. Waarschijnlijk vonden de mensen in Engeland het een beetje gedateerd. In 1989 kwam er een eind aan de regering Thatcher, en de jaren zestig waren allang voorbij.

Hoe kijkt u nu, jaren later, naar A Necessary End (Tegenstroom)*?*
Het is altijd een van mijn favorieten gebleven, waarschijnlijk omdat ik er veel van mijn eigen ervaringen in heb verwerkt. Veel van de personages zijn ontleend aan mensen die ik in die tijd kende. Waarschijnlijk is het ook mijn meest politiek getinte boek. Misschien is dat ook een verklaring voor het gebrek aan echt succes. Ik ben geen politiek schrijver. Maar de muziek in het boek mag er zijn. Ik herinner me nog een autorit van Skipton naar Bronte met muziek van Robert Johnson op de achtergrond en voelde een onwaarschijnlijke verwantschap tussen de mississippideltablues en het steeds desolater wordende landschap van Yorkshire. Het is ook het eerste boek waarin Richard 'Dirty Dick' Burgess meespeelt. Hij is later een favoriet karakter van me geworden.

Wilt u de Nederlandse lezers misschien nog iets vertellen over dit boek?
Ik wil hen alleen vragen om het boek in de context van die tijd te plaatsen. Zie het als een tijdsbeeld en geniet vooral van de blues!